アンナ・カレーニナ

上巻

JN266751

復讐《ふくしゅう》はわれにまかせよ、われは仇《あだ》をかえさん

第一編

1

幸福な家庭はすべて互いに似かよったものであり、不幸な家庭はどこもその不幸のおもむきが異なっているものである。

オブロンスキー家ではなにもかも混乱してしまっていた。妻は、夫がかつてわが家にいた家庭教師のフランス婦人と関係していたことを知って、もうとても一つ屋根の下で暮すことはできないと宣言したのだ。こうした状態はもう三日もつづいていて、当の夫婦はもちろん、家族全員から召使の末にいたるまで、それを痛感していた。家族や召使たちはだれも、自分たちが共同生活をいとなむ意味はない、たとえどんな安宿に偶然泊りあわせた人たちでも、自分たちオブロンスキー家の家族や召使たちよりは、まだしも互いに親近感をいだいているにちがいない、と感じていた。妻は自分が使っているいくつかの部屋のほかには顔を出さなかったし、夫は三日も家をあけていた。子供たちは、ただもうところかまわず、家の中を駆けずりまわっていた。家庭教師のイギリス婦人は女中頭《じょちゅうがしら》とけんかして、どこか新しい勤め口を捜してくれと、友だちに手紙を出した。コックはもうきのうから、わざと食事時をねらって、屋敷から姿をくらましたし、下働きの女中と御者も暇をくれといいだした。

妻とけんかをしてから三日めに、ステパン・アルカージッチ・オブロンスキー（社交界の通称ではスチーヴァ）は、いつもの時刻、つまり、朝の八時に、妻の寝室ではなく自分の書斎の、モロッコ皮のソファの上で目をさました。と、彼はもう一度ぐっすり寝なおそうと思ったのか、そのまるまると太った、栄養のよさそうなからだを、スプリングのきいたソファの上でくるりと寝返らせ、今度はまくらの反対側をしっかりと抱きしめ、そこに片頬《かたほお》をうずめた。が、急にぱっと飛びおき、ソファの上にすわると、目をあけた。

《そう、そう、ありゃ、いったい、なんだったかな？》彼は夢を思い浮べながら考えた。《ええと、なんだったかな？　あっ、そうだ！　アラビンがダルムシュタットでごちそうしてくれたんだっけ。いや、ダルムシュタットじゃない。なにかこうアメリカ風な感じだったな。そうだ、夢の中じゃ、ダルムシュタットがアメリカにあったんだ。そうだ、アラビンがごちそうしてくれたのはガラスのテーブルで……そうだ、そのテーブルがみんな《わが宝の君よ《イル・ミオ・テソロ》》を歌ったんだ。いや、《わが宝の君よ《イル・ミオ・テソロ》》じゃなくて、もっといい歌だったな。それから、なんだかちっぽけなフラスコがいくつも並んでいたけれど、そいつがまたみんな女なんだ》彼はそうすっかり思いだした。

オブロンスキーの目は楽しそうに輝きはじめ、彼は微笑を浮べたまま、もの思いにふけった。《ああ、よかった。じつに、よかったなあ。いや、このほかにも、まだまだ、とってもすばらしいことがあったっけ。あんなことって、言葉じゃとてもいえっこないし、今、こうやって考えてみても、どうにもつかみどころのないものだなあ》そのとき、彼はふとラシャのカーテンの横から差しこんでいる朝日の光に気づくと、急に、うきうきした調子で、両足をソファからずり落し、妻の手になる金色のモロッコ皮の飾りをつけたスリッパ（去年の誕生日の贈り物）を捜しあてた。それから、九年来の古い習慣で、いつも寝室でガウンのかかっているほうへ、すわったまま、片手をのばした。が、その瞬間、彼ははっとして自分がなぜ妻の寝室ではなく、こうして書斎の中で眠っていたのかを思いだした。その顔からは微笑が消え、彼は額にしわをよせた。

《うむ、そうか！　ああ、ああ！……》彼はいっさいのことを思い起しながら、うめくようにつぶやいた。すると、彼の頭にはまたしても妻とのけんかの一部始終が浮んで、改めて自分ののっぴきならない立場が思いだされた。何よりも耐えがたいのは、その原因がすべて自分ひとりにあることであった。

《そりゃ、あれは許しちゃくれまいし、許すわけにもいくまい。ところが、なによりもまずいことに、いっさいの原因がこのおれにありながら――その張本人のおれに少しも罪の意識がないことだ。いや、ここにこそ今度の悲劇のすべてがあるんだ》彼は考えた。《ああ、まいったなあ!》彼は妻とのけんかから受けたもっとも痛ましい印象をあれこれ思い浮べながら、絶望的に声をあげた。

なによりも不愉快だったのは、あの最初の瞬間であった。そのとき、彼は満ち足りたすがすがしい気分で劇場からもどって来ると、妻へのみやげの大きな梨《なし》を持って客間へはいって行ったが、妻の姿はそこになく、驚いたことには、書斎にも見あたらず、ようやく寝室で見つけたものの、その手にはいっさいを暴露した、あの忌《いま》わしい手紙を握っていたのである。

あの女、つまり、いつもはなにかしらに気を配って、せかせかと動きまわっている、たいして利口ではないと思いこんでいた妻のドリイが、例の手紙を握りしめて、身じろぎもせずにすわったまま、恐怖と絶望と憤激のいりまじった表情で夫の顔をにらみつけたのであった。

「これはなんですの？　これは？」その手紙を指さしながら、妻はたずねた。

このときのことを思いだしてみても、もっともこれはよくあることだが、オブロンスキーを苦しめるものは、事件そのものよりも、むしろ妻のこうした言葉に対する自分の返答ぶりであった。

その瞬間、彼の身には、なにかあまりに恥ずかしい行いを不意に指摘された人たちによく見られる現象が起ったのであった。彼は自分の非行をあばかれながらも、そうした新しい事態にふさわしい顔つきを妻にすることができなかったのである。憤然として腹を立てるなり、否定するなり、弁明するなり、許しを請《こ》うなり、いや、ただ平然としているだけでもまだよかったものを――このいずれであっても、彼のしでかしたことよりはまだましだったろう！――彼の顔はまったく無意識に（《こりゃ条件反射だな》と、生理学好きのオブロンスキーはちらっと考えた）まったく無意識に、あの持ち前の、善良そうな、したがって間のぬけた微笑を、つい、浮べてしまったのである。

この間のぬけた微笑には、彼自身もわれながら許しかねていた。この微笑を見るや、ドリイはまるで肉体のどこかに痛みでも受けたかと思われるほど、ぶるっと身を震わせ、気短かな気性を一時に爆発させて、激しい言葉の雨を浴びせると、そのまま部屋から飛びだしてしまった。それ以来、彼女は夫の顔を見ようとはしないのであった。

《なにもかもあの間のぬけた微笑が原因なんだ》オブロンスキーは思った。

《それにしても、いったい、どうすればいいんだ？　どうすれば？》彼はそう絶望的につぶやいたが、なんの答えも見いだせなかった。

2

ステパン・オブロンスキーは、自分自身に対しては正直な人間であった。自分の本心を偽って、おれは自分の行いを後悔しているなどとむりに思いこむことはできなかった。今なお彼は、三十四歳の美丈夫で惚《ほ》れっぽいこの自分が、ふたりの死んだ子供を数えれば七人の子持ちで、夫より一つしか若くない妻に魅力を感じていないからといって、後悔する気にはなれなかった。ただ妻の目をもっとうまくごまかすことができなかったことだけを後悔していた。そうはいっても、彼も自分のおかれたつらい立場は十分感じていて、妻子や自分自身を哀れに思っていた。もしあの手紙が妻にあれほど大きなショックを与えると知っていたら、おそらく、彼はもっとじょうずに妻の目から自分の過失を隠すことができたであろう。彼は一度もこの問題をつきつめて考えたことはなかったけれど、妻はもうだいぶ前から自分の浮気に感づいていながら、わざと見てみぬふりをしているのではないかと、ぼんやり想像していたのである。それどころか、妻のように老《ふ》けてやつれてきた、もう少しも美しくない、どこといって人目を惹《ひ》くものもない、ありふれた、ただもう善良な家庭の母親といった女は、公平にいって、もっと寛容であるべきだと思っていた。ところが、それとはまったく反対であることがわかったのである。

《ああ、かなわん！　ああ、ああ、こりゃ、とても、かなわん！》オブロンスキーはそうひとり言を繰り返すばかりで、なにひとつ、いい考えをひねりだすことはできなかった。《ああ、これまではなにもかもじつにうまくいっていて、家じゅうみんな楽しく暮していたんだがなあ！　あれは子供たちに夢中で幸福だったし、このおれはなにひとつ干渉しないで、子供の面倒も家政のことも、みんなあれのしたい放題にまかせていたんだ。そりゃ、あの女がうちにいた家庭教師だったってことはまずいさ。たしかに、よくはないさ！　だいたい、自分のとこの家庭教師の尻《しり》を追いかけまわすなんて、低級な、俗っぽい趣味だよ。いや、そうはいっても、あの女はすばらしい家庭教師だったなあ！（彼はそこでマドモアゼル・ローランのいたずらっぽい黒いひとみと微笑をまざまざと思い浮べた）でも、あの女が家にいるあいだは、このおれもちゃんとしていたんだ。ただいちばんまずいのは、あの女が今じゃもう……、それにしても、まるでわざと仕組んだみたいなのには恐れ入ったな！　ああ、ああ、こりゃ、いったい、どうすりゃいいんだ？》

その解答はなかった。あるのはただひとつ、きわめて複雑な解決不可能な問題に対して、この人生が用意しているあの一般的な解答ばかりであった。その解答とはほかでもない。その日その日の要求によって生きねばならぬ、つまり、くだらぬことは忘れてしまわねばならぬ、ということであった。眠りによってすべてを忘れ去ることは、すくなくとも、夜が来るまではできないし、あのフラスコの女たちが歌った音楽の世界に返って行くわけにもいかない。そうなると、今はもう生活の夢の中にすべてを忘れてしまわねばならぬわけだ。

《まあ、いずれ、なんとかなるだろう》オブロンスキーはそうひとり言をいって立ちあがると、空色の絹の裏地のついたねずみ色のガウンをひっかけ、その紐《ひも》を結び、広い胸いっぱいに思いきり空気を吸いこんだ。そして、太ったからだを軽々と運んで行く、がに股《また》気味の足を、勇ましく踏みだし、窓辺へ近づき、カーテンをあげると、高らかにベルを鳴らした。と、ベルを聞きつけて、古なじみの召使マトヴェイが、たちまち、服と靴《くつ》と電報を手にしてはいって来た。マトヴェイのあとからは、ひげ剃《そ》り道具を持った理髪師もはいって来た。

「役所から書類は来ているかね？」オブロンスキーは、電報を受け取り、鏡の前にすわりながらたずねた。

「机の上にございます」マトヴェイは、同情をこめた、もの問いたげなまなざしで、主人の顔をそっとながめて答えた。それから、少し間をおいて、ずるそうな微笑を浮べながら、つけ加えた。「貸馬車屋の親父《おやじ》から使いが参りました」

オブロンスキーは、なんとも答えないで、ただ鏡の中のマトヴェイの顔をちらっと見た。と、鏡の中でかちあったその目の色から、ふたりが互いによく理解し合っていることが読みとれた。オブロンスキーの目は、《おまえはなんでそんなことをいうんだ？　まさか、知らないわけじゃあるまいし……》といっているようだった。

マトヴェイはモーニングコートのポケットへ両手を突っこみ、ちょっと片足をひいて、黙りこくったまま、人の良さそうな、かすかなほほえみをたたえながら、主人の顔をながめていた。

「わしは今度の日曜に来いと申してやりました。それまではだんなさまのおじゃまをしたり、自分たちもむだ足をしないようにといってやりました」マトヴェイはいったが、これは明らかに、前もって用意してあったせりふらしかった。

オブロンスキーには、マトヴェイがちょっと冗談をいって、こちらの注意をひこうとしたのだとわかった。彼は電報の封をきって、いつものように、まちがって書かれた文面を心の中で訂正しながら読みおえると、その顔はぱっと一時に明るくなった。

「おい、マトヴェイ、あした、妹のアンナがやって来るぞ」彼は理髪師の手をちょっとおしとどめて、いった。そのふっくらと、つやのいい手は、今まさに長い、ちぢれた頰ひげのあいだに、ばら色の切れ目をつけているところだった。

「それはようございましたな」マトヴェイは答えたが、彼はこの短い返事によって、自分は主人と同様、この訪問の意味、つまり、主人のお気に入りの妹であるアンナなら、夫婦の和解にひと役買うであろうことを承知していると表明したのであった。

「おひとりで、それとも、だんなさまとごいっしょで？」マトヴェイはたずねた。

オブロンスキーは口がきけなかった。ちょうど理髪師が上唇《うわくちびる》を剃っていたからである。それで、指を一本あげてみせた。マトヴェイは鏡に向ってうなずいた。

「おひとりで。では、お二階のほうにおしたくいたしましょうか？」

「奥さんにうかがってみろ、どこがいいか？」

「え、奥さまに？」なにやら納得のいかぬ面持《おもも》ちで、マトヴェイはきき返した。

「そうさ、うかがってみるんだ。それから、この電報を持って行って、お渡ししろ。どういう返事があるか……」

《ははあ、ちょっと、ためしてみるんだな》マトヴェイにはわかったが、彼はただ、

「かしこまりました」といった。

オブロンスキーがもう顔を洗い、髪をとかして、これから着替えをはじめようとしていたとき、マトヴェイは電報を手に、靴をきしませながら、ゆっくりと部屋の中へはいって来た。理髪師はもういなかった。

「奥さまは、あたしはもう出て行くから、あの方の、つまり、だんなさまのお好きなように、するがいい、とのことでございました」マトヴェイは目だけで笑いながら、両手をポケットに突っこみ、首をかしげて、主人の顔をじっと見守った。

オブロンスキーは、ちょっと、黙っていた。と、じきに、その美しい顔には、人の良さそうな、いくらか哀れっぽい微笑が浮んだ。

「弱ったな、マトヴェイ？」彼は小首をかしげながら、声をかけた。

「なに、大丈夫でございますよ。丸く、おさまりますとも」とマトヴェイは答えた。

「丸く、おさまる？」

「たしかに、仰《おお》せのとおりで」

「そう思うか？　おい、そこにいるのはだれだね？」戸の陰に、女の衣《きぬ》ずれの音を聞きつけて、オブロンスキーはたずねた。

「あたくしでございます」しっかりした、気持のいい女の声がして、戸の陰から、ばあやのマトリョーナの、きつい、あばた顔が現われた。

「おい、どうしたんだ、マトリョーナ？」オブロンスキーは、戸口のほうへ近づきながら、たずねた。

オブロンスキーは妻に対してまったく罪ぶかいことをしたのであり、彼自身もそれを痛感しているにもかかわらず、家じゅうのほとんどすべての者が、妻のドリイの無二の親友であるばあやまでが、彼の味方なのであった。

「おい、どうしたんだね？」彼は力のない声でいった。

「だんなさま、今すぐおいでになって、もう一ぺん、おわびをなさいませ。きっと、うまいぐあいに運びますから。奥さまのお苦しみようといったら、まったく、見るもおいたわしいほどでございますよ。それに、家の中も、まるっきり、めちゃくちゃでございます。だんなさま、お子さまのことも、おかわいそうだと思ってさしあげなくては。ねえ、おわびをなさいませ。もう、どうしようもございません！　ご自分でまいた種は……」

「だが、あれが入れてくれんことには……」

「なに、だんなさまは、ご自分のことだけなされればよろしいんでございますよ。神さまはお慈悲ぶこうございますから。神さまにお祈りなさいませ。だんなさま、神さまにお祈りなさいませ」

「ああ、いいとも。もう、あっちへお行き」オブロンスキーは、急に頬を赤らめて、いった。「それじゃ、着替えをさせてもらおうか」彼はマトヴェイのほうへ振り向いて、思いきりよくガウンを脱ぎすてた。

マトヴェイは、さっきから、なにか目に見えないほこりを払いながら、馬の首輪の形にこしらえたシャツをささげ持っていたが、いまや見るからに満足そうに、手入れのゆきとどいた、主人のからだに、それをかぶせた。

3

着替えをすませると、オブロンスキーは、からだに香水をふりかけ、シャツの袖口《そでぐち》をなおし、なれた手つきで、たばこや、紙入れや、マッチや、二重鎖と飾りのついた時計を、それぞれのポケットへしまい、さっとハンカチをひと振りすると、例の不幸な事件にもかかわらず、自分がいかにもさっぱりとすがすがしく、元気いっぱいで、肉体的にもさわやかな感じがして、一歩踏みだすごとに、軽くからだで調子をとりながら、食堂へ出かけて行った。そこにはもうコーヒーが彼を待っていたが、コーヒーの横には、何通かの手紙と役所からの書類が置いてあった。

彼は手紙に目を通した。その一通はとても不愉快な手紙で、妻の領地の森を買おうとしている商人からのものであった。この森はなんとしても処分しなければならぬものであったが、しかし今となっては、妻と和解ができるまで、そんなことは口にすることもできなかった。しかも、なによりも不愉快なのは、この件のために、目前に控えている妻との和解という仕事に、金銭上の利害がからむことであった。そのとき、彼の頭には、ひょっとすると、自分はこうした利害に左右されるかもしれない、この森を処分したいために、妻との和解を求めるようになるかもしれない、という考えがちらっと浮んだが、この考えはひどく彼の心を傷つけた。

手紙を読みおわると、オブロンスキーは、役所の書類を手もとへ引き寄せ、すばやく二つの事件に目を通し、太い鉛筆でいくつかメモをつけてから、それをわきへ片づけ、コーヒーに手をかけた。彼はコーヒーを飲みながら、まだ湿りけのある朝刊をひろげ、それを読みはじめた。

オブロンスキーは自由主義的な新聞を取っていたが、自由主義といっても、それはあまり過激なものではなく、大多数の人びとがいだいている程度のものであった。また、彼は科学にも、芸術にも、政治にも、たいして興味をもっていなかったが、これらすべてのものに対しても、大多数の人びとと新聞のいだいている見解とまったく同じものを堅持していたし、大多数の人びとがその見解を変えるときにのみ、自分の見解を変えた。いや、彼が見解を変えたというよりも、見解そのものが、いつのまにか、彼の内部で変化するといったほうが当っているかもしれなかった。

オブロンスキーは、主義主張をみずから選んだことはなかった。主義主張のほうが彼に向ってやって来るのだった。それはちょうど、彼が帽子やフロックコートの型を選ばずに、世間一般で用いられているものを、そのまま使うのと同様であった。ところで、ひとつの見解をもつということは、彼のように一定の社会に生活し、普通、年配になってから発達する、一種の思索活動を痛感している者にとっては、帽子を持つのと同様、必要欠くべからざるものであった。もし彼が、自分と同じ階層の多くの人びとが支持する保守主義のかわりに、自由主義を選んだことについて、なにか理由があるとすれば、それは彼が自由主義をより合理的なものと判断したからではなく、単にこのほうが自分の生活様式によりぴったりするからであった。自由党は、ロシアではなにもかもひどい状態だといっていたが、実際、オブロンスキーは負債ばかり多くて、まったく金に困っていた。自由党の人びとは、結婚はもはや流行おくれの制度であり、なんとしても改革しなければならない、と説いていた。そして実際、オブロンスキーは家庭生活からほとんど満足を与えられていないばかりか、自分の本性に反して、うそをついたり、しらばっくれたりしなければならなかった。自由党の人びとは、宗教が国民の中の一部の野蛮な人びとのための轡《くつわ》にすぎない、と公言したというよりか、暗示を与えていた。そして実際、オブロンスキーは短い祈りのときですら、いつも足の痛みを我慢して立っている始末だったし、この世の暮しだってきわめて快適であるのに、なんだってあの世について誇張した恐ろしい言葉の数々を並べるのか、まったく納得がいかなかった。それと同時に、愉快なしゃれが好きなオブロンスキーは、もし種族の誇りを云々《うんぬん》するのならば、リューリック（訳注　八六二年にノヴゴロドへやって来て、八七九年に死んだというロシア王朝の伝説的な始祖）あたりでお茶をにごして、人類の祖先たる猿《さる》を否定する法はない、といって、ときどきおとなしい人びとを困らせては楽しんでいた。こうして、自由主義的傾向はオブロンスキーにとって習性となり、食後の葉巻と同じく、自分の新聞を愛していた。それは頭の中にいくらかもやもやしたものを生みだしてくれるからであった。彼はまず社説に目を通したが、そこにはこんなことが解説してあった。今まさに、過激主義はいっさいの保守的要素を飲みつくそうとしているとか、政府は革命の地下運動を圧殺するために、あらゆる手段を講じなければならぬとか、声を大にして叫ぶことは、現在においてまったく無意味なことであり、むしろその反対に、「われわれの見解によれば、危険はかかる実在しない革命の地下運動にあるのではなく、進歩を阻害する因襲の頑固《がんこ》さにある」云々。彼はもうひとつの財政関係の論説を読んだが、そこではベンサムとミルに言及しながら、当局をときどきちくりとやっつけていた。彼は持ち前の勘のよさから、そのいずれの皮肉の意味をも、つまり、だれがだれに対して、どういう件で、皮肉の針を刺したか、理解することができた。そしてこのことは、いつものことながら、彼にある種の満足感を与えた。ところが、きょうはこの満足感も、マトリョーナの忠告や、家の中がすっかり乱れていることを思いだすことによって、たちまち、そこなわれた。彼はさらに、ベイスト伯（訳注　一八〇九—一八八六。オーストリア外相）がヴィスバーデン（訳注　ドイツの温泉地）に向ったという風説や、今後は白髪《しらが》の人がいなくなるだろうとか、軽装馬車の売却広告とか、若い婦人の求職広告などを読んだ。しかし、これらの記事も、以前のように、静かな、皮肉な満足感を与えてはくれなかった。

新聞を読みおえ、二杯めのコーヒーを飲みほし、バターつきのパンを食べてしまうと、彼は立ちあがり、チョッキからパンくずを払いおとし、広い胸をぐっと張って、うれしそうに微笑を浮べた。が、それは心の中が何か特別うきうきしていたためではなく、消化のよい胃がこのうれしそうな微笑を誘いだしたにすぎなかった。ところが、このうれしそうな微笑は、たちまち、彼にいっさいのことを思いださせ、彼は急に考えこんでしまった。

ふたりの子供の声が(オブロンスキーは末の男の子グリーシャと長女のターニャの声を聞きわけた)戸の外で聞えた。ふたりはなにかをひきずって来て、落したところだった。

「だから、いったでしょう。屋根の上にお客さまをのせてはいけないって」女の子は英語で叫んだ。「さあ、早く拾いなさいよ」

《こりゃ、なにもかもめちゃくちゃだな》オブロンスキーは思った。《ああやって、子供たちも勝手に、走りまわっている》そこで、戸口へ近づいて、子供たちを呼んだ。子供たちは汽車にしていた箱を放りだして、父親のところへやって来た。

父親のお気に入りのターニャは、さっと飛びこんで来て、いきなり抱きつくと、父親の頬《ほお》ひげから発散するおなじみの香水のにおいを喜んで、いつものように、笑い声をたてながら、その首にぶらさがった。それから、前かがみになっているために赤くなってはいるが、優しい愛情に輝く父親の顔にキスすると、娘は両手を放して、もとのほうへ駆けだそうとした。が、父親はそれをひきとめた。「ママは、どうしてる?」彼は、娘のすべすべした、きゃしゃな首筋をなでながら、たずねた。それから、朝のあいさつをする男の子に、「やあ、おはよう」と笑いかけながら、いった。

彼は、自分が男の子のほうをあまり愛していないことを承知していたので、いつも公平になろうと努めていた。ところが、男の子のほうも、それを感じていたので、父親の冷たい笑顔には微笑を返さなかった。

「ママ? 起きたわ」女の子は答えた。

オブロンスキーは、そっと、溜息《ためいき》をつき、《こりゃ、つまり、またひと晩じゅう眠らなかったわけだな》と考えた。

「じゃ、ママはごきげんかい?」

女の子は、父母のあいだに争いのあったことも、だから母のきげんがいいはずがないことも、また、父がそれを知らないはずはないから、父がさりげなくこう聞くのは、わざと知らないふりをしているのだということも、承知していた。だから、女の子は、急に、父親に対して顔を赤らめた。父親のほうもすぐにそれと察して、これまた顔を赤らめた。

「知らないわ」女の子はいった。「ママは勉強のことはおっしゃらないで、ミス・フールとおばあさんのところまで散歩に行きなさいですって」

「それじゃ、行っておいで、ターニャ。あっ、そうだ、ちょっとお待ち」彼はなおも娘をおさえたまま、そのきゃしゃな、かわいい手をなでながら、いった。

彼はマントルピースの上から、きのうのせておいた菓子箱を取ると、ターニャの好きな、チョコレートとクリームのを、二つ取りだしてやった。

「グリーシャの分?」女の子は、チョコレートのほうを指さしながら、きいた。

「そう、そうだよ」それからもう一度、娘のかわいい肩をなでて、髪の根もとと首筋にキスしてから、やっと、放してやった。

「馬車のご用意ができました」マトヴェイがいった。「それから、女の請願者がひとりお待ちしております」彼はそうつけ足した。

「ずっと前からかね?」オブロンスキーはたずねた。

「半時間ほどで」

「すぐ取次ぐように、あれほどいってあるじゃないか!」

「だって、だんなさまも、せめてコーヒーの一杯ぐらい、召しあがらなくちゃ」マトヴェイは友だちづきあいの、乱暴な調子で答えたので、とてもそれに腹を立てるわけにはいかなかった。

「じゃ、とにかく、早くここへ」オブロンスキーは、いまいましそうに、顔をしかめながら、いった。

請願者はカリーニン二等大尉《たいい》夫人といったが、その請願はとても不可能な、お話にならぬ事がらであった。しかし、オブロンスキーは、いつものとおり、相手をすわらせると、その話を黙って注意ぶかく聞いてから、だれに、どんなふうに頼んだらいいか、細かい忠告を与えたうえ、さらに、相手の力になってくれそうな人物にあてた紹介状を、大きな、のびのびした、美しい、はっきりした筆跡で、威勢よく、すらすらと書いてやった。二等大尉夫人を帰してしまうと、オブロンスキーは、帽子を手にして、ちょっと立ち止って、なにか忘れ物はないかと思案した。が、なにも忘れ物はなかった。ただ、忘れたいと願っていたあの妻との一件のほかは。

《ああ、そうだ！》彼はうなだれた。その美しい顔は、もの思いに沈んだ表情に変った。《行ったものか、どうか？》彼はそっとつぶやいた。そのとき、内なる声はこうささやいたのだ。行く必要はない、行ったところで偽り以外のなにものもありえない。ふたりの関係をもとにもどしたり、つくろったりすることは不可能だ。なぜなら、妻を再び魅力のある、彼の愛情を呼びさますようなものにすることも、彼自身をもはや恋することのできぬ老人にしてしまうこともできない相談であるからだ。今となっては、偽りのほか、なにも期待することはできない。しかも、偽りは彼の本性と相入れぬものであった。

《しかし、いつかは、それもしかたがないな。だって、いつまでもこのままですますわけにはいくまい》彼は自分で自分を力づけようとしながら、そういった。彼はぐっと胸を張り、巻たばこを一本取りだし、火をつけて、二口吸うと、真珠貝の灰皿のなかへ捨てた。そして、足速に陰気な客間を通りぬけ、妻の寝室へ通ずる、もう一つのドアをあけた。

4

ダーリヤ・アレクサンドロヴナ（訳注　普通はダーリヤの愛称ドリイで呼ばれている）はブラウスを着て、昔は濃くて美しいつやがあったのに、今ではもう薄くなった髪をうなじのところで巻いてピンでとめ、げっそりやせこけた顔に、大きな、おびえたような目を、いっそう目だたせながら、部屋いっぱいに散らかした荷物の中で、開いた洋服だんすの前に立って、何かを選びだしていた。が、夫の足音を聞きつけると、その手を休めて、ドアのほうを見ながら、自分の顔にきびしい、相手をさげすむような表情を与えようと、むなしい努力をはらった。彼女は夫を恐れ、目前に迫った対面を恐れている自分を感じていたのである。彼女はこの三日間にもう十度も試みたことを、今まさに試みようとしているのだった。それは自分と子供たちの物を選《え》りわけて、母親のところへ運ぼうというのだが、なかなかそう踏みきることはできなかった。しかし、彼女は今度もまた、前のときと同じように、このままではとてもすまされない、なんとか方法を講じて、夫を罰しはずかしめて、自分が受けた苦痛のせめて何分の一かでも、夫に復讐《ふくしゅう》しなければならない、と自分にいいきかせていた。さらに、彼女は今もってここを出て行くのだといいはっていたが、それが不可能であることを感じていた。なぜ不可能かといえば、彼女は今までどおり彼を夫として愛しつづけていたからである。そのうえ、今この家でも五人の子供の面倒をみるのは並みたいていではないのだから、みんなを引き連れて里へ帰ったら、なおさらたいへんだろう、とも感じていた。いや、それでなくとも、この三日間に、末の男の子は悪いスープにあたって病気をするし、ほかの子供たちも、きのうなどはほとんど食事らしい食事をしていない始末だった。これではとても出て行くわけにはいかないことを十分承知していながら、それでもなお、彼女は自分の気持を偽って、荷物の整理をし、家を出て行くふりをしていたのである。

夫の姿を見ると、ドリイはあわてて、なにか捜し物をしているように、洋服だんすの引出しに片手を突っこみ、夫がまったく目と鼻のあいだに近づいたときにはじめて、振り返った。しかし、彼女がきびしい決意を秘めた表情をつくろうとしたその顔は、途方にくれた、苦悩に満ちた表情を表わしていた。

「ドリイ！」夫は静かに弱々しい声でいった。彼はうなだれて、さも哀れな、従順な態度を示そうとしたが、その様子は、相変らず、さっそうとして、健康そのものであった。

彼女はちらっと、さっそうとして、健康そのものの夫の姿を、頭のてっぺんから足の爪先《つまさき》まで、見まわした。《そうだ、この人は幸福で、満ち足りているんだわ！》彼女は考えた。《じゃ、あたしは？……それに、あのぞっとするような人の良さときたら。みんなはそのためにこの人を好いたり、ほめたりしているけれど、あたしはこの人の人の良さが大きらいだわ》彼女は考えた。その口はゆがんで、青ざめた、神経質そうな顔は、右頬をぴくぴくと震わせた。

「なんのご用ですか？」彼女は胸の奥からしぼりだしたような、つくり声で、早口にいった。

「ドリイ！」彼は声を震わせながら、繰り返した。「アンナがきょうやって来るよ」

「それがどうしたんですの？　あたしはお目にかかりません！」彼女は大きな声をたてた。

「しかし、そうもいくまいよ、ドリイ……」

「出て行ってください、出て行ってください、出て行ってください！」彼女は夫のほうを見ないで叫びつづけたが、その叫び声はまるで肉体的な苦痛から発したもののようであった。

オブロンスキーは、さっき妻のことを考えていたあいだは、平然と落ち着きはらって、マトヴェイの言葉をかりれば、すべてのことが丸くおさまると期待して、ゆっくり新聞を読んだり、コーヒーを飲んだりすることができた。ところが、現に、妻のやつれた、受難者のような顔をながめ、宿命に甘んじた、絶望的な声の響きを耳にすると、彼は息がつまり、なにかがのどにこみあげて来て、その目には涙が光りはじめた。

「ああ、おれはなんてことをしたんだろう！　ドリイ！　お願いだ！　だって……」彼はもう言葉をつづけることができなかった。こみあげてくる泣き声でのどがつまってしまったのだ。

ドリイは洋服だんすの扉《とびら》をばたんとしめて、夫のほうを振り返った。

「ドリイ、おれにはなにもいえない……ただひとつ、あやまるだけだ、許しておくれ、許しておくれ……ねえ、考えてもみておくれ、九年間の生活が、ほんのいっときのことを、あがなうことができないものか……」

ドリイは目をふせて、夫の話に耳を傾けていたが、その様子はまるで夫に自分の誤解を正してもらいたいと、ひそかに念じているようであった。

「ほんのいっときの浮気心が……」と、彼はそういいだして、その先をつづけようとしたが、この言葉を聞くと同時に、ドリイの唇《くちびる》は、まるで肉体的な苦痛でも受けたように、再びゆがんで、右頰もまたぴくぴくと震えた。

「出て行ってください、ここから出て行ってください！」彼女は前よりいっそう声を張りあげて叫んだ。「それから、もうそんな浮気心だなんて、けがらわしい話は、あたしに聞かせないでください！」

彼女は出て行こうとしたが、急によろめいて、身をささえようと、いすの背につかまった。と、夫の顔は柔らいで、唇はふくれあがり、両の目は涙でいっぱいになった。

「ドリイ！」もうすすり泣きながら、彼は話しだした。「お願いだから、子供たちのことを考えておくれ。あの子たちにはなんの罪もないんだ。悪いのはおれひとりなんだから、おれを罰しておくれ。罪ほろぼしをするようにいっておくれ。おれにできることなら、なんでもするよ！　おれが悪かった、おれがどんなに悪かったと思ってるか、言葉につくせないくらいだ！　だから、ドリイ、許しておくれ！」

　ドリイは腰をおろした。彼は妻の苦しそうな、大きな息づかいを聞いて、たまらなくかわいそうになった。彼女は何度か話しかけようとしたが、できなかった。彼はじっと待っていた。

「あなたが子供たちのことを思いだすのは、あの子たちと遊びたいときだけですよ。でも、あたしはいつだって子供たちのことを思っていますし、あの子たちが今、だめになってしまったことも知っています」彼女はいったが、それはどうやら、この三日間に一度ならず自分にいってきかせた文句の一つらしかった。

　彼女は親しい口調で「あなた」と呼びかけた。そこで、彼は相手に感謝するような面持《おもも》ちで、妻の顔を見返し、その手を取ろうとした。が、彼女は嫌悪《けんお》の色を浮べて、さっと身をひいた。

「あたしはいつだって子供たちのことを思っています。だから、あの子たちを救うためには、この世でできることはなんでもするつもりです。でも、どうやったら、あの子たちを救えるか、もうあたしにもわからないんです。父親のもとから連れだしたものか、それとも、ふしだらな父親のもとに残したものか――ええ、そうですとも、ふしだらな父親ですとも……ねえ、おたずねしますけど、あんな……ことがあったあとでも、いっしょに暮せるものでしょうか？　ほんとに、そんなことができるものでしょうか？　ねえ、いってみてください、ほんとに、そんなことができるものかどうか？」彼女はいっそう声を張りあげながら、同じことを繰り返した。「あたしの夫が、あたしの子供たちの父親が、その子供たちの家庭教師の女とおかしな関係になったあとで……」

「でも、どうしたらいいんだ？　どうしたら？」彼は哀れっぽい声でいったが、自分でもなにをいっているのかわからずに、ただ、前よりもいっそう低く頭をたれるのだった。

「あなたなんて、いや。けがらわしい！」ドリイはすっかり興奮しながら、叫んだ。「あなたの涙なんて、ただの水だわ！　あなたは、一度だって、このあたしを愛してくれたことなんかないんだわ、あなたには心臓《こころ》もなければ、優しい気持もないんだわ！　あなたは下劣で、いやらしくて、あたしなんかと関係ない人だわ。ええ、まったくの、赤の他人よ！」彼女は苦痛と敵意をこめて、自分自身にとっても恐ろしい他人、という言葉を口にした。

彼は思わず妻の顔を見た。と、その顔に表われている憎悪の色に、はっとして、たじろいだ。彼には自分が相手にいだいた哀れみが、かえって妻をいらだたせたことが理解できなかった。しかし、彼女が夫の中に見いだしたものは、自分に対する同情であって、愛情ではなかったのだ。

《いや、あれはおれを憎んでいる。とても、許してはくれまい》彼は考えた。

「ああ、かなわん！　とても、かなわん！」彼は口走った。

そのとき、隣の部屋で、きっところびでもしたのだろう、急に赤ん坊が泣きだした。ドリイはじっと耳をすましたが、その顔は、たちまち、おだやかになった。

彼女は、どうやら、自分が今どこにいて、なにをしたものか、わからない様子で、しばらくのあいだ、じっと考えていたが、急に立ちあがると、ドアのほうへ歩きかけた。

《でも、あれはこのおれの子をかわいがってるじゃないか》彼は、赤ん坊の泣き声を聞きつけたときの、妻の顔つきの変化に気づいて、こう考えた。《おれの子だっていうのに、どうしてこのおれを憎むことができるんだろう？》

「ドリイ、もうひと言だけ」彼は妻のあとを追いながら、話しかけた。

「あたしのあとをつけてなんていらっしゃれば、人を呼びますわよ、子供たちも。ほんとに、みんなに知れるといいんですよ、あなたが卑劣漢だってことが！　あたしは、今すぐに出て行きます。あなたは、ここで、ご自分の情婦といっしょに、暮したらいいでしょ！」

そういって、彼女はドアをばたんとしめると、出て行った。

オブロンスキーは、溜息をつき、顔をぬぐうと、静かな足どりで、部屋を出ようとした。《マトヴェイのやつは、丸くおさまると、いいやがったが、こりゃ、とんでもない。いや、その可能性すら、見えないじゃないか。ああこりゃ、なんとしたことだ！　それにしても、あれのわめきようときたら、まったく、ひどいものだったな》彼は妻が大声で叫んだ卑劣漢や情婦という言葉を思いだしながら、自分にいいきかせた。《いや、ひょっとすると、女中どもが耳にしたかもしれん！　まったく、やりきれん、ひどいもんだ》オブロンスキーは、しばらくのあいだ、そこにたたずんでいたが、やがて目をぬぐい、ほっと、息をつくと、胸をぐっと張って部屋から出て行った。

ちょうど金曜日だったので、食堂では、いつものドイツ人の時計屋が時計を巻いていた。オブロンスキーは、このきちょうめんな、はげ頭の時計屋について、《あのドイツ人は時計のねじを巻くために、自分のほうも一生涯《しょうがい》ねじを巻かれている》と、しゃれをとばしたことを思いだして、にやっと微笑をもらした。オブロンスキーは、気のきいたしゃれが好きだった。《ひょっとすると、丸くおさまるかもしれん！　うむ、こりゃ、いい表現だな、丸くおさまる、か》彼は考えた。《ひとつ、これを使ってや

ろう》

「マトヴェイ！」彼は大声で呼んだ。「それじゃ、マリアといっしょに、居間のほうにアンナを迎える用意をしておくれ」彼は姿を現わしたマトヴェイにそういいつけた。

「かしこまりました」

オブロンスキーは毛皮の外套《がいとう》を着て、玄関の階段へ出た。

「お食事にはお帰りになりませんか？」見送りにでたマトヴェイがたずねた。

「行ってみなければ、わからんよ。じゃ、さしあたって、これだけ置いて行こう」彼は、紙入れから十ルーブル紙幣を抜きだして、いった。「足りるかい？」

「足りても、足りなくても、なんとか、やりくりしなくちゃなりますまい」マトヴェイは馬車のドアをしめて、階段のほうへあともどりしながら、答えた。

ドリイはそのあいだ赤ん坊をなだめていたが、馬車の響きから夫が外出したことを知ると、また寝室へもどった。そこは彼女が逃れることのできる唯一《ゆいいつ》の避難所だった。一歩そこを出たとたん、彼女はさまざまな家政の雑事にとりまかれるのだった。現に今も、子供部屋へ出かけた、ちょっとの間に、イギリス婦人とマトリョーナは「お子さまには散歩のときなにをお着せしましょう？」とか、「ミルクをさしあげましょうか？」とか、「かわりのコックを呼びにやらなくてもよろしゅうございますか？」とか、彼女でなくては答えられない、のっぴきならぬ質問を浴びせる始末だった。

「ああ、もう放っといてちょうだい。あたしをひとりにさせて！」彼女はそういって、寝室へもどると、さっきまで夫と話をしていた、その同じ場所に腰をおろし、骨ばった指から指輪が抜けそうなほどやせている両手を握りしめて、いましがた取りかわした会話の一部始終を、改めて記憶の中から選りわけにかかった。《出て行ってしまった！　でも、あの女とのことはどんなふうにけりがついたのだろう？》彼女は考えた。《まさか、今も会ってるんじゃないでしょうね？　あたしはなぜそれを聞かなかったんだろう？　いえ、いえ、とても仲直りなんか、できないわ。たとえ一つの屋根の下に暮すにしても――あたしたちはもう他人だわ。永久に他人だわ！》彼女は自分にとっても恐ろしいこの言葉を、特別の意味をこめて、繰り返した。《でも、あたしは愛していたわ。ええ、心の底からあの人のことを愛していたわ！……ほんとに、愛していたわ！　じゃ、今は愛していないっていうの？　前よりもっと愛しているんじゃないかしら？　ただ、なによりもつらいのは……》彼女はそう考えはじめたが、ばあやのマトリョーナがドアから顔をのぞかせたので、その考えの先をつづけることができなかった。

「どうぞ、弟を迎えにやらせてくださいまし」ばあやはいった。「あれなら、どうやら、お食事のしたくができますから。さもないと、きのうのように、六時までもお子さまはなにも召しあがれないということに」

「ああ、いいわよ。今すぐ、そっちへ行って、面倒をみるわ。それはそうと、新しいミルクを取りにやった？」

こうして、ドリイは日常の雑事におぼれて、しばらく、その悲しみをまぎらしていた。

5

オブロンスキーは、生れつき才能に恵まれていたので、学校ではよくできた。しかし、なまけ者で、いたずら好きだったので、卒業のときは、びりに近かった。ところが、いつも放縦な暮しをして、官等も低く、まだ年配というほどでもなかったのに、彼はモスクワのある役所で、長官として、俸給《ほうきゅう》のいい、名誉ある地位を占めていた。この地位は、妹アンナの夫アレクセイ・カレーニンの世話で手に入れたもので、カレーニンはその役所の所属する某省の幹部のひとりであった。しかし、たとえカレーニンが自分の義兄をその地位に任命しなかったとしても、オブロンスキーは、彼以外の兄弟姉妹、従兄弟《いとこ》、叔父叔母など何百という人びとの世話で、この地位か、でなくても、これと似たりよったりの地位を手に入れて、年俸六千ルーブルぐらいはもらっていたであろう。この金額は彼の財政状態がめちゃめちゃになっている今、妻にかなりの財産があるにもかかわらず、彼にはなくてはならぬものであった。

モスクワとペテルブルグの半分は、オブロンスキーの親戚《しんせき》であり、友人であった。彼の生れは、この世の有力者、もしくは、有力者となった人びとの階級に属していた。国家的人物たる老人の三分の一は、父親の友人で、子供のころから、彼を知っていたし、他の三分の一は、彼と《きみぼく》の間がらだったし、残る三分の一は、親しい知人であった。したがって、地位、借地権、利権といったこの世の幸福の分配者は、すべて彼の友人だったから、自分の仲間を除《の》け者《もの》にするはずはなかった。だからオブロンスキーは、有利な地位を手に入れるためにも、特別に骨を折る必要もなく、ただ人の頼みを断わったり、他人をうらやんだり、いい争ったり、腹を立てたりさえしなければよかったのである。しかも、そんなことは、生れつきの人の良さから、ついぞ一度もしたことはなかった。ここでもし、彼に向って、きみは自分の必要とするだけの俸給の取れる地位を得ることはむずかしいだろうという人があったら、彼にはその言葉がこっけいに思われたにちがいない。まして彼は少しも法外なものを望んでいたわけではないから、なおさらである。彼が望んだものは、彼と同年配の者が手に入れることのできるものだったし、その程度の職務なら、彼もだれにも負けずに、りっぱにやりとげることができたのである。

オブロンスキーは、その善良で快活な性格と根っからの誠実さのために、彼を知るすべての人びとから愛されたばかりでなく、その輝くひとみや、黒い眉《まゆ》や、髪の毛や、白い膚《はだ》の色や、ばら色の頬《ほお》など、その明るく、美しい風貌《ふうぼう》の中には、彼に出会ったすべての人びとに、生理的に、親しみと楽しさを呼びおこすなにものかがあった。《やあ！　スチーヴァ！　オブロンスキー！　おい、あの男がやって来たぞ！》彼と顔をあわせる者は、たいていいつも、うれしそうな微笑を浮べて、こう呼びかけたものである。たとえ時には、彼と話しあったあとべつに取りたててなにも楽しいことがなかったとしても、その翌日か、翌々日に彼と会えば、人びとはやっぱり、喜びの声をあげるのだった。

モスクワの役所でもう三年ごし長官として勤めているあいだに、オブロンスキーは、同僚、部下、上官をはじめ彼と交渉をもつすべての人びとから、愛情はもちろん、尊敬までかちえていた。こうして勤務先でだれからも尊敬されている彼の特質は、まず第一に、人びとに対して並みはずれて寛大なことであったが、それは彼が自分の欠点を自覚していたからであった。第二は、徹底した自由主義であったが、それはなにも彼が新聞などで学んだものではなく、まったくの生れつきのものであり、相手の身分や官等がなんであろうと、だれに対しても同等につきあうことであった。第三は、これがいちばん肝心なことだが、彼は自分の仕事に対して、まったく無関心であり、したがってそのために、けっしてわれを忘れたり、誤りをしでかしたりすることがなかったのである。

勤め先の役所へ着くと、オブロンスキーは、書類かばんをかかえた、慇懃《いんぎん》な守衛におくられて、小さな控室へ通り、制服に着替えて、事務室へはいって行った。と、書記や事務員たちは、いっせいに立ちあがって、明るい顔で、ていねいにおじぎをした。彼は、例によって、せかせかと自分の席へ近づき、同僚たちと握手して、腰をおろした。そして、度をすごさない程度に、冗談をいったり、むだ口をたたいたりしてから、仕事に取りかかった。いや、気持よく仕事をするには、自由と簡潔さと公式的な態度がある程度必要であるが、オブロンスキーほど、それを的確にわきまえている者はなかった。秘書は、事務室にいるすべての人間と同様、快活に、しかもうやうやしく、書類を手にして近づくと、これまたオブロンスキー仕込みのうちとけた自由な調子で、話しかけてきた。

「やっとのことで、ペンザ県から照会の返事をもらいましたよ。これなんですが、どうでしょう……」

「ああ、やっともらったかね」オブロンスキーは、書類のあいだに指をはさみながらいった。「それでは、諸君……」こうして執務がはじまった。

《それにしても、この連中が》彼はもったいらしく首をかしげて報告を聞きながら、考えた。《半時間前にはこの長官さまがいたずらを見つかった小僧っ子よろしくの態《てい》たらくだったことを知ったらなあ！》そう思うと、彼の目は報告を追いながら、ひとりでに笑っていた。執務は二時までぶっとおしにつづき、二時になると、ひと休みして昼食をとることになっていた。

ところが、まだ一時にならぬうちに、とつぜん、大きな事務室のガラス戸があいて、だれかがはいって来た。その場に居あわせたものは、いっせいに、あるいは皇帝の肖像画の下から、あるいは正義標（訳注　帝政ロシアの役所の机に置かれていた三面立体のかざりで、ピョートル一世訓の「公正遵守」の文字が刻まれていた）のかげから、気のまぎれるものができたのを喜んで、戸のほうを振り向いた。が、戸のそばに立っていた守衛は、すぐさま、はいって来た男を追い出して、ガラス戸をしめてしまった。

仕事が一段落すると、オブロンスキーはのびをして立ちあがり、自由主義的な時代の風潮に敬意を表して、事務室の中で巻きたばこを一本取りだし、自分の控室へはいって行った。彼のふたりの補佐役たる、役所の古狸《ふるだぬき》ニキーチンと侍従補の肩書をもつグリネーヴィチが、そのあとを追った。

「食事のあとでも間にあうだろうね」オブロンスキーはいった。

「もちろんですとも！」ニキーチンは答えた。

「あのフォーミンという男は、なかなかの悪党らしいね」グリネーヴィチは自分たちが調べている事件の関係者のひとりについていった。

オブロンスキーは、グリネーヴィチの言葉に顔をしかめたが、それは先入観をもって事に当るのはよくないことを示そうとしたものだった。それで、彼にはひと言も答えなかった。

「さっきはいって来たのはなにものかね」彼は守衛にきいた。

「どこのだれですか……私がちょっとわきを向いてるすきに、無断ではいりこんで来ましたので。閣下にお目にかかりたいと申しましたので、みなさまがお出ましになったら、そのときに……」

「どこにいるんだね？」

「たしか、玄関のほうへ出て行きました。あのあたりを、ずっと、ぶらついておりましたが。ほれ、あれでございますよ」守衛はそういって、肩幅がひろく、もしゃもしゃしたあごひげをはやした、体格のいい男を指さしたが、その男は羊皮の帽子を脱ぎもしないで、石の階段を素早く軽々とのぼって来た。そのとき、小わきにかばんをかかえて階段をおりていたやせぎすの役人が、ちょっと足を止めて、その駆けあがる男の足をむっとした面持《おもも》ちでながめたが、つづいて今度はもの問いたげな様子でオブロンスキーの顔を仰いだ。

オブロンスキーは階段の上に突っ立っていた。金モールの制服の襟《えり》の上で好人物らしく輝いていたその顔は、駆けのぼって来る男の正体を見分けたとき、一段とその輝きをました。

「やっぱり、そうだ！　リョーヴィン、とうとうやって来たな！」自分に近づいて来るリョーヴィンの姿をながめまわしながら、彼は親しみのこもった、からかうような微笑を浮べて、いった。

「いや、よく、こんな洞窟《どうくつ》みたいなところへ訪ねて来てくれたね」オブロンスキーは握手だけでは気がすまないで、友人に接吻《せっぷん》しながら、いった。「来たのはもうずっと前？」

「いや、今着いたばかりなんだが、とてもきみに会いたくてね」リョーヴィンはそう内気そうに、と同時に、むっとした顔つきであたりを不安そうに見まわしながら、答えた。

「さあ、ぼくの部屋へ行こう」オブロンスキーは、友人が内気なくせに、自尊心が強く、すぐ腹を立てることを知っていたので、相手の手をつかむと、まるで危険地帯をぬってでも行くような格好で、先にたって歩きだした。

オブロンスキーは、ほとんどすべての知人と「きみぼく」でつきあっていた。すなわち、六十歳の老人とも、二十歳の青二才とも、俳優とも、大臣とも、商人とも、将軍クラスの侍従武官とも、同様であった。したがって、彼と「きみぼく」の間がらでいる多くの人びとは社会という階層の両極端に見いだされたから、もしこれらの人びとがオブロンスキーを介して互いになにか共通なものをもっていると知ったら、きっと、ひどくびっくりしたにちがいない。彼はいっしょにシャンパンを飲んだ相手なら、だれとでも「きみぼく」の間がらになった。ところが、彼はだれとでもシャンパンを飲んだ。そのため、彼は部下の手前、だれか「恥ずべき友人」に出会うと、彼は多くの友人を冗談にそう呼んでいたが、持ち前の要領のよさで、部下の受けた不愉快な印象を柔らげるすべを心得ていた。リョーヴィンは「恥ずべき友人」ではなかったが、オブロンスキーはその勘のよさで、かえってリョーヴィンのほうで、自分が部下の手前ふたりの仲のよさを見せるのを好まないと思っているのではないかと察して、急いで彼を自分の部屋へ連れ去ったのであった。

リョーヴィンはオブロンスキーとほとんど同《おな》い年だったが、ふたりが「きみぼく」の間がらになったのは、なにもシャンパンひとつのおかげではなかった。リョーヴィンはごく若いころからの友人であり、親友であった。ふたりはその性格や趣味が違っていたにもかかわらず、ごく若いころに親しんだ者同士が互いに愛しあうように、愛しあっていた。ところが、そうした関係にもかかわらず、これは職場を異にする人びとのあいだではよくあることだが、ふたりは互いに理屈では相手の仕事を認めながらも、心の中ではそれを軽蔑《けいべつ》しているのだった。ふたりは互いに自分の送っている生活こそ唯一無二の真実の生活であり、相手の生活など幻にすぎないという気がしていた。オブロンスキーはリョーヴィンを見るたびに、いくらか皮肉な微笑を禁ずることができなかった。田舎からモスクワへやって来たリョーヴィンに会うのはもうこれで何度めかであったが、彼が田舎でなにかをしていることは知っていても、それがいったいどのようなものであるか、オブロンスキーにはしかとわからなかったし、また、それを知ろうというほどの興味もなかった。リョーヴィンはモスクワへやって来ると、いつも興奮のあまりせかせかして、いくらか気おくれ気味であったが、それと同時に、その自分の気おくれにいらいらして、たいていの場合、今まで思ってもみなかった、まるっきり新しい観点から周囲のものをながめてしまうのだった。オブロンスキーは彼のそうした点を笑いながらも、それを愛していた。リョーヴィンのほうもそれとまったく同様で、友人の都会生活を内心軽蔑し、その勤務をくだらぬものとして、冷笑していた。ただ両者の違うところは、オブロンスキーはだれもがやっていることをやりながら、自信をもって、好人物らしく笑っていたのに対して、リョーヴィンは自分に対して自信もなければ、時には腹さえ立てていたのであった。

「うちではきみのことをもうずいぶん待っていたよ」オブロンスキーは部屋にはいると、リョーヴィンの手を放しながら、そういったが、それはまるで、やっと危険区域を脱したことを示すかのようであった。「いや、きみに会えて、まったくうれしいよ」彼はつづけた。「ところで、どうだね？　え？　いつやって来たんだね？」

リョーヴィンは返事もせずに黙ったまま、なじみのない、オブロンスキーのふたりの同僚のほうをまじまじとながめていたが、とりわけ、優雅なグリネーヴィチの手に気をとられていた。それはとても長い白い指で、先のまがった、これまたとても長い黄色い爪《つめ》がついており、その袖口《そでぐち》にはカフス・ボタンがぴかぴかと光っていた。そして、どうやら、この手が彼の注意をすっかりひきつけて、思考の自由を奪い去ってしまったらしかった。オブロンスキーはすぐそれに気づいて、にやっと笑った。

「ああそうだ、ひとつ紹介しよう」彼はいった。「こちらはぼくの同僚のニキーチン君と、グリネーヴィチ君だ」それからリョーヴィンのほうを向いて、「こちらは地方自治体で活躍している新人、いや、片手で八十キロも持ちあげるスポーツマンで、牧畜でも狩猟でもそれぞれ一家をなしている、ぼくの親友リョーヴィン君だ。あのコズヌイシェフの弟さんだよ」

「これははじめまして」老人はいった。

「兄上のコズヌイシェフさんは存じあげております」グリネーヴィチは、爪の長い、きゃしゃな手をさしのべながら、いった。

リョーヴィンはちょっと顔をしかめ、そっけなくその手を握ると、すぐオブロンスキーのほうを向いてしまった。彼は、全ロシアにその名を知られた作家である異父兄を心から尊敬していたが、しかし他人が自分をリョーヴィンとしてではなく、有名なコズヌイシェフの弟として遇することには我慢がならなかったからである。

「いや、ぼくはもう地方自治体では働いていないよ。みんなとけんかをやってね。それでもう会議にも出ないことにしたよ」彼は、オブロンスキーのほうを見ながら、いった。

「ずいぶん、早いじゃないか！」オブロンスキーは笑いながらいった。「でも、どういうわけで？　原因は？」

「話せば長いことがあるのさ。そのうちいつか、話すよ」リョーヴィンはそう答えたが、すぐその場で物語をはじめた。「まあ、簡単にいってしまえば、地方自治体の活動なんてものは、まるっきり、存在しないし、いや、だいたい、存在しえないと確信したからさ」彼は、まるでたった今だれかに侮辱でもされたような調子で、しゃべりだした。「一方からいえば、それは一種のおもちゃなんで、みんなで議会ごっこをやってるわけだが、ぼくはそんなおもちゃ遊びをするほど青二才でも、老人でもないからね。また、他方からいえば（彼はちょっと口ごもった）あれは、地方のごろが金もうけをする手段なんだ。以前は、後見役とか裁判所がそれだったんだが、今じゃ地方自治体なんだ。つまり、賄賂《わいろ》という形じゃなくて、不当な俸給《ほうきゅう》という形式になってるのさ」彼はその場に居あわせただれかが自分の意見を反駁《はんばく》でもしたかのように、興奮していった。

「なるほど！　どうやら、きみはまた変化したらしいね、保守主義に」オブロンスキーはいった。「だが、まあ、その話はあとにしよう」

「ああ、あとにしよう。ところで、ぼくはぜひきみに会わなくてはならん用事ができてね」リョーヴィンはグリネーヴィチの手を憎々しげにながめながら、いった。

オブロンスキーはかすかに微笑を浮べた。

「ねえ、どうしたんだい、きみはもう断じて西欧風な身なりはしないといってたのに！」彼は相手の、ひと目でフランス仕立てとみえる新調の服をじろじろながめながら、いった。「なるほど！　これもまた、新しい変化か」

リョーヴィンはさっと顔を赤らめた。しかも、それはおとなが自分でも気づかぬくらい軽く赤面するのと違って、まるっきり子供のそれであった。つまり、子供は自分のはにかみがこっけいに見えるだろうと思って、いよいよあがってしまい、ついには涙がにじむほど赤面するものである。こうして、この賢明そうな、男らしい顔がこんな子供じみた表情におちいるのをながめるのは、なんとも妙なものだったので、オブロンスキーは相手の顔から目をそむけた。

「それでは、どこで会おうかね？　とにかく、ぼくはぜひともきみに話したいことがあるんでね」リョーヴィンはいった。

オブロンスキーはちょっと考えこむような様子をした。

「じゃ、こうしよう。グリーンへ昼飯を食いに行って、あそこで話すことにしよう。三時までは暇だから」

「いや」リョーヴィンは、ちょっと考えてから、答えた。「まだ寄らなくちゃならんところがあるんだ」

「じゃ、いいよ。そんなら、晩飯をいっしょにしよう」

「晩飯？　いや、ぼくはなにも特別にどうってことはないんだ。ただ、ほんのふた言いえば。ちょっと、ききたいことがあるんだ。そのあとで、ゆっくり話をしよう」

「それじゃ、今すぐ、そのふた言というやつをいえよ。話はいずれ晩飯のときとして」

「そのふた言というのは、じつはこうなんだ」リョーヴィンはいった。「もっとも、そう特別なことじゃないがね」

彼の顔は、見る間に、けわしい表情に変ったが、それは自分の内気さに打ち勝とうとむきになったからであった。

「シチェルバツキー家の人たちはどうしてる？　みんな相変らずかね」彼はいった。

オブロンスキーは、リョーヴィンが自分の義妹のキチイに恋していることをもうずっと前から知っていたので、かすかに微笑を浮べた。と、その目は陽気に輝きだした。

「きみはふた言でいったが、ぼくのほうはふた言じゃ答えられないね。なにしろ……ああ、ちょっと失敬……」

秘書がはいって来た。親しみのこもった、うやうやしい態度で、と同時に、すべての秘書に共通な、仕事に関しては自分のほうが上官より上手《うわて》だという、あのつつましい優越感をみせながら、書類を持ってオブロンスキーのそばに近づいた。そして、質問という形で、なにやら面倒くさそうな事件の説明をはじめた。オブロンスキーは終りまで聞かずに、秘書の袖の上に優しく手をのせた。

「いや、ぼくのいったとおりに、きみやっといてくれたまえ」彼は微笑でその注意を柔らげながら、いった。それから、事件に対する自分の解釈を簡単に説明して、書類を返しながら、いった。「それじゃ、きみ、そうやっておいてくれたまえ。どうか、そういうふうに」

秘書はちょっと当惑した様子で出て行った。リョーヴィンは、相手が秘書とやりとりしているあいだに、すっかり困惑から立ちなおって、両肘《ひじ》でいすの背にもたれながら、突っ立っていたが、その顔には皮肉な表情が浮んでいた。

「わからない、ちっとも、わからないな」彼はいった。

「なにがわからないんだね？」相変らず陽気な微笑を浮べ、巻たばこを一本取りだしながら、オブロンスキーはいった。彼はリョーヴィンがなにか妙な言葉を吐くのを期待していた。

「きみたちがなにをやってるのか、わからないんだよ」リョーヴィンは肩をすくめながらいった。「きみはよくまじめな顔をしてそんなことをやっていられるね？」

「どうして？」

「どうしてって……なにもすることはないじゃないか」

「きみはそう考えても、ぼくらには仕事が山とあるんだよ」

「書類というやつがね。まあ、そうだろう。きみにはそのほうの才があるよ」リョーヴィンはつけ加えた。

「というと、きみはぼくにはなにか欠けたところがあると考えているんだね？」

「ああ、ひょっとするとね」リョーヴィンはいった。「いや、でもやっぱり、ぼくはきみの偉大さに感心して、自分の友人にこんな偉大な人物がいることを誇りに思っているんだよ。それはそうと、きみはぼくの質問に答えてくれていないね」彼はひじょうな努力をして、オブロンスキーの目をまともに見すえながら、そうつけ加えた。

「いや、わかった、わかった。まあ、ちょっと待ってくれ。いずれその件にふれるから。そりゃ、きみがカラジンスキー郡に三千ヘクタールの土地を持ち、そんなに筋肉隆々として、十二歳の少女のような新鮮さを保ってるのは、けっこうなことだよ――でも、いずれは、きみもぼくらの仲間入りをするのさ。そこで、きみの質問の件だがね。べつに変ったことはないが、それにしても、きみがこんなに長いことやって来なかったのは残念だよ」

「じゃ、なにか？」リョーヴィンはびっくりしてたずねた。

「なに、たいしたことじゃないよ」オブロンスキーは答えた。「まあ、ゆっくり話すとしよう。ところで、きみは、いったいなんの用で出て来たんだい？」

「ああ、そのことも、あとでゆっくり話すことにするよ」リョーヴィンは、またもや耳の付け根まで赤くして、いった。

「まあ、いいとも。わかったよ」オブロンスキーはいった。「いや、じつはね、家へ来てもらいたいんだが、女房のやつがちょっとからだをこわしていてね。でも、なんだよ。もしきみがあの連中に会いたいんだったら、たぶん、あの連中はこのところ四時から五時までのあいだ、動物園にいるはずだよ。キチイがスケートをやってるんでね。きみ行って来いよ。あとでぼくも寄るから。それから、いっしょに、どこかへ晩飯を食いに行こう」

「よしきた。じゃ、またあとで」

「大丈夫だろうね、ぼくはきみという男を知ってるんでね。度忘れしちまったり、急に田舎へ引きあげたりしちゃ困るよ！」オブロンスキーは笑いながら、大声でいった。

「いや、大丈夫だよ」

そういうと、リョーヴィンはもう戸口のところに来てしまってからはじめてオブロンスキーの同僚たちにあいさつを忘れたことに気づいたが、そのまま部屋を出て行った。

「どうやら、たいへんな精力家のようですな」リョーヴィンが姿を消すと、グリネーヴィチはいった。

「そうなんだよ、きみ」オブロンスキーはうなずきながら、いった。

「幸運なやつでね！　カラジンスキー郡に三千ヘクタールの土地があって、なにもかもこれからだし、あんなに元気いっぱいなんだからねえ！　こちとらとは違うよ」

「なにをそうこぼすことがあるんです、オブロンスキーさん？」

「いや、みじめなもんさ、まったく」オブロンスキーは、大きく溜息《ためいき》をつくと、そういった。

6

オブロンスキーがリョーヴィンに向って、きみはいったいなんの用でやって来たのかとたずねたとき、リョーヴィンは顔をまっ赤にし、自分でも赤くなったことに腹を立てた。それはほかでもない。彼は《きみの義妹に結婚の申し込みをしに来たのだ》と相手に答えることができなかったが、彼がやって来たのはほかならぬただそのためだったからである。

リョーヴィン家とシチェルバツキー家は、ともにモスクワの古い貴族の家がらで、いつの時代にも両家は親密な関係にあった。この結びつきはリョーヴィンの学生時代にいっそう強くなった。彼はドリイとキチイの兄に当る、若いシチェルバツキー公爵《こうしゃく》といっしょに入学準備をしていっしょに大学へ入学した。そのころリョーヴィンはよくシチェルバツキー家へ出入りして、すっかりシチェルバツキー家に惚《ほ》れこんでしまった。こんなことをいうと、ちょっと奇妙に聞えるかもしれないが、事実、コンスタンチン・リョーヴィンはほかならぬ同家に、その家族に、とりわけ、シチェルバツキー家の女性たちに惚れこんでしまったのである。リョーヴィン自身には母親の思い出というものがなく、たったひとりの姉とはかなり年が離れていたので、彼はシチェルバツキー家においてはじめて、父母の死によって知らずにいた、教養と名誉に恵まれた由緒《ゆいしょ》ある古い貴族の家庭を目《ま》のあたりに見ることができたのであった。この家族はすべて、中でも女性たちは、彼にとってなにかしら神秘で詩的なヴェールでおおわれているように思われた。したがって、彼はこの家の人びとになにひとつ欠点を見いださなかったばかりか、彼らをおおっている、その詩的なヴェールの陰に、きわめて高貴な感情と非の打ちどころのない完璧《かんぺき》さを想像していた。なんのためにこれら三人の令嬢たちは一日おきにフランス語と英語でしゃべらなければならないのか、なんのためにに彼女たちはきまった時間に交替でピアノをひかなければならないのか(その響きは学生たちが勉強している二階の兄の部屋まで聞えてきた)、なんのためにフランス文学や音楽や絵画やダンスの先生たちがやって来るのか、なんのためにに三人の令嬢たちはきまった時間になるとマドモアゼル・リノンといっしょに、それぞれ思いおもいの繻子《しゅす》のように滑らかでつやのある毛皮外套《けがわがいとう》を着て――ドリイのは長く、ナタリイのはやや長めだったが、キチイのは赤い靴下《くつした》をぴっちりはいた、格好のよい足が丸見えになるほど短かかった――幌馬車《ほろばしゃ》でトヴェルスコイ並木通りへ出かけるのか、また、なんのために彼女たちは金の紋章をつけた帽子をかぶったお供をつれてトヴェルスコイ並木通りを歩かなければならないのか――すべてこうしたことをはじめ、同家の神秘的な世界で行われる他の多くのことも、彼にはとても理解できないことであったが、しかしそこで行われていることはなにもかも美しいことだと知っていたので、ほかならぬその行事の神秘性に惚れこんでしまったのであった。

大学時代に、彼は姉娘のドリイにあやうく恋をするところだったが、彼女はまもなくオブロンスキーのもとへ嫁に行ってしまった。その後、彼は妹娘に恋するようになった。彼は自分が姉妹のうちのひとりに恋をしなければならないと感じていたものの、いざだれを選ぶかとなると、さっぱりわからなかった。ところが、ナタリイも社交界へ顔を出すとたちまち、外交官のリヴォフと結婚してしまった。キチイは、リョーヴィンが大学を卒業したときには、まだほんの子供だった。若いシチェルバツキーは海軍へはいってまもなく、バルチック海で溺死《できし》したので、リョーヴィンとシチェルバツキー家とのつながりは、オブロンスキーと交友があったにもかかわらず、以前よりかなり疎遠《そえん》なものになってしまった。ところが、今年の冬の初めに、リョーヴィンは一年間の田舎暮しのあとモスクワへやって来て、シチェルバツキー家の人びとに会い、自分が同家の三人姉妹のうちだれに恋する運命《さだめ》にあったか、はじめて悟ったのであった。

ちょっと考えると、家がらがいいうえに、貧乏人と違って財産もある三十二歳の彼が、シチェルバツキー公爵令嬢に求婚することは、いとも簡単なことに思われたにちがいない。いや、あらゆる点からみて、彼はただちに良き配偶者と認められたにちがいない。ところが、当のリョーヴィンは恋のとりことなってしまったので、彼の目にはキチイがあらゆる点で完全無欠な、この世のすべてのものを超越した存在に思われた。しかも彼自身はこの世の卑《いや》しい存在にほかならぬのであるから、周囲の人もキチイ自身も、自分が彼女にふさわしいなどとは考えるはずもないと思いこんでいたのである。

キチイに会うために足しげく通った社交界で、ほとんど毎日のようにキチイと顔を合せながら、モスクワで二カ月というもの夢うつつのうちに暮したあと、リョーヴィンは急に、そんなことはとても不可能なことだときめて、田舎へ帰ってしまったのである。

リョーヴィンがそんなことはとても不可能なことだと思いこんだのは、自分がキチイの肉親たちの目には優雅なキチイの配偶者として不相応にうつるにちがいないし、当のキチイも自分を愛することなどできない相談だと考えたからであった。親たちにすれば、彼はもう三十二歳にもなるのに、まだ世間的になにひとつちゃんとした勤めも地位ももっていないというわけである。ところが、その友人たちを見わたせば、あるいは大佐の侍従武官に、あるいは大学教授に、あるいは銀行や鉄道の幹部に、あるいはオブロンスキーのように役所の長官になっているのである。一方、彼は（彼は自分が他人の目にどんな姿にうつっているか、よく心得ていた）牛をふやしたり鴫《しぎ》を撃ったり、建築に精を出したりしている一介の地主、つまり、一人前になれなかった無能なやつで、世間の常識からすれば、なんの役にもたたない連中と同じことをやっている人間であった。

いや、当の神秘的で優雅なキチイにしてみても、こんな醜い男（彼はそう自認していた）を、それも、なにひとつとりえのない、こんな平凡な男を、愛するはずがなかった。さらに、キチイに対する彼の昔の関係までが（それは彼女の兄との交友から生れた、子供に対するおとなの関係だったが）、恋にとっては新たな障害であるかのように思われた。彼が自認しているようなお人好《ひとよ》しの醜男《ぶおとこ》は、友人としてなら愛されもしようが、彼自身がキチイを愛しているような、そうした愛情の対象となるには美男子で、とりわけ、非凡な人物でなければならないと彼は考えていたのである。

彼も女性はしばしば平凡な醜い男を愛するものだという話は聞いていたが、彼はそれを信じようとはしなかった。というのは自分を例にとってみても、彼が愛することのできたのは、ただ美しくて、神秘的で非凡な女性だけだったからである。

ところが、田舎で二カ月のあいだひとり暮しをしてみて、彼は今度の件はあのごく若いころの浮気心とは違い、その恋心は自分に一瞬の安らぎも与えぬばかりか、彼女が妻になるかならぬかという問題を解決させぬかぎり、自分は生きていくことができないし、今の自分の絶望は単に想像から生れたものであり、自分がかならず拒絶されるというなんらの根拠もないことを確信したのであった。そこで彼は、とにかく求婚して、いれられたら結婚する固い決意を秘めて、今モスクワへ出て来たのであった。でも、ひょっとして……拒絶されたらどうなるか、彼はそこまで考えてみることはできなかった。

7

朝の汽車でモスクワに着くと、リョーヴィンは異父兄のコズヌイシェフのところに落ち着いた。そして、着替えをすませるとすぐ、今度上京して来た理由を打ち明けて、兄の意見を聞こうと思い、書斎へはいって行った。あいにく、兄はひとりではなかった。そこには有名な哲学の教授がすわっていたが、彼はきわめて重大な哲学上の問題について、ふたりのあいだに生れた誤解をとくために、わざわざハリコフから出かけて来たのであった。この教授は前々から唯物論者《ゆいぶつろんしゃ》たちに対して激しい論争をつづけていた。コズヌイシェフは興味をもってその論争の成り行きを見守っていたので、教授の最近の論文を読むと、さっそく手紙で反論を書き送った。つまり、相手があまりに唯物論者に譲歩していると非難したのであった。そこで、教授は彼と話し合うために上京して来たのである。ふたりの話は、今はやりの問題、すなわち、人間の行為における心理的現象と生理的現象とのあいだには境界があるか、もしあるとすればどこか、といった問題に及んでいた。

コズヌイシェフは、だれにでも見せる、例の優しさとそっけなさのいりまじった微笑で、弟を迎えると、教授に紹介してから、また話をつづけた。

眼鏡をかけた、額のせまい、小がらな、黄色い顔の教授は、あいさつのため、ちょっと、話をとぎらせたきり、リョーヴィンのほうにはほとんど注意を向けないで、そのまま、話をつづけた。リョーヴィンは腰をおろして、教授が立ち去るのを待っていたが、まもなく、ふたりの話題に興味を覚えた。

リョーヴィンも、今話題となっている論文などには雑誌の中で出会って、大学で理科を専攻した者として、自分になじみの深い自然科学の原理の発展といった意味で興味をもっていた。しかし、動物としての人類の起原とか、反射作用とか、生物学とか、社会学とかについての科学的結論は、最近ますます彼の心をとらえるようになってきた、彼自身にとって重大な生死の問題と結びつけて考えたことは一度もなかった。

兄と教授の話を聞きながら、彼は次のようなことに気づいた。ふたりは科学的な問題を精神的なものに結びつけ、何度もそこへ近づきながら、いつもいちばん重要な（と彼には思われた）点に近づくと、たちまち、そこから離れてしまい、細かい分類やら、保留やら、引用やら、暗示やら、権威の借用やら、とにかく、そうしたものに首を突っこんでしまうのであった。そのために、彼にとっては、ふたりがなんの話をしているのか、いっこうにわからなかった。

「私はそうしたことを認めるわけにはいきません」コズヌイシェフは、持ち前の明晰《めいせき》な表現と歯切れのいい発音でいった。「私はどんなことがあっても、ケイス（訳注 一八四四―一九二五。イギリスの哲学者）の説には賛成することができませんね、外界に関する私の観念がすべて印象から生れたものだなんて。私は存在に関するもっとも基本的な概念を、感覚を通じて受け取っているのではありません。なぜなら、この概念を伝える特別の器官などというものはありませんからね」

「そうですね。しかし、あの連中、つまり、ヴールストをはじめ、クナウストも、プリパーソフも、こう答えるでしょう。あなたの存在意識はすべての感覚が総合されたものから生れているのであって、この存在意識というものは、感覚の結果であると、ね。いや、ヴールストのごときは、もし感覚がなければ、存在の概念もないとさえいってるくらいですよ」

「私はそれと反対のことを主張しますね」コズヌイシェフはしゃべりはじめた……ところが、そのときもまた、リョーヴィンにはふたりがもっとも重要な点に近づきながら、またしてもそこから離れていくように思われたので、彼は思いきって、教授に質問してみることにした。

「そうしますと、もし私の感覚がなくなったら、もし私の肉体が死滅したら、もうそのときには、いかなる存在もありえないということですね？」彼はたずねた。

と、教授はさもいまいましそうに、まるで話の腰を折られて、精神的な苦痛でも受けたような面持《おもも》ちで、哲学者というよりか、むしろ引き舟人夫の風貌《ふうぼう》をもつ、この奇妙な質問者をじろりとながめた。それから、《これじゃ、いったい、なんの話ができます？》といわんばかりに、コズヌイシェフのほうへ視線を移した。しかし、コズヌイシェフは、教授ほどむきになって、一方的に話をすすめていたのではなく、教授に答えると同時に、こうした質問の生れる単純かつ自然な観点をも理解するだけの余裕をもっていたので、にっこり笑って、いった。

「その問題についてはまだわれわれも解決する権利をもっていないのさ……」

「その材料をもっていないんですよ」教授も相槌《あいづち》をうってから、自分の論証をつづけた。「いや、私は次の点を指摘しておきたいですね。つまり、もしプリパーソフが主張しているように、感覚が印象を基礎とするものなら、われわれはこの二つの概念をきびしく区別する必要がある、とね」

リョーヴィンはもうそれ以上聞くことをやめて、教授が立ち去るのを待っていた。

8

教授が立ち去ると、コズヌイシェフは弟に話しかけてきた。

「やあ、よく来てくれたね。長くいるの？　領地《くに》のほうはどう？」

リョーヴィンは兄にとって領地《くに》のことなどたいして興味はなく、今それをきいたのは、ちょっとお世辞をいったにすぎないことを承知していたので、ただ小麦を売ったことと、金のことについて、少し答えたきりだった。

リョーヴィンは兄に結婚の意志を打ち明け、相手の忠告を聞こうと、かたく決意していたにもかかわらず、今兄に面と向い、教授との話を聞き、領地《くに》のことをたずねたときの、相手のなんとなく保護者めいた言葉の調子を耳にしたとき（母の領地は分割されなかったので、リョーヴィンはふたり分を管理していた）、リョーヴィンは、なぜかしら、今結婚の決意を打ち明けてはならぬような気がしてきた。彼には兄がこの件について自分の望むような見方をしてくれないように思われたのである。

「ところで、きみのほうの地方自治体はどうかね、え？」地方自治体にひどく関心をもち、それに大きな意義を認めているコズヌイシェフはたずねた。

「なに、まったく、知りませんよ……」

「どうして？　だって、きみは郡会議員じゃないか？」

「いや、もう議員じゃありません。やめてしまいました」リョーヴィンは答えた。

「だから、もう会議にも出ません」

「そりゃ、残念だな！」コズヌイシェフは、眉《まゆ》をひそめながら、いった。

リョーヴィンは弁解をするために、自分の地方の郡会の実状を話しはじめた。

「いや、いつもそうなんだよ！」コズヌイシェフは相手の話をさえぎった。「われわれロシア人は、いつも、そうなんだ。ひょっとすると、これはわれわれの美点かもしれんがね。つまり、その、自分の欠点に気づくという能力はね。しかし、どうやら、塩をきかせすぎるようだね。いつでも舌の先に用意されている皮肉で、自己満足しているんだから。私がいいたいのはね、もしこうした地方自治体のような権利を、他のヨーロッパ諸国の国民に与えたとしたら、ドイツ人でもイギリス人でも、きっと、その中から自由を引き出しただろうが、われわれときたら、ただ皮肉をとばして笑っているだけなんだからねえ」

「でも、いったい、なにをしろとおっしゃるんです？」リョーヴィンはすまなさそうにいった。「あれはぼくにとって最後の試みだったんです。そりゃぼくだって、一生懸命やってみました。でも、できないんです。能力がないんですね」

「能力がない、なんてことはないさ」コズヌイシェフはいった。「おまえは物事をそんなふうに見てはいないはずだがね」

「そうかもしれません」リョーヴィンは力なく答えた。

「それはそうと、おまえ、知ってるかね、ニコライのやつがまたここへやって来ているってことを？」

ニコライというのは、リョーヴィンの実の兄で、コズヌイシェフには異父弟に当るのだが、かなりの遺産を使いはたして、今ではどこの馬の骨ともわからぬ悪党どもの仲間入りをして、兄弟たちともけんか別れをしている、ならず者であった。

「なんですって？」リョーヴィンは驚いて、大声をたてた。「どうして知ってるんです？」

「プロコーフィが往来で見かけたのさ」

「この、モスクワで？　どこにいるんです？　知ってるんですか？」リョーヴィンは、今すぐにでも出かけるような勢いで、いすから立ちあがった。

「おまえに話したのはまずかったな」コズヌイシェフは、弟の興奮した様子に首を振りながら、いった。「私は人をやって、あれの居所をつきとめ、あれが振り出して、こちらが代って払ったトルビンあての小切手を送ってやったのさ。そしたら、こんな返事をよこしたよ」

　コズヌイシェフはそういって、文鎮の下から、一通の手紙を弟に手渡した。

　リョーヴィンは、その奇妙だが、なじみのある筆跡で書かれた手紙を読んだ。

『どうか、私をそっとしておいてください。親愛なる兄弟諸君にお願いしたいのはこのことだけです。ニコライ・リョーヴィン』

　リョーヴィンはそれを読みおえると、なおも頭を下げたまま、その手紙を手にして、コズヌイシェフの前に突っ立っていた。

　彼の心の中では、もう不幸な兄のことは忘れたいという願いと、それはよくないことだという意識が闘っていた。

「あれは、たしかに、この私を侮辱したいらしいね」コズヌイシェフはつづけた。「でも、私を侮辱することなんかあれにできやしないし、この私は心からあれを助けてやりたいと思っているんだ。もっとも、そんなことはできない相談だということも知っているがね」

「ええ、ええ」リョーヴィンは繰り返した。「兄さんのとってる態度はよくわかりますし、りっぱだと思いますよ。それでも、ぼくは、あの人のところへ行ってきます」

「もし行きたいんなら、行けばいいさ。しかし、私としては勧めないがね」コズヌイシェフはいった。「つまり、自分のことについては、私はなにも恐れることはないし、あいつも、私とおまえとの仲をさくことはできまいからね。しかし、おまえとしては、行かないほうがいいんじゃないかね。助けるなんてことは不可能だよ。でも、やりたいようにするさ」

「そりゃ、助けることは不可能かもしれませんよ。しかし、ぼくとしては、とくにこの際——ええ、これは別の問題ですが——どうにもじっとしていられないような気がするんです」

「そうかね、その気持は私にはわからないがね」コズヌイシェフはいった。「ただひとつわかっていることは」彼はつけ加えた。「これは謙遜《けんそん》の教えだということさ。ニコライが今のような身になってからというもの、私は卑劣な行為と呼ばれているものに対して、前とは違って、もっと寛大な見方をするようになったからね……あれがなにをしでかしたか、おまえも知ってるだろうが……」

「ああ、ひどい、まったくひどいことだ！」リョーヴィンは繰り返した。

コズヌイシェフの召使から兄の住所を受けとると、リョーヴィンはすぐに、兄のところへ出かけようとしたが、また考えなおして、晩までそれをのばすことにした。なによりもまず、心の安らぎをうるために、モスクワへやって来た目的の仕事を片づける必要があった。リョーヴィンは兄のところからオブロンスキーの役所へおもむき、そこでシチェルバツキー家の人びとの様子を聞くと、たぶん、キチイに会えるだろうと教えられた場所へ馬車を走らせた。

9

四時に、リョーヴィンは胸をどきどきさせながら、動物園の前で辻馬車《つじばしゃ》をおり、小道づたいに、手橇《てぞり》すべりの山とスケート場のあるほうへ向って歩いて行った。彼は車寄せにシチェルバツキー家の馬車を見かけたので、今すぐてっきり彼女に会えるものと思っていた。

それはからりと晴れあがった、凍《い》てのきびしい日だった。車寄せに馬車や、橇や、辻馬車や、憲兵たちが列をなして並んでいた。こざっぱりした身なりの人びとが、明るい日の光に帽子をきらきらさせながら、入口のところや、棟木《むなぎ》に木彫りの飾りをつけたロシア式の小屋のあいだの、きれいに掃き清められた小道に群がっていた。雪の重みで、巻毛のような枝をすべてたらしている、庭園の白樺《しらかば》の老樹は、まるで新しい荘重な袈裟《けさ》で飾りたてられたみたいであった。

彼は小道をスケート場へ向って歩きながら、自分にいいきかせるのだった。《興奮してはいかん。落ち着いていなければ。なにをそわそわしているんだ？　どうしたというんだ？　だまれ、このばかものめ》彼はそう自分の心に向って叫んだ。そして、彼が落ち着こうとすればするほど、ますます息がつまってきた。だれか知人が向うからやって来て、彼に声をかけたが、リョーヴィンは相手がだれかも見分けがつかぬほどだった。彼は手橇すべりの山へ近づいたが、そこでは橇をおろしたりあげたりする鎖ががらがら鳴ったり、すべり落ちる手橇の音がとどろいたり、陽気そうな人の声が響いていた。彼はさらに数歩歩いて行った。と、彼の目の前にスケート場がひらけ、そのとたん、すべっている人びとの中に、すぐ彼女の姿が認められた。

彼は心臓をしめつける歓喜と恐怖の思いから、彼女がそこにいることを知った。彼女はひとりの婦人と話をかわしながら、スケート場の向うはしに立っていた。彼女の身なりにも、ポーズにも、どこといって、少しも変ったところはなかった。しかし、リョーヴィンにとっては、この群集の中で彼女を認めることは、刺草《いらくさ》の中でばらの花を捜すように、いともたやすかった。すべてのものが彼女の存在によって輝いていた。彼女こそは、周囲のすべてのものを明るく照らすほほえみであった。《おれは、ほんとに、氷の上を、彼女のところまでいけるだろうか？》彼はちらっとそう考えた。彼女のいる場所は、まるで近づいてはならぬ聖地のように思われ、一瞬、彼はそのまま帰ってしまおうかとさえ思った。それほど彼は恐ろしくなったのだ。彼はようやく、ひるむ自分をおさえつけて、彼女のまわりにはあらゆる人びとが歩きまわっているのだから、自分もスケートをはいて彼女のところまで行かれるのだと判断することができた。彼は相手が太陽でもあるかのように、長いこと彼女を見つめるのを避けながら、池へおりて行ったが、しかし、彼女の姿は、太陽と同じく、見ないでも、それとすぐわかった。

一週間のうちでも、この日のこの時刻には、同じサークルの、互いに顔見知りの人びとが氷の上に集まっていた。そこには技《わざ》を誇るスケートの名手も、いすの背につかまって、おっかなびっくりすべり方を習っている人びとも、少年たちも、健康上の理由からすべっている年配の人びともいたが、だれもかれもリョーヴィンの目には選ばれた幸福な人たちに見えた。なぜなら、彼らはそこに、彼女のそばにいたからである。

すべっている人びとはだれも、まったく平然として、彼女に追いついたり追いこしたり、時には彼女と言葉をかわしたりまでしながら、すばらしい氷と好天に恵まれて、彼女とはまったく無関係に、はしゃぎまわっていた。

キチイの従兄妹《いとこ》のニコライ・シチェルバツキーは、短いジャケットに細いズボンをはいて、スケート靴《ぐつ》のまま、ベンチに腰をおろしていたが、リョーヴィンの姿を見つけるや、大声で呼びかけた。

「よう、ロシア一番のスケーター！　いつ来たんです？　すばらしい氷ですよ、さあ、早くスケートをお着けなさい」

「ぼく、スケートがないんですよ」リョーヴィンは答え、彼女の目の前でこんなに大胆に無造作な態度をとるニコライにびっくりしながら、彼女のほうは見ずに、しかも一刻たりとも彼女の姿を視界から見失わずにいた。彼は太陽が近づいて来るのを感じた。彼女はすみのほうにいたが、そのとき深い編上げ靴をはいたほっそりとした足をややひろげ、見るからに、おっかなびっくりの様子で、彼のほうへすべって来た。と、ロシア風の服を着たひとりの少年が、猛烈に両手を振りかざしながら、低く氷面に身をかがめて、彼女を追い越した。彼女のすべり方はまったくあぶなげであった。彼女は紐《ひも》でつるした小さなマフから両手を出して、万一に備えていたが、リョーヴィンのほうを向いて、それと気づくと、彼に対してと同時に自分の臆病《おくびょう》さに対しても、にっこり笑った。カーブが終ると、彼女は弾力のある片足でひとけりして、まっすぐに、ニコライのほうへすべりこんで来た。そして、その手につかまると、微笑を浮べながら、リョーヴィンにうなずいてみせた。彼女はリョーヴィンが想像していた以上に美しかった。

彼はキチイのことを思うとき、いつも、彼女の容姿全体を、とりわけ、形のいい娘らしい肩の上に、そっとのっている、あの子供のように朗らかで、人の良い表情を浮べた、小さな、ブロンドの頭の美しさを、まざまざと思い浮べることができた。その顔の表情の子供らしさは、繊細な容姿の美しさと一体になって、彼がよく記憶している、あの特別の優雅さをかもしだしていた。しかし、彼がいつも、なにか思いがけぬことのように驚かされるのは、彼女のつつましい、落ち着いた、誠実そうな日の表情と、とくに、その微笑であった。この微笑は、いつも、リョーヴィンを魅惑の世界へ連れ去って、彼はそこで幼い日々でさえめったに味わったことのないほど、自分を生きいきとのびのびしたものに感ずるのであった。

「もうずっと前からこちらにいらして？」キチイは相手に手をさしのべながら、いった。「あら、すみません」彼女はマフから落ちたハンカチを彼が拾って渡したとき、そうつけ加えた。

「ぼくですか？　ちょっと前に、きのう……いや、きょう、着いたばかりです」リョーヴィンは興奮のあまり、すぐには彼女の質問がのみこめずに、答えた。「お宅のほうへうかがうつもりだったんですが」彼はそこまでいって、ふと、自分が彼女を捜していたわけを思いだすと、すっかりどぎまぎして、顔を赤らめた。「あなたがスケートをなさるなんて、知りませんでした。とてもおじょうずですね」

キチイは注意ぶかくじっと彼の顔を見つめたが、それはなぜ相手がどぎまぎしたか、その原因を見きわめようとするふうだった。

「あなたにほめていただくなんて、光栄ですわ。だって、こちらでは今でも、あなたがすばらしいスケーターでいらしたという評判ですもの」黒い手袋をはめた、かわいい手で、マフにおちた霜の針を払いおとしながら、キチイはいった。

「ええ、昔はずいぶん夢中になってすべったものでした。なんとか完璧《かんぺき》を期そうと思いましてね」

「あなたはなにごとでも、夢中になっておやりになるのね」キチイは微笑しながら、いった。「あなたのおすべりになるところを、ぜひ拝見したいわ。さあ、スケートをお着けになって。ごいっしょに、すべりましょうよ」

《ごいっしょに、すべりましょうよ、だって？　そんなことがありうるだろうか？》リョーヴィンは相手の顔をながめながら、心の中で思った。

「すぐ、はいて来ます」彼はいった。

そして、彼はスケートをつけに行った。

「ずいぶん長いことお見えになりませんでしたな、だんな」スケート場の男は、彼の片足をささえて、踵《かかと》のねじをしめながら、いった。「あなたのあとにつづく名手はまだだんなさま方の中におりませんな。これでよろしゅうございますか？」彼はベルトをしめながら、いった。

「いいよ、いいよ。どうか、早くしてくれ」リョーヴィンは、思わず顔にひろがる幸福の微笑を、やっとのことでおさえながら、答えた。《そうだ、これこそ、ほんとうの生活というものだ。これこそ、ほんとうの幸福というものだ》彼は心の中で考えた。《ごいっしょに、すべりましょうよ、ってあの人はいった。今打ち明けてしまおうか？　でも、今いうのはこわいな。だって、今おれは幸福なんだから。たとえそれが期待だけでも、幸福なんだから……じゃ、そのときは？……でも、やっぱり、いわなくちゃ！　弱気なんか、追っぱらえ！》

リョーヴィンは立ちあがり、外套《がいとう》を脱ぐと、小屋のまわりのざらざらした氷の上をひとすべりして、なめらかな氷の上へ出た。それから、まるで自分の意志ひとつで、スピードを速めたり、ゆるめたり、方向を変えたりすることができるように、いともやすやすと、すべりはじめた。彼はちょっとびくびくしながら彼女のほうへ近づいて行ったが、再びその微笑を見て安心した。

キチイは彼に片手をさしのべた。そこで、ふたりは少しずつスピードを速めながら、いっしょに並んですべりだしたが、スピードがつくにつれて、彼女はいっそう強く彼の手を握るのだった。

「あなたとごいっしょだと、とても早く上達できそうな気がしますわ。あたくし、なぜかしら、あなたのこと頼もしく思ってるんです」キチイはいった。

「ぼくのほうも、あなたが頼りにしてくださると、自分に自信が出てくるんですよ」彼はそういったが、すぐに、自分のしゃべったことに驚ろいて、顔を赤らめた。そして実際、彼がその言葉を口にするや、見るまに、まるで太陽が雲に隠れたように、彼女の顔からは今までの優しさが消えていった。そしてリョーヴィンは彼女の顔に、なにか考えごとをしようと努めている、かねて見覚えのある表情を認めた。そのなめらかな額の上に、一本のしわが浮んだのである。

「なにかお気にさわったことでも？　もっともこんなことをおたずねする資格もあり

ませんが」彼はあわてていった。

「どうしてですの？……いいえ、べつに気にさわったことなんてありませんわ」キチイはそっけなくいってから、すぐにこうつけ加えた。「あなた、マドモアゼル・リノンにお会いになって？」

「いいえ、まだです」

「じゃ、行っておあげなさいよ。あの方、あなたのことがとてもお好きでいらっしゃるから」

《こりゃ、なんてことだ？　彼女をおこらしてしまったのかな。ああ、神さま、助けてください！》リョーヴィンはそう心の中でつぶやくと、ベンチに腰かけていた、白髪のフランスの老婦人のところへすべって行った。その婦人は義歯をむきだしにして、にこにこ笑いかけながら、彼を旧友のように迎えいれた。

「ねえ、ほら、こんなに大きくなって」彼女はキチイのほうを目でうなずきながら、いった。「そして、こちらは年をとっていくんですよ。今じゃ Tiny bear（訳注 子熊）も大きくなりましたからね」そのフランス婦人は笑いながら言葉をつづけ、リョーヴィンがいつか三人の令嬢をイギリスの童話に出てくる三匹の子熊《こぐま》になぞらえた冗談を思いださせた。「ねえ、覚えていらっしゃる、いつも、そうおっしゃってらしたじゃありませんか？」

彼はまったく覚えがなかったが、彼女のほうは十年このかたこのしゃれをとばしながら、すっかりそれが気に入っているのであった。

「さあ、さあ、すべっていらっしゃい。うちのキチイもよくすべれるようになりましたでしょ、ねえ、ほんとに？」

リョーヴィンがまたキチイのそばへ駆けもどったときには、もうその顔には先ほどのきびしさは消えて、そのまなざしは前と同じように、心のこもった、優しいものだったが、リョーヴィンには、その優しさの中に、なにか特別の、わざととりすました調子があるように思われた。そして、彼はなんとなくものうくなった。彼女は自分の年とった女の家庭教師のことや、その奇行のことを話してから、今度は彼の暮しぶりについてたずねてきた。

「冬は田舎にいらして退屈じゃありません？」彼女はいった。

「いいえ、退屈どころか、ぼくはとても忙しいんです」彼はそう答えながら、相手がとりすました調子に話をもっていこうとしているのに、この冬の初めのときと同様、自分のほうはその調子から抜け出ることができないような気がしていた。

「長くご滞在ですの？」キチイは彼にたずねた。

「わかりません」彼は自分でもなにをいっているのかわからずに、そう答えた。そのとき、彼はふと、もし自分が相手のとりすました友情の調子にひきこまれたら、今度もまたなにひとつきめることもできないで立ち去るようになるだろうと思ったので、相手に逆らうことにきめた。

「なぜおわかりになりませんの？」

「わかりませんね。それはあなたしだいですから」彼はそういったとたん、思わず、自分の口にした言葉に身ぶるいした。

彼の言葉が聞えなかったのか、それとも、聞きたくなかったのか、とにかく、彼女はつまずきでもしたように、二度ばかり、片方の足をとんとんやってから、急いで彼のそばを離れていった。彼女はマドモアゼル・リノンのほうへすべって行き、相手になにか話しかけたあと、婦人たちがスケート靴を脱いでいた小屋のほうへ足を向けた。

《ああ、おれは、いったい、なんてことをしたんだろう！　ああ、神さま！　助けてください、いい知恵をかしてください！》リョーヴィンは祈るような気持でつぶやいたが、それと同時に、なにか激しい運動の欲求を感じて、さっと一気にすべりだし、内に外にあざやかな円を描いていった。

ちょうどそのとき、新しいスケーター仲間の名手といわれている若者のひとりが、口にたばこをくわえ、スケートをはいたまま、喫茶店から出て来ると、さっと駆けだして、がちゃがちゃ音をたて、とんとんとびはねながら、スケートのまま階段をおりはじめた。下へ飛ぶようにしておりると、彼は自由な両手の位置さえかえずに、すぐそのまま、氷の上をすべりだした。

「ははあ、あれが新しい手なんだな！」リョーヴィンはそうつぶやくと、その新しい手をやろうと、すぐ、階段を駆けのぼった。

「けがをしないように。なれなきゃむりですよ」ニコライ・シチェルバツキーが彼に向って叫んだ。

　リョーヴィンは石段の上へ上がり、そこから勢いよく走りだすと、なれない動作なので両手で平衡を保ちながら、下へ駆けおりて行った。最後の一段で、ちょっと、よろめいたが、片手がかすかに氷の表面にふれただけで、そのまま、勢いよく姿勢をたてなおすと、笑い声をたてながら、ずっとすべって行った。

《すばらしい、いい方だわ》そのとき、マドモアゼル・リノンといっしょに小屋を出たキチイは、静かにいつくしむような微笑を浮べて、好きな兄でも見守るように、彼をながめながら、心の中でつぶやいた。《でも、あたしがいけないのかしら、なにか悪いことでもしたのかしら？　みんなはコケティシュだっていうけれど。そりゃ、あたしが愛してるのはあの方ではないってことはわかってるわ。でも、それでもやっぱり、あの方といっしょにいると楽しいわ。とてもすばらしい方なんですもの。でも、なんだって、あんなことをおっしゃったのかしら？……》キチイはちらっとそう考えた。

リョーヴィンは、キチイが石段のところで待っていた母親と帰ろうとしているのを見て、激しい運動のために頬《ほお》を紅潮させたまま、立ち止って、ちょっと考えこんだ。彼はスケートを脱ぐと、園の入口のところで母娘《おやこ》に追い着いた。

「まあ、ようこそ」公爵《こうしゃく》夫人はいった。「宅では、相変らず、木曜日にお客をいたしております」

「というと、きょうですか？」

「どうぞ、いらしてくださいまし」公爵夫人はそっけなくいった。

このそっけなさにキチイは心を痛めたので、なんとかして、母親の冷たい態度を柔らげたいという思いを、おさえることができなかった。彼女は振り向いて、微笑をたたえながらいった。

「では、のちほど」

そのとき、オブロンスキーは帽子を横にかぶり、目はおろか、顔じゅうを輝かせながら、陽気な征服者然として園内にはいって来た。ところが、姑《しゅうとめ》のそばまでやって来ると、急に沈んだ、申しわけなさそうな顔つきをして、ドリイの健康をたずねる夫人の質問に答えた。静かな、沈んだ調子で姑との話を終えると、彼はぐっと胸を張って、リョーヴィンの腕を取った。

「さあ、そろそろ、出かけようじゃないか？」と、彼はいった。「ぼくはずっと、きみのことを考えていたんでね。ほんとによく出て来てくれたね」彼は意味ありげに相手の目をのぞきこみながら、いった。

「ああ、行こう、行こう」幸福そうなリョーヴィンは、今耳にした「では、のちほど」という声の響きと、それをつぶやいたときの彼女の微笑になおも酔いながら、いった。

「《イギリス会館》にするか、《エルミタージュ》にするか？」

「どっちでもいいよ」

「それじゃ、《イギリス会館》にしよう」オブロンスキーはいったが、《イギリス会館》にきめたのは、そこのほうが《エルミタージュ》より借金が多かったからである。彼は借金のためにそこを避けては悪いと考えたのである。

「きみは辻馬車《つじばしゃ》を待たしてあるんだね？　いや、けっこう。ぼくは箱馬車を帰してしまったのでね」

道々、ふたりの友人は、ずっと、黙りこんでいた。リョーヴィンは、キチイの顔に表われた表情の変化がなにを意味するものか思いあぐねながら、時には望みがあるぞと信じこんでみたり、すぐまた、絶望におちいって、望みだなんて狂気のさただとはっきり自覚するのだった。が、それにもかかわらず、彼は自分があの微笑を見、「では、のちほど」という言葉を聞く前とは、まったく別人になっているような気がした。

オブロンスキーは、道々、晩飯のメニューを考えていた。

「きみはたしか、ひらめが好きだったね？」彼は馬車を乗りつけたところで、リョーヴィンにたずねた。

「え？」リョーヴィンは問いかえした。「ひらめ？　ああ、ぼくは、ひらめが、とっても好きだよ」

10

リョーヴィンは、オブロンスキーと連れだってホテルへはいって行ったとき、友人の顔やからだ全体になにか控えめな輝きとでもいった、一種独特の雰囲気《ふんいき》がただよっているのに気づかずにはいられなかった。オブロンスキーは外套を脱ぎ、帽子をあみだにかぶったまま、食堂へ通ると、燕尾《えんび》服《ふく》を着、ナプキンを手にして四方から走り寄ってくるタタール人たちに、用をいいつけた。どこでもそうであるように、そこでも、うれしそうに彼を迎える知人たちに向って、彼は左右に会釈《えしゃく》しながら、スタンドのほうへ近づき、小魚をさかなにウォツカを一杯ひっかけると、カウンターにすわっていた、リボンや、レースや、カールで飾りたてたフランス女になにかしゃべりかけた。と、そのフランス女までが声をたてて笑いころげたほどであった。リョーヴィンがウォツカを飲まなかったのは、ただ、このフランス女が気に食わなかったからである。その女は全身が入れ毛とpoudre de riz（訳注 米粉）とvinaigre de toilette（訳注 化粧酸）でできているみたいであった。彼はまるでけがらわしい場所を避けるように、あわてて、女のそばを離れた。彼の心はすっかりキチイについての思いでいっぱいになっており、その日も勝利と幸福との微笑に輝いていた。

「さあ、閣下、こちらへどうぞ。ここでしたら、落ち着けてよろしゅうございますよ、閣下」大きな尻《しり》に燕尾の裾《すそ》を開いた、白髪の老タタール人がとくにしつこくついて来て、いった。「さ、どうぞ、閣下」彼はリョーヴィンにも声をかけたが、それはオブロンスキーに対する敬意のしるしとして、その客をもてなしてのことであった。

青銅の壁燭台《かべしょくだい》の下の、もうちゃんとテーブル・クロスのかかった丸テーブルの上へ、たちまち真新しいテーブル・クロスをひろげると、老僕はビロード張りのいすを引き寄せ、手にナプキンとメニューを持ったまま、注文を聞くために、オブロンスキーの前に立った。

「閣下、もしお望みでしたら、じきに、別室のほうもあきましてございます。ゴリーツィン公爵がご婦人の方と見えていらっしゃいますので。牡蠣《かき》は新しいのがはいりましてございます」

「ああ、牡蠣がね」

オブロンスキーは、ちょっと、考えこんだ。

「ひとつ、予定を変えてみるか、リョーヴィン？」彼はメニューの上に指をとめたまま いった。と、その顔つきは真剣に迷っているみたいだった。「牡蠣はいいやつかね？　よく吟味してくれよ！」

「フレンスブルク（訳注　ドイツの港町）のでございます、閣下、オーステンデ（訳注　ベルギーの港町）のはございません」

「フレンスブルクでも、生きはいいのかい？」

「きのう、はいりましたもので」

「それじゃ、ひとつ、牡蠣から始めてみるか。またそのあとで、すっかり予定を変えてもいいし、どう?」

「なんだっていいよ。ぼくにはスープとカーシャ（訳注　かゆ）がいちばんいいんだけど。でも、ここじゃ、そんなものはないだろうからね」

「カーシャ・ア・ラ・リュス（訳注　ロシア風のカーシャ）でございますか?」タタール人のボーイは、まるで赤ん坊に対する保母のような態度で、リョーヴィンの上にかがみこみながら、いった。

「いや、冗談はぬきにして、きみの選んだものでけっこうだよ。ぼくはスケートで駆けまわったあとなので、腹がへってるんだ。だから、思いちがいをしないでくれよ」オブロンスキーの顔に不満げな表情を認めて、リョーヴィンはつけ加えた。「きみの選択にけちをつけるわけじゃないんだから。ぼくは喜んで、たくさん、ごちそうになるよ」

「大いにけっこう！　なんといっても、これはこの世の楽しみの一つだからね」オブロンスキーはいった。「それでは、おい、きみ、われわれのところに、牡蠣を二十、いや、足りないかな、そう、三十ばかりに、野菜の根入りスープ……」

「プランタニエールでございますね」タタール人はあとをひきとった。ところが、オブロンスキーは、どうやら、相手にフランス語で料理の名前をいう満足を与えてやりたくないようであった。

「野菜の根入りだよ、いいね？　それから、濃いソースのかかったひらめ、それから……ローストビーフ。よく吟味して、いいのを頼むぜ。うむ、去勢鶏《カプルン》もいいな。それから、缶詰《かんづめ》の果物だ」

タタール人は、料理の名前をフランス語でいわないオブロンスキーの癖を思いだして、彼のあとからついていわなかったが、注文の品を全部メニューどおりに、そっと、繰り返すことで満足した。《スープ・プランタニエール、チュルボー・ソース・ボーマルシェ、プラルド・ア・レストラゴン、マセドアヌ・ド・フリュイ……》そして、すばやく、まるでばね仕掛けのように、とじたメニューを置くと、もう一つの、ワイン・メニューを取って、オブロンスキーのほうへさしだした。

「なにを飲もうかね？」

「ぼくはなんでも。ただ、ほんの少し。シャンパンでも」リョーヴィンはいった。

「え？　初めから？　うむ、まあ、それもいいな。きみはホワイトラベルのやつが好きだったね？」

「カシェ・ブラン」タタール人が言葉をついだ。

「じゃ、そのマークのを牡蠣のときに出してくれ。あとはまたにして」

「かしこまりました。テーブル・ワインのほうはなににいたしましょう？」

「ニュイ（訳注　フランスの都市ニュイ産のぶどう酒）をくれ。いや、やっぱり、例のシャブリ（訳注　フランスの都市シャブリ産のぶどう酒）のほうがいいな」

「かしこまりました。あなたさまのチーズはいかがなさいます？」

「そうだな。じゃ、パルメザン（訳注　イタリア製のチーズ）を。それとも、きみはなにかほかのがいいかい？」

「いや、ぼくはなんでもいいよ」リョーヴィンは微笑をおさえかねて、いった。

そこでタタール人は燕尾の裾をひるがえしながら駆けだして行ったが、ものの五分もすると真珠色の殻《から》の上に開いた牡蠣の皿と、酒の瓶《びん》を指のあいだにはさんで、飛ぶようにしてはいって来た。

オブロンスキーは、糊《のり》のきいたナプキンをもみほぐし、それをチョッキのあいだにはさむと、両手をゆったり構えて、牡蠣の皿にとりかかった。

「うむ、悪くないね」彼は銀のフォークで真珠色の殻から汁気の多い身をはがし、次々にそれを口に入れながら、いった。「悪くないね」彼はまたそのうるみをおびて輝いているまなざしで、リョーヴィンとタタール人とを、交互にながめやりながら、繰り返すのだった。

リョーヴィンは牡蠣も食べたが、彼にはチーズをのせた白パンのほうが口にあった。しかし、それよりも彼はオブロンスキーに見とれていた。いや、タタール人までが、コルクを抜いて、じょうご形の薄いグラスに、泡《あわ》だつ酒を注《つ》いでしまうと、見るからに満足そうな微笑を浮べて、白いネクタイをなおし、オブロンスキーのほうをながめていた。

「きみはあまり牡蠣が好きじゃないらしいね？」オブロンスキーはグラスを干しながら、いった。「それとも、なにか気にかかることでもあるのかい、え？」

彼はリョーヴィンが陽気であってほしかったのである。ところが、リョーヴィンは陽気でないというほどではなかったが、なにかこう気づまりな感じだった。彼は心にある一事のために、こんなレストランの中で、女連れの客が食事をしている別室などにはさまれて、人びとの足音や喧騒《けんそう》を聞いているのが、妙に心苦しく、落ち着かなかったのである。また、ブロンズ、姿見、ガス燈《とう》、タタール人といった道具だてもみな、彼には気に食わなかった。彼は自分の心を満たしているものをけがすことを恐れていたのである。

「ぼくが？　ああ、気にかかることがあるんだ。でも、そればかりじゃない。ぼくには、こういうものがみんな気づまりなんだよ」彼はいった。「きみには想像もつかんだろうが、ぼくのような田舎者にとっては、こうしたものはみんなどうにも奇妙なものに思われるのさ、ちょうどきみの役所で会った、あの紳士の爪《つめ》みたいにね……」

「ああ、ぼくも気づいていたよ、きみがあの哀れなグリネーヴィチの爪にひどく興味をもっていたことはね」オブロンスキーは苦笑しながら、いった。

「やりきれないことだよ」リョーヴィンは答えた。「まあ、ひとつ、きみも努力して、ぼくの身にもなって、田舎者の観点に立ってくれよ。田舎じゃ、ぼくたちはなるべく働きやすいように、自分の手を守ってるんで、そのためには、爪も切るし、時には袖《そで》をたくしあげるのさ。ところが、こちらじゃ、みんながわざと、伸ばせるだけ爪を伸ばし、小皿大の飾りボタンをつけて、手ではなにひとつできないようにしているんだからね」

オブロンスキーは、愉快そうに笑った。

「だが、それはつまり、荒仕事をする必要がないというしるしなんだね。知的な労働をしているという……」

「たぶん、そうだろう。しかし、それにしても、やっぱり、ぼくにはこっけいだね、つまり、ぼくたち田舎者は早く仕事にかかれるように、急いで飯をかっこむのに、今ぼくときみは、あまり早く満腹しないようにと、牡蠣なんか食べているじゃないか。まあ、それがこっけいに見えるのと同じことだね……」

「いや、もちろんだとも」オブロンスキーは相手の言葉をひきとった。「しかし、その点にこそ、教養というものの目的があるんじゃないか。いっさいのものから快楽を作りだすということが」

「ふん、それが目的だとしたら、ぼくはむしろ野蛮人でありたいね」

「なに、きみはそうでなくても野蛮人さ。リョーヴィン家の連中はみんな野蛮人だよ」

リョーヴィンはほっと溜息《ためいき》をついた。兄のニコライのことを思いだすと、気がとがめて、胸苦しくなり、思わず、眉《まゆ》をひそめた。が、そのとき、オブロンスキーのしゃべりだした話に、彼は、たちまち、気をとられてしまった。

「ときに、どうだい、今晩、われわれのところへ、つまり、シチェルバツキー家へ出かけて来るかね？」からになったざらざらの牡蠣殻をわきへおしやり、チーズを手もとに引き寄せて、彼は意味ありげにその目を輝かしながら、いった。

「ああ、かならず、出かけるよ」リョーヴィンはいった。「もっとも、公爵夫人はあまりぼくを呼びたくないらしかったがね」

「なにいってるんだ！　くだらん！　あれはあの人の癖なんだよ……おい、きみ、スープだ！……あれはあの人の癖なんだよ、grand dame（訳注　貴婦人）のね」オブロンスキーはいった。「ぼくも行くけれど、こちらはボーニン伯爵夫人のところへ合唱の練習にも行かなくちゃならんのでね。それにしても、きみはれっきとした野蛮人だよ。だって、きみが不意にモスクワから姿を消しちまったことなんか、なんて説明できるかね？　シチェルバツキー家の連中なんか、ぼくにしょっちゅう、きみのことをきいたもんだよ、まるでぼくが知らないわけはないっていうふうに。ところが、ぼくの知ってるただ一つのことは、きみはいつでも、だれもやらないことをする、ってことだけだからね」

「ああ」と、リョーヴィンはゆっくりと、興奮した面持《おもも》ちでいった。「きみのいうとおり、ぼくは野蛮人だよ。しかし、ぼくが野蛮人だっていうのは、黙ってここを発《た》つことじゃなくて、今またここへやって来たってことなんだ。今度ぼくがやって来たのは……」

「いや、きみはまったく幸福な男だよ！」オブロンスキーは、リョーヴィンの目をのぞきこみながら、すばやくいった。

「なぜだい？」

「名馬はその烙印《らくいん》により、恋せる若者はそのまなざしによって見分けられる（訳注 プーシキンの詩句）、か」オブロンスキーは朗読調でいった。「きみの前途は洋々たるものさ」

「じゃ、きみは過去の人だっていうのかい？」

「いや、過去の人ってほどじゃないが、きみには未来がある。まあ、ぼくは現在ってところだが――それが、どうもうまくないんだ」

「どうして？」

「とにかく、まずいんだよ。でも、自分のことは話したくないな。それに、どうせ、すっかり説明できるものじゃなし」オブロンスキーはいった。「それで、きみはいったいなんだってモスクワへ出て来たんだね？……おーい、片づけろ！」彼はタタール人に叫んだ。

「見当がついてるだろう？」ひとみの奥が輝いているまなざしをオブロンスキーの顔から放さずに、リョーヴィンは答えた。

「そりゃ、見当はついてるさ。でも、その話はこちらから切りだすわけにはいかないよ。でも、もうこういうだけでも、ぼくの見当が当ってるかどうか、きみにはわかるはずじゃないか」オブロンスキーは、かすかに微笑を浮べて、リョーヴィンを見つめながら、いった。

を干した。

「それじゃ、きみの意見はどうかね？」リョーヴィンは震え声でいったが、自分でも顔じゅうの筋肉がぶるぶる震えるのを感じていた。「この件についてどう見ている？」

オブロンスキーはリョーヴィンの顔から目を放さないで、ゆっくりとシャブリの杯を干した。

「ぼくがかい？」オブロンスキーはいった。「ぼくとしてはこれ以上望ましいことはないね。考えられるかぎりで最善の道だよ」

「でも、きみは思いちがいをしてるんじゃないかな？　ぼくが今なんの話をしているのか、わかっているのかい？」リョーヴィンは相手の顔をのぞきこむようにして、いった。「じゃ、それは可能だっていうんだね？」

「可能だと思うね。なぜ不可能なことがあるんだい？」

「いや、きみはたしかにそれが可能だと思ってるんだね？　いや、きみが考えてることを洗いざらいいってくれよ！　たとえば、もし、もしもだね、ぼくが断わられたとしたら？……ぼくにはちゃんとそれがわかって……」

「なんだってきみはそんなことを考えるんだね？」オブロンスキーは相手の興奮した様子に微笑しながら、いった。

「ときどきそんな気がするんだよ。そうなればまったくやりきれないことだからね、ぼくにとっても、あの人にとっても」

「いや、どんな場合だって、娘の側にはなにもやりきれないことってのはないがね。娘はだれだって、求婚されるのを誇りとしているからね」

「そりゃ、たいていの娘はね。でも、あの人は違うよ」

オブロンスキーは微笑を浮べた。彼にはリョーヴィンの気持が手にとるようにわかっていたのである。つまり、リョーヴィンにとっては、世界じゅうの娘たちは二つの種類に分れているのだ。第一は彼女をのぞいた世界じゅうの娘たちで、それらの娘たちはあらゆる人間的欠点をもった、もっとも平凡な娘たちであり、第二の種類は彼女ただひとりで、それはなにひとつ欠点をもたない、いっさいの人間的なものを超越した存在であった。

「まあ、ちょっと、ソースをかけろよ」彼はソースをわきへ押しのけようとしたリョーヴィンの手をおさえながら、いった。

リョーヴィンはおとなしくソースをかけたが、オブロンスキーに食べる暇を与えなかった。

「いや、きみ、ちょっと、ちょっと、待ってくれ」彼はいった。「いいかい、これはぼくにとって生死にかかわる大問題だからね。今までだれともこの件についちゃ話をしたことはないんだ。第一、きみ以外のだれとも、この件についちゃ話はできないからね。そりゃ、きみとぼくとは、あらゆる点において違っているさ。趣味の点でも、物の見方の点でも、なにもかも。しかしそれでも、きみはぼくを愛し、理解してくれているので、ぼくもきみが大好きなんだ。いや、それだから頼むよ、なにもかも打ち明けてほしいんだ」

「ぼくは自分で思ってることを話しているのさ」オブロンスキーは微笑しながら、いった。「しかしね、もう少しいえばだね、ぼくの家内は――まったくおどろくべき女でね……」オブロンスキーは妻との関係を思いだすと、ほっと溜息をついて、しばらく口をつぐんだのち、言葉をつづけた。「あれには物事を予見する能力があるんだ。人の心を見通してしまうんだが、それだけじゃなくて、未来のことまでわかるんだ、とりわけ、結婚問題についてはね。たとえば、あれはシャホフスカヤがブレンテルに嫁《とつ》ぐことも予言したよ。だれひとり、それを信じようとはしなかったけれど、やっぱり、そのとおりになったからね。その家内が、きみの味方だからね」

「というと？」

「つまり、あれはきみが好きなばかりでなく、キチイはかならずきみの奥さんになるといってるのさ」

この言葉を聞くと、リョーヴィンの顔は、さっと微笑に輝いたが、それはほとんど感動の涙に近いものだった。

「あの人がそういってるって！」リョーヴィンは大声でいった、「ぼくはいつもいってるんだ、あの人は、きみの奥さんはすばらしい人だって。いや、もうたくさん、この話はたくさんだよ！」彼は席から立ちあがりながら、いった。

「よかろう。しかし、まあ、かけろよ」

しかし、リョーヴィンはじっとすわっていられなかった。彼はしっかりした足どりで、鳥籠《とりかご》のような小部屋の中を二度ばかり歩きまわって、涙を見られないようにまばたきしてから、やっと元の席についた。

「いいかい」彼は念をおした。「これは恋じゃないんだよ。そりゃ、ぼくも恋をしたことはあるさ。でも、今度のは違うんだ。これはぼく自身の感情じゃなくて、なにかしら外的な力がぼくをつかまえてしまったんだ。だって、ぼくがここを逃げだしてしまったのは、そんなことはとてもありえないことだときめて、ね、わかるかい、そんなことはとてもこの世には存在しない幸福のような気がしたからなんだよ。しかし、ぼくはさんざん自分自身と闘ったすえ、それがなくては生きていく意味がないとわかったんだ。だから、なんとかきめなくちゃ……」

「じゃ、なんだって逃げだしたりしたんだい？」

「ま、ちょっと、待ってくれ！　いや、まったく、いろんな考えが浮んできちゃって！　なにからきいたらいいのかな！　あ、そうだ。きみにはとても想像もつかないだろうね、ぼくが今のきみの言葉にどれほど打たれているかなんてことは。いや、まったく、ぼくは今すごく幸福なんだよ、なにもかも忘れてしまったよ……じつはきょう、兄のニコライのことを聞いたんだけれど……知ってるかい、兄はここにいるんだよ……でも、今は彼のことさえ忘れてしまったよ。いや、彼までが幸福でいるような気がしてきたよ。こりゃ、一種の気違いだな。ただひとつ、ぞっとするのは……いや、きみは結婚してるんだから、こうした感情もわかってるだろうが……その、ぞっとするのは、ぼくたちのように、かなりの年で、もういろいろと過去……それも愛のではなくて、罪の過去をもってるものが、いきなり、けがれを知らぬ、清純な存在に近づくってことなんだ。こりゃ、まったく唾棄《だき》すべきことじゃないか。いや、それだからこそ、自分はとてもそれにふさわしくないと感ぜざるをえないんだよ」

「なあに、きみの罪なんて軽いほうさ」

「いや、それにしても」リョーヴィンはいった。「やっぱり、『われ嫌悪《けんお》の情もてわが生活を振り返り、震えおののき、のろいし末に悲嘆にくれぬ……』（訳注　プーシキンの詩句）さ。

いや、そうなんだよ」

「しかたがないさ、世界がそうつくられてるんだから」オブロンスキーはいった。

「ただひとつの慰めはね、ぼくがいつも愛誦《あいしょう》している、『われを許したまえ、その功《いさお》しによらず、み恵みによりて』という、あの祈りの文句があるんだ。そういう意味でなら、あの人もぼくを許せるだろうからね」

11

リョーヴィンが杯を飲み干すと、ふたりはしばらく黙っていた。

「もうひとつ、きみに話しておかなくちゃ。きみはヴロンスキーを知ってるかい？」オブロンスキーはリョーヴィンにたずねた。

「いや、知らないね。なんだって、そんなことを聞くんだい？」

「おい、もう一本くれ」オブロンスキーは、用のないときにかぎって杯に酒を注《つ》ぎたしたり、ふたりのまわりをうろうろしていたタタール人のほうを向いていった。

「ぼくがヴロンスキーを知らなきゃならん理由《わけ》があるのかい？」

「だって、きみがヴロンスキーを知らなきゃならんのは、彼はきみのライバルのひとりだからね」

「ヴロンスキーって何者かね？」リョーヴィンはいったが、その顔はつい先ほどまでオブロンスキーが見とれていた、あの子供っぽい、有頂天な表情から、とつぜん、けわしい、不愉快なものに変わった。

「ヴロンスキーとはね——キリル・ヴロンスキー伯爵《はくしゃく》のむすこのひとりで、ペテルブルグ社交界の貴公子連の中でも選《え》りぬきの青年なんだ。ぼくはトヴェーリで勤務していたときに、知り合ったのさ。やっこさんが新兵募集にやって来てね。ものすごい金持で、美男子で、縁故関係も多く、侍従武官なんだ。しかも、そのうえ、とても気持のいい、好青年ときている。いや、単に、好青年といっただけでは足りないね。ここでまた知り合ったかぎりでは、教養もあり、なかなか聡明《そうめい》ときている。ありゃ、たしかに、出世する男だよ」

リョーヴィンは眉をひそめて、おし黙っていた。

「そこでだね、あの男がここへ現われたのはきみが発ってじきだったたよ。ぼくのにらんだところじゃ、やっこさん、キチイに首ったけでね。きみもわかるだろうが、母親が……」

「いや、悪いけれど、ぼくにはなんのことかわからないね」リョーヴィンは顔を暗くくもらせながら、いった。そのとたん、彼は兄のニコライのことを思いだし、兄のことを忘れていた自分にひどく腹が立った。

「ま、ちょっと、待ってくれ」オブロンスキーは微笑を浮べて、相手の手にさわりながら、いった。「ぼくは自分の知ってることをみんなきみに話しただけさ。いや、繰り返していうが、この微妙かつデリケートな問題において、まあ、推察できるかぎりにおいては、きみのほうに分があるよ」

リョーヴィンはいすの背にもたれたが、その顔色は青白かった。

「いや、それにしても、この問題はなるべく早くきめてしまうほうがいいな」オブロンスキーは相手の杯に酒を注ぎたしながら、いった。

「いや、けっこう。もう飲めないよ」リョーヴィンは杯をおしのけながら、いった。「酔っぱらっちゃうよ……ときにきみのほうはどうなんだね？」彼は、どうやら、話題を変えたいらしく、そうたずねた。

「もうひと言いっとくが、いずれにしても、この問題はなるべく早くきめるべきだね。しかし、今晩は切りださないほうがいいよ」オブロンスキーはいった。「あすの朝出かけて行って、ちゃんと正式に、結婚の申し込みをするんだ。なに、きっと、うまくいくだろうよ……」

「ねえ、きみはいつも、ぼくのところへ猟に来たいといってただろう？　この春にはきっと来いよ」リョーヴィンはいった。

彼は今となって自分がオブロンスキーを相手にこんな話をはじめたことを心の底から後悔していた。彼の特別な感情が、ライバルだというペテルブルグの一士官の話や、オブロンスキーの想像やら忠告やらで、すっかり汚《けが》されてしまったからである。

オブロンスキーはにっこり微笑を浮べた。リョーヴィンの心の動きを察したのである。

「そのうちに、出かけて行くよ」彼はいった。「それはそうと、きみ、女というやつはね、それを中心にいっさいのものがまわっているねじだからね、現に、ぼくのところも、おもしろくなくてね。大いにおもしろくないんだ。それもこれも、みんな女がもとさ。ひとつ、あけすけに、意見をいってくれよ」彼は片方の手で葉巻を取り出し、もう一方の手で杯をおさえたまま、そう言葉をつづけた。「きみの忠告が聞きたいんだ」

「それにしても、どういうことなんだね？」

「つまり、こういうことなんだ。まあ、かりにきみが結婚していて、女房を愛しているんだが、たまたま、他の女に心が惹《ひ》かれて……」

「ま、ちょっと待ってくれ。ぼくにはそんな話はまるっきり理解できないね。だって……そんな話はだね、かりにぼくが今腹いっぱい食べて、すぐそのあとパン屋のそばを通りかかったら、パンをひとつ盗む、っていうようなばかげたことじゃないか」

オブロンスキーの目は、いつもよりいっそう輝いた。

「どうしてだね？　パンだって、ときにはたまらないほどいいにおいをたてていることがあるじゃないか？

Himmlisch ist's, wenn ich bezwungen
Meine irdische Begier;
Aber noch wenn's nicht gelungen
Hatt'ich auch recht hübsch Plaisir!
　この世の欲望に打ち勝つは
大いなることなれど
よしそれに打ち勝てずとも
われはなお至福をば味わう」（訳注　ハイネの詩句）

オブロンスキーはそういいながら、かすかに微笑した。リョーヴィンもまた微笑せざるをえなかった。

「しかし、冗談はさておいて」オブロンスキーは言葉をつづけた。「きみにもわかってほしいんだが、その女は、優しくて、かわいくて、愛すべき人間なんだ。しかも、貧しくて、身寄りがないのに、なにもかも犠牲にしてきてくれたんだ。それをいまさら、もうできてしまったからといって、きみ、おっぽりだすなんてことができるかね？　まあ、かりに、家庭生活を破壊しないために別れるとしてもだよ、その女をかわいそうに思ったり、力になってやったり、慰めてやったりしちゃいけないって法があるかね？」

「あ、ちょっと、勘弁してくれ。きみも知ってるとおり、ぼくにとっちゃ、女の人はみんなただ二種類に分れているんだ……つまり、その、もっとはっきりいえば、一方にはちゃんとした女の人がおり、他方には……堕落した、いや、りっぱな女なんてあろうはずがないけれど、あの帳場にすわっていた、髪をカールして、白粉《おしろい》をぬりたくっていたフランス女、あんな女はぼくにとっちゃ、蛇《へび》も同じさ。堕落した女はみんなあれと同じさ」

「それじゃ、福音書の女は？」

「ああ、よしてくれ。キリストだって、もしこれほど濫用《らんよう》されると知ってたら、けっしてあんな言葉は口にしなかっただろうよ。福音書全体を通じて、ただあの言葉しか覚えていないんだからねえ。もっとも、これはぼくが頭で考えていることじゃなくて、心で感じていることをしゃべっているだけだよ。ぼくは堕落した女たちに対して嫌悪の情をもっているんでね。きみは蜘蛛《くも》がきらいだが、ぼくはああいう蛇がきらいだね。たぶん、きみは蜘蛛について研究したこともなければ、その習性も知らないだろうが、ぼくもそれと同じことなのさ」

「そりゃ、きみはそんなことをいってりゃ楽だよ。だって、そういう態度は、あのいっさいの難問を左手で右肩ごしにぽんぽん投げとばしていく、ディケンズの小説に出てくる紳士（訳注『デイヴィッド・コッパフィールド』のミコーバーをさす）と同じことだからね。しかしね、事実の否定ということは――答えにはならないぜ。なにをなすべきか、教えてくれ、ほんとうにどうしたらいいんだ？　女房のほうはどんどん老《ふ》けていくのに、きみは元気いっぱいなんだ。ふと、気がついたときには、いくらきみが女房を尊敬していても、もう女房をほんとうに愛することができなくなっている自分を発見するんだ。そこへとつぜん、愛の対象が現われると、もうおしまいだ、いや、もうそれっきりなんだ！」オブロンスキーは、弱々しい、絶望的な調子で言葉をきった。

リョーヴィンはにやっと笑った。

「そうなんだ、もうおしまいなんだ」オブロンスキーはつづけた。「じゃ、どうすればいいんだ？」

「パンを盗まないことだね」

オブロンスキーは笑いだした。

「いやはや、モラリストだね、きみは！　しかし、いいかね。今ここに、ふたりの女がいて、そのひとりはただ自分の権利だけを主張している。しかも、その権利たるや、きみがどうにも与えることのできないきみの愛情なんだよ。ところが、もうひとりのほうは、きみのためにすべてを犠牲にして、しかもなにひとつ要求していないんだ。おい、きみだったら、どうする？　どういう行動をとる？　つまり、ここんところに恐ろしい悲劇《ドラマ》があるんだ」

「その点についてぼくの本心を聞きたいというんなら、話すけれどね。ぼくはそこに悲劇《ドラマ》があるとは信じられないね。その理由はだね。ぼくの考えじゃ、愛というものには、あのプラトンが『饗宴《きょうえん》』の中で定義している二種類の愛があるんだが、それらはどちらも人間にとって試金石の役を果しているんだ。一部の人びとはただ一つの愛しか理解しないし、またもう一つの愛しか理解できない人びともいる。そして、プラトニックでない愛しか理解できない人びとは、悲劇《ドラマ》だなんて、口にする資格はないんだよ。だって、そういう愛には、いかなる悲劇《ドラマ》もありえないからなんだ。『いい日にあわせてくれて、ありがとう。さよなら』いや、もうそれだけで、悲劇《ドラマ》もけりというわけさ。また、プラトニックな愛にとっても、悲劇《ドラマ》なんてありえない、だって、そうした愛においてはなにごともはっきりしていて、清純で、しかも……」

その瞬間、リョーヴィンは自分の罪と、かつて味わった心の闘いを思いだして、急に、こうつけ加えた。

「でも、ひょっとすると、きみのいうのもほんとうかもしれないね……しかし、ぼくにはわからない、まるっきり、わからないよ」

「いや、じつはそのことなんだよ」オブロンスキーはいった。「きみはひじょうに純粋な人間だ。それはきみの美点でもあり、欠点でもある。きみ自身は純粋な性格だから、人生のすべてが純粋な現象から成り立っていることを望んでいるけれど、実際は、そんなものじゃないんだ。現に、きみは社会的な活動を軽蔑《けいべつ》しているけれど、それは仕事がつねに目的と一致することを望んでいるからなんだが、そんなことはありえないのさ。きみはまた、あるひとりの人間の活動がつねに目的をもっていることを、愛情と家庭生活とはつねに一体であることを希望しているんだが、そんなわけにはいかないのさ。この人生の変化も、魅力も、美しさも、どれもこれもみんな、光と影からできているものなんだからね」

リョーヴィンはほっと溜息《ためいき》をつくと、なんとも答えなかった。自分のことばかり考えていて、オブロンスキーの話など聞いていなかったのである。

そのとき、不意に、彼らはふたりとも、まったく同じことを感じた——自分たちは親友であり、いっしょに飲んだり、食ったりしたのであるから、前よりいっそう親密にならなければならないのに、お互いに、自分のことばかり考えていて、ふたりのあいだにはなにひとつ共通なものがない、ということを。オブロンスキーはこれまでに何度も、食事のあと親しみがますかわりに、かえって孤独になるこうした現象を経験しており、そんな場合にはどうすればいいか、ちゃんと心得ていた。

「勘定！」彼はそう叫んで、隣の広間へ出て行った。と、すぐにそこで知合いの副官に出会い、ある女優とそのパトロンの話をはじめた。オブロンスキーはその副官を相手に話をはじめたとたん、たちまち、ほっとした楽な気分になり、いつも頭脳と精神の緊張を極端に要求するリョーヴィンとの会話からくる疲れをいやす思いであった。

タタール人が二十六ルーブル何コペイカに、チップを加えた勘定書を持って現われたとき、田舎者のリョーヴィンは別のときなら、十四ルーブルという自分の割り前にびっくり仰天したであろうが、今はそんなことには気もとめないで、さっさと払いをすませると、家で着替えをして、自分の運命が決せられるシチェルバッキー家へおもむくために、帰途についた。

12

シチェルバッキー公爵家の令嬢キチイは十八歳であった。この冬はじめて社交界へ出たのであるが、その成功はふたりの姉以上であるばかりか、公爵夫人が期待していた以上のものであった。そればかりか、モスクワの舞踏会で踊った青年たちのほとんどすべてはキチイに恋してしまい、まだはじめての冬《シーズン》だというのに、ふたりのまじめな花婿《はなむこ》候補が現われた。すなわち、リョーヴィンと、その出発後すぐやって来たヴロンスキー伯爵である。

冬の初めにリョーヴィンが姿を現わし、足しげく訪問して、明らかにキチイを恋している様子がわかると、両親ははじめてキチイの将来についてまじめな話し合いをしたが、それはまた公爵と公爵夫人のいさかいの原因ともなった。公爵はリョーヴィンの味方で、キチイにとってあれ以上の良縁はないといった。一方、公爵夫人は問題を回避したがる婦人独特の性癖から、キチイはまだ若すぎるし、リョーヴィンもまじめな意思表示をしたことがないし、キチイも彼に心を惹かれていないとか、その他いろいろな論拠を並べたてた。しかし、夫人は、自分が娘のためにもっといい花婿を期待しており、リョーヴィンのことをあまり快く思っておらず、したがって彼という人間をさっぱり理解していないという、肝心のことは口にしなかった。そのため、リョーヴィンが不意に田舎へ発《た》ってしまったときには、夫人は喜んで「ほらごらんなさい、あたくしのいったとおりでしょう」と夫に勝ち誇っていったくらいである。だから、ヴロンスキーが現われたときには、夫人は前よりなおいっそう喜んで、キチイには単に良縁というだけでなく、輝くばかりの結婚をさせなければならぬという自分の意見をかためたのであった。

母親にとっては、リョーヴィンとヴロンスキーとではまったく比べものにならなかった。母親がリョーヴィンを気に入らなかったのは、彼の一風変った、過激なものの見方をはじめ、高慢に根ざしている（と彼女には思われた）社交界での彼の奔放さや、家畜や百姓相手の田舎での、（彼女の見解によれば）なんとなく粗野な彼の生活であった。さらにまた、彼が娘に恋して、一月半もせっせと通いながら、自分のほうから申し込みをしたら、さも沽券《こけん》にでもかかわると心配でもしているかのように、ただなんとなくなにかを期待するように、ためらってばかりいて、年ごろの娘のいる家庭へ出入りする以上、ちゃんと心得ていなければならぬことを少しもわかっていない点が、とりわけ気にくわなかったのである。ところが、とつぜん、彼はなんの言いわけもしないで、姿を消してしまった。《でも、よかったこと、あの人はあんまり魅力がないので、キチイも夢中にならなくて》母親は心の中で考えていた。

ヴロンスキーは母親が望んでいたすべての条件にかなっていた。たいへんな金持で、頭がきれ、家がらがよく、侍従武官として輝かしい出世街道を歩んでおり、しかも魅力的な人間である。もうこれ以上望むことはできなかった。

ヴロンスキーは舞踏会のたびに、あからさまにキチイのきげんをとりながら、彼女と踊ったり、足しげく屋敷に通って来たりしている。そうなると、彼の気持の真剣さを疑うわけにはいかなかった。しかし、それにもかかわらず、母親はこの冬じゅう恐ろしい不安と動揺を感じていた。

当の公爵夫人は三十年前に、伯母の仲人《なこうど》で、嫁《とつ》いだのであった。もう前もってなにもかもわかっていた花婿候補がやって来て、花嫁候補を見、自分のほうも見られた末、仲人役の伯母が双方の印象を聞いて、それぞれに伝えた。印象は悪くなかった。やがて、きめられた日に、予期された申し込みが両親に行われ、受け入れられた。なにもかもきわめてたやすく、簡単に運ばれた。すくなくとも、公爵《こうしゃく》夫人にはそう思われた。ところが、娘たちの場合になってみると、この一見ありふれた事がら、つまり、娘を嫁にやるということが、いかに面倒な、むずかしいものであるかをしみじみ味わった。上の娘ふたり、ドリイとナタリイを嫁がせたとき、どれほど心配したことか、どれほど思案をめぐらしたことか、どれほどお金を使ったことか、どれほど夫とけんかしたことかしれなかった！ところが今、末娘を社交界へ出すについても、やはり同じような心労、同じような疑惑を味わい、姉たちの場合よりもさらに激しい争いを夫ともしなければならなかった。老公爵は、世のすべての父親と同様、娘たちの名誉と純潔についてはとくにやかましかった。彼は娘たちに対し、とりわけ、お気に入りのキチイに対しては、無分別なくらいやきもきするたちで、夫人が娘の評判をおとすようなことをするといっては、ほとんどことごとに、相手にくってかかっていた。公爵夫人は上の娘たちのときからこの夫の態度には慣れっこになっていたが、今度は夫人も公爵がやきもきするのはそれなりに原因があるのだと感じていた。彼女は最近、世間の風習が大いに変って、母親の務めがますますむずかしくなってきたことを認めた。いや、キチイと同じ年ごろの娘たちがなにかの会をつくったり、講習へ通ったり、自由に男性とつきあったり、自分たちだけで町を歩きまわったり、多くの娘たちが小腰をかがめてあいさつしなくなったりしていることを知っていた。が、なによりも重大なのは、娘たちがみんな夫を選ぶのは自分たちの仕事で、両親の知ったことではないと、かたく信じこんでいることであった。「今日では、もう昔のようなお嫁入りはないわ」――これらの若い娘たちはみんな、いや、かなり年配の者までが、そう考えて、口にまで出している始末だった。ところが、今日では、いったい、どんな嫁入りが行われているのかという点になると、公爵夫人はだれからも聞くことができなかった。子供の運命は両親がきめるべきもの、というフランス式の習慣は、受け入れられず、非難されている。また、娘たちに完全な自由を与える、イギリス式の習慣も、受け入れられず、第一、ロシアの社会ではとてもむりであった。そうかといって、媒酌《ばいしゃく》というロシアの習慣は、何かしら醜悪なように思われ、みんなといっしょに当の公爵夫人までが、それを冷笑していた。しかし、ではどうしたら縁づき、嫁にやれるかという点になると、だれにもわからなかった。夫人がこの問題について話し合った人びとはだれも、口をそろえて「まあ、とんでもない。今はもうそんな古いしきたりは捨てるべきときですよ。だって、結婚するのは若い人たちで、両親じゃありませんもの。ですから、若い人たちの好きなようにさせるのがいちばんですよ」というのだった。もっとも、娘を持ってない人びとがそういうのはけっこうだが、公爵夫人は娘が男性とつきあっているうちに、恋をするかもしれぬことを、それも結婚の意志のない男や、夫としての資格のない男たちに恋してしまうかもしれぬことを承知していた。そのため、夫人は今日の若い人びとは自分の運命をきめるべきだと、いくら説得されても、けっしてそれを信ずることはできなかった。それはちょうど、いくらどんな時代になろうとも、五つの子供にとっていちばんいいおもちゃは弾丸《たま》をこめたピストルである、などということが信じられないのと同様であった。こんなわけで、公爵夫人はキチイのことについては姉たちのときよりもいっそう心を痛めていたのである。

今、夫人が恐れているのは、ヴロンスキーが単に娘のきげんを取りむすぶことだけでやめてしまいはせぬか、ということであった。夫人は娘がもう彼に夢中になっていることを知っていたが、あれは誠実な方だから、そんなことはするまいと、みずから慰めていた。が、それと同時に、今のような自由に交際できる時代には、若い娘たちを夢中にさせるのは簡単なことであり、また一般にいっても、男性の側もそうしたことにほとんど罪悪感を感じていないことも承知していた。先週、キチイはヴロンスキーとマズルカを踊ったときの話をした。その話はいくらか夫人を慰めてくれたが、しかし、すっかり、安心するわけにはいかなかった。ヴロンスキーはキチイに向って、自分たち兄弟ふたりはなにごとも母親に服従する習慣になっているから、母親に相談しなければ、重大なことはなにひとつきめられない、といった。「ですから今、母がペテルブルグから出て来るのを、なにか特別の幸福でも待つような思いで、待っているんです」と彼はいったのである。

キチイはこれらの言葉になんの特別の意味もつけないで話した。しかし、母親はそれとは別にとった。夫人は、老母が一日千秋の思いで待たれていることをも、老母がむすこの選択を喜ぶだろうことも知っていた。したがって、彼が母親の気をそこなうのを恐れて、申し込みをしないでいるのがふしぎに思われたくらいであった。しかし、夫人は当の結婚はもとより、なによりもまず自分の心労から解放されたいと願っていたので、それを信じる気になったのである。現在の夫人にとっては、夫と別れようとしている長女ドリイの不幸を見ることはまったく忍びないことであったが、しかし運命のきまりかけていた末娘のことで頭がいっぱいになり、すっかりそれに気をとられていた。きょうはリョーヴィンが姿を現わしたので、またひとつ、新しい悩みのたねがふえたわけである。夫人は、リョーヴィンに対して一時好意をよせていたらしい娘が、よけいな心づかいから、ヴロンスキーのほうを断わらなければいいが、いや、そうでなくても、リョーヴィンの上京が、ほとんどまとまりかけていた話をごたごたさせて、延期にでもならなければいいがと、それればかり心配していた。

「あの方はどうしたの、もう前から来ていらしたの？」母娘《おやこ》が家へもどったとき、公爵夫人はリョーヴィンのことをそうきいた。

「きょうですって、ママ」

「ひと言だけいっておきたいんだけど」公爵夫人はそう切りだしたが、その生きいきした、まじめくさった顔つきから、キチイはなんの話かすぐ察した。

「ママ」彼女は上気した顔を、すばやく母親のほうに向けて、いった。「どうか、お願い、そのことはおっしゃらないで。わかってますわ。みんなわかってますわ」

キチイも母親と同じことを願っていたのであるが、ただ母親がそれを願う動機に心を傷つけられたのであった。

「ただいっておきたいのは、ひとりの方に気をもたせて……」

「ねえ、ママ、お願い、もうおっしゃらないで。とってもこわいんですの、そのお話をするのは」

「じゃ、しません、しませんとも」母親は娘の目に涙を見て、いった。「でも、ただひとつだけ。ねえ、キチイ、あんたはママになにひとつ秘密をもたないって約束したわね、そうね？」

「ええ、ママ、どんなことだって」キチイはさっと頬《ほお》をそめて、母親の顔をまともに見すえながら、いった。「でも、今はなんにもお話しすることありませんわ。あたし……あたし……かりにお話ししたいことがあっても、なにを、どう、いったらいいのか、わからないわ……ほんとに、わからないわ……」

《ええ、この目つきじゃ、うそはいえないわ》母親は娘の興奮と幸福に微笑をおくりながら、思った。公爵夫人が微笑したのは、今、キチイの心の中で起っていることが、かわいそうな娘にはどんなに大きな、意味ぶかいものに思われるか、察したからであった。

13

キチイは夕食をおえて夜会の始まるまでのあいだ、戦闘を前にした若者が経験するような感情を味わった。心臓は激しく高鳴り、なにひとつ考えを集中させることができなかった。

彼女は、あのふたりがはじめて顔を合せるきょうの夜会こそ、自分の運命が決せられるときだと感じていた。そして、ひっきりなしに、ふたりの面影《おもかげ》を、時には別々に、また時には、ふたりいっしょにして、思い浮べるのであった。過ぎ去った日々のことを考えながら、彼女は優しい満ち足りた気持で、自分とリョーヴィンとの思い出にひたるのだった。少女時代の思い出と、亡《な》き兄とリョーヴィンとの友情の追憶は、自分と彼との関係に、なにかしら特別な、詩的な美しさをそえるのであった。キチイは彼が自分を愛していることを信じて疑わなかったが、その愛は彼女にとって気持のいい、うれしいものであった。そのため、リョーヴィンのことを思いだすと心が軽くなった。一方、ヴロンスキーについての思い出には、彼がこのうえなく社交的な、おだやかな人物であるにもかかわらず、なんとなく、しっくりしないものがまじっていた。それはまるで、なにか真実でないものでもあるかのようであったが、それは彼の中ではなく(彼はきわめて単純な、好青年であった)、彼女自身の中にあるのだった。ところが、リョーヴィンに対しては、彼女もまったくさっぱりと、晴ればれしたものを感じるのであった。しかし、そのかわり、ヴロンスキーとの将来を考えると、たちまち、目の前には輝かしい幸福な展望がひらけるのだが、リョーヴィンとの将来は、ただぼんやりと霧にかすんでいるのであった。

夜会服に着替えるために二階へ上がり、鏡をちらっとのぞきこんだとき、キチイはきょうこそ自分にとってすばらしい日の一つであり、自分のもつあらゆる魅力を完全に身につけていることを知って、喜んだ。それは目前に迫っていることのために、ぜひとも必要なものであった。彼女は自分が見た目にはしとやかでも、その立居振る舞いにはおおらかな気品があることを感じていた。

七時半に、キチイが客間に通るやいなや、『コンスタンチン・リョーヴィンさま』と召使が取次いだ。公爵夫人はまだ居間にいたし、公爵は出てこなかった。《やっぱり、そうだわ》キチイがそう思ったとたん、全身の血がどっと心臓へ流れこんだ。彼女は鏡をちらっとのぞいて、自分の顔があまりに青白いのにぞっとした。

今こそキチイは、彼が自分ひとりのときをねらってこんなに早くやって来たのは結婚の申し込みをするためであると、はっきり承知していた。と、そのときになってはじめて、いっさいのことが、まったく別の新しい側面から彼女の前に照らしだされた。いや、そのときになってはじめて、この問題は自分ひとりに関係したことではない。つまり、自分はだれと結婚したら幸福になれるか、自分はだれを愛しているのか、ということだけでなく、今まさに自分は愛している人を侮辱することになるのだ、ということを悟ったのであった。しかも、手ひどく侮辱することになるのだ……なんのために？　相手が好人物で、自分を愛し、自分に恋しているために。しかし、どうすることもできない。そうしなければならないのだ。そうならなければならないのだ。

《ああ、ほんとに、あたしは自分でそれをいわなくちゃいけないのかしら》彼女は考えた。《ねえ、なんといったらいいんでしょう？　まさか、あなたを愛してはおりませんなんていえないし。そんなことといったら、うそになるわ、ほんとに、なんていったらいいんでしょう？　ほかの方を愛しておりますっていったら？　いいえ、そんなことはできないわ。ここを出て行こう、出て行ってしまおう》

キチイがもうドアのそばまで近づいたとき、彼の足音が聞えてきた。《ええ、これは卑怯《ひきょう》なことだわ。なにもこわがることはないわ！　なにも悪いことなんかしていないんですもの。なるようにしか、ならないんだわ！　ほんとのことを、いってしまおう。あの方なら、気まずいってこともないでしょうし。ああ、もうお見えになったわ》彼が目を輝かし、たくましいからだをいくらか臆病《おくびょう》げに運んで来るのを見たとき、彼女は自分にいいきかせた。彼女はまるで相手の許しでも請《こ》うように、まっすぐに彼の顔を見つめながら、その手をさしのべた。

「や、これはどうも。ちょっと、早すぎたようですね」彼はがらんとした客間を見まわして、いった。が、自分の見込みどおり、だれも自分の話のじゃまをするものがいないのを見てとると、彼の顔は急にくもった。

「いいえ、どういたしまして」キチイはいって、テーブルの前に腰をおろした。

「じつは、ぼくのほうはわざとあなたがおひとりのところをねらって来たんです」彼は勇気を失わぬように、彼女の顔も見ないで、突っ立ったまま、そう切りだした。

「ママがただいままいります。きのうとても疲れましたので、きのうは……」

彼女は自分の唇《くちびる》がなにをしゃべっているのかもわからずに、ただ祈るような、いつくしむようなまなざしを相手の顔から放さずに、言葉をつづけた。

彼はちらっと彼女をながめた。と、彼女は頬をそめて、黙ってしまった。

「ぼくはさっきいいましたね。自分が長く滞在するかどうかわからないって。それはあなたしだいだって……」

キチイはしだいに近づいてくるものにどう答えたらいいのかわからなかったので、いよいよ低くその頭をたれていった。

「つまり、それはあなたしだいだということを」彼は繰り返した。「ぼくはいいたかったんです……それがいいたかったんです……ぼくはそのために上京したのです……つまり……ぼくの妻になっていただこうと思って!」彼は自分でもなにをいっているのかわからぬままに、そう繰り返した。しかし、いちばん恐ろしいことはいってしまったことを感じて、ひと息つくと、彼女のほうをながめた。

彼女は彼を見ないで、重々しく息をついていた。彼女は歓喜を味わっていたのだ。その心は幸福で満ちあふれていた。彼女は、彼の愛の告白がこれほど強い感銘を自分に与えようとは夢にも思っていなかった。しかし、それはほんの一瞬のことであった。すぐにヴロンスキーのことが思いだされた。彼女はその明るい、誠実そうなまなざしをリョーヴィンの顔にそそぎ、彼の絶望したような顔を見ると、急いで答えた。

「そうはまいりませんの……どうか、お許しになって……」

ああ、ほんの一分前までは、彼女はどんなに彼に近しい、彼の生活にとって重要な存在であったことだろう！　それが今では、もうまったく無縁な、遠いものになってしまったのだ！

「そうなるよりほかにしかたがなかったんですね」彼は相手の顔を見ないで、いった。

彼は一礼すると、そのまま立ち去ろうとした。

14

ところが、ちょうどそのとき、公爵《こうしゃく》夫人がはいって来た。そして、ふたりがさしむかいになって、気まずそうな顔つきをしているのを見ると、夫人の顔には、さっと、恐怖の色が現われた。リョーヴィンはちょっと会釈《えしゃく》しただけで、なんともいわなかった。キチイは目を伏せたまま、黙っていた。《でも、よかった、断わってくれて》母親は思った。すると、その顔は、木曜日に客を迎えるときと同じ微笑に輝いた。夫人は腰をおろすと、リョーヴィンに田舎の暮しについてあれこれたずねはじめた。彼はまたすわりなおし、そっと抜け出そうと、ほかの客が集まるのを待った。

五分ばかりすると、キチイの友だちで、去年の冬嫁《とつ》いだノルドストン伯爵夫人がはいって来た。

それは黒い目をぎらぎらさせた、かわいた感じの、色の黄色い、病的で神経質な婦人であった。彼女はキチイが好きだったが、その愛情は、人妻が年ごろの娘をかわいがる例にもれず、自分のいだく幸福の理想によって、キチイを結婚させたいという願いに現われていた。そして、彼女はキチイをヴロンスキーに嫁がせたいと願っていた。リョーヴィンには冬の初めによくシチェルバツキー家で出会っていたが、彼女には相手がいつも不愉快な人物に映った。で、夫人は彼に会うたびに、いつも相手をからかうのを楽しんでいた。

「あたしは好きなのよ、あの人がさも偉ぶってあたしのことを見くだしたり、そうかと思うと、あたしがばかなもんだから、むずかしい話を急にうちきって、あたしに調子をあわせてくれるのが。ええ、それがとってても好きなの、あの人が調子をあわせてくれるのが！　あの人ったら、あたしのことが我慢ならないらしいけど、あたしにはそれがうれしいのよ」夫人はリョーヴィンのことをそんなふうにいうのだった。

夫人はまちがっていなかった。なぜなら、実際、リョーヴィンは彼女のことが我慢ならず、軽蔑《けいべつ》していたからである。それは彼女が誇りとし、自分の長所と思いこんでいるもの、つまり、その神経質な点や、すべての日常茶飯的な、粗野なものに対する彼女の軽蔑と無関心さが、我慢ならなかったからである。

ノルドストン夫人とリョーヴィンとのあいだには、社交界でよく見られる関係、つまり、ふたりの人間が外見は親しそうに見えても、その実もうまじめに応対できぬばかりか、腹を立てる気にもならないほど激しくさげすみあっているという関係が生れていた。

ノルドストン夫人は、さっそく、リョーヴィンに鋒先《ほこさき》を向けた。

「まあ！　リョーヴィンさん！　またあたしどもの堕落したバビロンへいらっしゃいましたのねえ」彼女はいつかこの冬の初めに、彼がモスクワはバビロンだといったことを思いだして、その小さな黄色い手をさしのべながら、いった。「ねえ、どうですの。バビロンがよくなったのかしら、それとも、あなたが堕落なさいましたの？」夫人は冷笑を浮べてキチイをかえりみながら、いった。

「こりゃ光栄のいたりですね、伯爵夫人、ぼくの言葉をちゃんと覚えていてくださって」態勢をたてなおしたリョーヴィンはさっそく、例によって、ノルドストン伯爵夫人に対する、冗談半分の敵意をこめていった。「どうやら、あの言葉には相当こたえたようですね」

「ええ、それはもう！　あたしはなんでもメモしておくんですの。それはそうと、キチイ、あなたはまたスケートにいらしたのね？……」

そういって、彼女はキチイと話をはじめた。リョーヴィンにとって今ここを立ち去ることはどんなに気まずいことであろうとも、しかしそれを決行してしまうことのほうが、ひと晩じゅうここにとどまって、ときどきこちらを盗み見ては、自分の視線をさけようとしているキチイをながめているよりは、まだ気が楽であった。彼は腰をあげようとしたが、彼の沈黙に気づいた公爵夫人が、話しかけてきた。

「ずっとモスクワにご滞在ですの？　たしか、地方自治会のお仕事をしてらしたからそう長くはごむりですわね」

「いいえ、奥さん、もう自治会の仕事はやっておりません」彼はいった。「四、五日の予定でまいりました」

《あの人、いつもとちょっと変ってるわ》ノルドストン伯爵夫人は彼のむ、っ、つ、りした、まじめくさった顔つきをながめながら、思った。《なぜだか、いつものへりくつを並べたてないわ。それじゃ、ひとつ、あたしがけしかけてやろう。キチイの前で、あの人をおばかさんにするの、とってもおもしろいわ。さあ、やりましょう》

「リョーヴィンさん！」夫人は彼に話しかけた。「ねえ、お願いですから、あたしの納得のいくように説明してくださらない――あなたはなんでもご存じなんですもの――カルーガ県のあたしどもの領地でね、百姓たちが男も女もありたけのものを飲んじまって、今じゃ一文も年貢《ねんぐ》を払ってくれないんですの。これは、いったい、どういうことですの？　あなたはいつも百姓のことをほめていらっしゃるけれど」

そのとき、もうひとりの婦人が客間へはいって来た。そこでリョーヴィンは立ちあがった。

「失礼ですが、奥さん、ぼくは、ほんとに、そうしたことはなにも知りませんので、なんともお答えできません」彼はそういうと、婦人のあとにつづいてはいって来た軍人のほうを振り返った。

《これがあのヴロンスキーだな》リョーヴィンは思った。そして、自分の勘をたしかめるために、ちらっとキチイのほうをうかがった。彼女はもうヴロンスキーを認めていたので、リョーヴィンのほうを振り返った。リョーヴィンは、ひとりでに輝きをましたキチイの視線を見たとたん、もう彼女がこの男を愛していることを悟った。いや、それはキチイがちゃんと言葉に出していったのと同じくらい、はっきりしていた。それにしても、これはいったいどういう人物なのだろう？

もう今となっては、その結果が良かろうと悪かろうと――リョーヴィンはそこにとどまらざるをえなかった。彼は、キチイの愛している男がなにものであるか、知らなければならなかった。

この世にはそれがどんな事でも幸運な競争者にぶつかるたびに、すぐ相手のもっているすべての長所に面《おもて》をそむけ、ただその悪いところばかり見ようとする人がある。ところが、その反対に、その幸運者の中に、勝利のもととなった特質を発見することをなによりも望んで、激しい心の痛みを覚えながらも、ただ相手の良いところばかりを捜す人間もいるのである。リョーヴィンはそういった種類の人間に属していた。しかも、彼がヴロンスキーの中に善良な、好ましいところを発見するのは、たやすいことであった。それは一目瞭然《りょうぜん》だった。ヴロンスキーは背のあまり高くない、がっちりした体格のブリュネットで、その善良そうな美しい顔は、とりわけ、落ち着いていて、しっかりした感じだった。その顔、からだつき、短く刈りこんだ黒い頭髪、剃《そ》りたての青々した顎《あご》から、新調のゆったりした軍服にいたるまで、なにもかもこざっぱりしていて、それと同時に優雅であった。はいって来る婦人に道をゆずると、ヴロンスキーはすぐ公爵夫人のほうへ、それからキチイのそばへ近づいて行った。

キチイのそばへ近づいて行ったとき、彼の美しいまなざしは特別やさしく輝いた。彼は幸福そうな、つつましくも、満ちたりた微笑（リョーヴィンにはそう感じられた）を浮べて、うやうやしく、静かに彼女のほうへ身をかがめると、その小さな、しかし幅のある手をさしのべた。

彼はみんなにあいさつして、二つ三つ言葉をかわすと、自分から目を放さずにいるリョーヴィンのほうには、一度も振り向かずに、腰をおろした。

「ご紹介いたしましょう」公爵夫人はリョーヴィンを指さしながらいった。「こちらはコンスタンチン・リョーヴィンさん。アレクセイ・ヴロンスキー伯爵です」

ヴロンスキーは立ちあがると、親しげにリョーヴィンの目を見ながら、その手を握った。

「たしか、この冬の初めに、食事をごいっしょするはずになっていましたね」持ち前のさっぱりした、あけっぱなしの微笑を浮べながら、彼はいった。「ところが、あなたはとつぜん田舎へお帰りになってしまった」

「リョーヴィンさんは都会を軽蔑して、あたしども都会人を憎んでいらっしゃるんですのよ」ノルドストン伯爵夫人が口をはさんだ。

「そんなによく覚えていらっしゃるところをみると、どうやら、ぼくの言葉がひどくこたえたようですね」リョーヴィンはいったが、前に一度同じことをいったことを思いだして、赤面した。

ヴロンスキーはリョーヴィンとノルドストン伯爵夫人のほうをちらと見て、にやっと笑った。

「で、いつも田舎のほうに？」ヴロンスキーはたずねた。「冬は退屈じゃありませんか」

「仕事があれば、退屈なんてことはありませんよ。それに、自分を相手じゃ退屈なんかしませんから」リョーヴィンはきっぱりと答えた。

「ぼくも田舎は好きですがね」ヴロンスキーはリョーヴィンの語調に気づきながら、わざと気づかぬふりをして、いった。

「でも、伯爵さま、あなたまでがいつも田舎住まいをしたいなんておっしゃらないでしょうね」ノルドストン伯爵夫人はいった。

「そりゃ、わかりませんね、だって、長く住んでみたことがないんですから。ぼくはいつかこんな妙な気持を経験したことがありますよ」彼はつづけた。「ある冬、母とふたりでニースで暮したことがありますが、あのときほど田舎を、木靴《きぐつ》をはいた百姓のいる、ロシアの田舎を恋しく思ったことはありませんね。ニースというところは、ご承知のとおり、町そのものが退屈なところですがね。いや、ナポリもソレントも、いいのはほんのちょっとのあいだだけですよ。まったく、ああいうところへ行くと、ロシアが、それもとくに田舎がひしひしと思いだされますね。ああいうところはつまり……」

彼はキチイとリョーヴィンの両方に向って話しながら、その落ち着いた、親しみのあるまなざしを、ふたりの上にかわるがわる移していったが、どうやら、頭に浮んでくることを、そのまま口にしているらしかった。

と、彼はノルドストン伯爵夫人がなにかいいたげなのに気づいて、いいかけたことをそのままやめて、夫人の話を注意ぶかく聞きはじめた。

会話は片時もとぎれなかった。したがって、いつも話がとぎれたときに、古典教育と実務教育の比較論と、国民皆兵制度の是非という二門の重砲を用意している老公爵夫人も、それを活躍させる機会がなかったし、ノルドストン夫人もリョーヴィンをからかうことができなかった。

リョーヴィンはみんなの会話に仲間入りしたいと思ったけれど、できなかった。彼は《今度こそ帰ろう》とずっと心のなかでつぶやきながら、なにかを期待しているような気持で、立ち去りかねていた。

話題は回転するテーブル（訳注　心霊術でテーブルをひとりでに回転させる現象のこと）とか、精霊とかいう問題に移っていった。降神術を信じているノルドストン夫人は、自分の見た奇蹟《きせき》について話をはじめた。

「ねえ、伯爵夫人、ぜひ私を連れて行ってください、お願いですから、そこへ連れてってください。私はまだなにひとつ異常なことを見たことがないんですよ。方々捜しまわっているんですがね」ヴロンスキーは微笑を浮べながらいった。

「けっこうですとも、この次の土曜日にでも」ノルドストン伯爵夫人は答えた。「それにしても、リョーヴィンさん、あなたはお信じになります？」彼女はリョーヴィンにたずねた。

「なんだってそんなことをぼくにおききになるんです？　ぼくのいうことはご存じのくせに」

「でも、あなたのご意見がうかがいたいんですの」

「ぼくの意見は簡単ですよ」リョーヴィンは答えた。「つまり、そんな回転するテーブルなんてものは、いわゆる教養ある連中が百姓以上でないってことを証明しているだけですよ。百姓たちは呪《のろ》いの目だの、疫病のまじないだの、恋の妖術《ようじゅつ》だのを信じていますが、われわれは……」

「それじゃ、あなたはお信じにならないの？」

「信じるわけにはいきませんよ、伯爵夫人」

「でも、あなたがこの目で見たとしましたら」

「百姓の女房たちだって、自分で荒神《こうじん》さまを見たといってますからねえ」

「それじゃ、あたしが、うそをついてるとお考えですの？」

そういって、夫人はうつろな笑い方をした。

「いいえ、そうじゃないわよ、マーシャったら、リョーヴィンさんは信じるわけにいかないっておっしゃってるだけなのよ」キチイは、リョーヴィンのために赤面しながら、いった。リョーヴィンもそれを察して、いっそういらいらしながら、答えようとしたが、ヴロンスキーはすぐさま、持ち前のあけっぴろげの明るい微笑を浮べながら、気まずい空気になりそうな話題に助け舟を出した。

「あなたは、絶対にその可能性をお認めにならないんですか？」彼はたずねた。「いったい、それはなぜです？　われわれは自分の知らない電気の存在を認めてるじゃありませんか。それじゃ、われわれにとって未知の新しい力があってもいいじゃありませんか。つまり……」

「いや、電気が発見されたときには」リョーヴィンはすぐ相手をさえぎった。「ただ現象が発見されただけで、それがどこから来るのか、どういう作用をするのかってことは、わからなかったのです。そして、その応用ということを考えるまでには、何世紀もかかりました。ところが、降神術信者はその反対に、まずテーブルが字を書くか、精霊がやって来るとかいうことからはじめて、最後にそれが未知の力だっていいだしたんですからねえ」

ヴロンスキーは、いつも人の話を聞くときの癖で、注意ぶかくリョーヴィンの言葉を聞いていたが、どうやら、彼の言葉に興味をもったらしかった。

「なるほど、でも、今では降神術信者もこんなことをいってますよ――われわれはこれがどういう力か知らないが、とにかく力は存在する、そしてある一定の条件のもとで作用する、とね。ですから、その力がなんであるかは、学者が解明すればいいんですよ。いや、ぼくはそれが新しい力でありえないとは思いません。もしその力が……」

「いや、つまりですね」リョーヴィンは相手をさえぎった。「電気の場合では、樹脂で毛布《ぬの》をこするたびに一定の現象が生じますが、降神術の場合は、そのたびにというわけにはいきません。したがって、これは自然現象ではありません」

どうやら、客間の話題としてはあまり堅苦しくなってきたと思ったのであろう、ヴロンスキーはもう反駁《はんばく》しないで、話題を変えようと努めながら、明るい微笑を浮べて、婦人たちのほうを振り返った。

「どうです、今すぐやってみようじゃありませんか、伯爵夫人《はくしゃく》」彼はいいだした。しかし、リョーヴィンのほうは自分の考えをすっかりいってしまいたかった。

「ぼくの考えるには」彼は言葉をつづけた。「あの降神術信者が自分の奇蹟をなにか新しい力で説明しようとするのは、まったく愚劣なことですよ。だって、彼らは精神的な力という点をまともに強調しながら、それを物質的な実験によって証明しようとしているんですからねえ」

みんなは彼の話がすむのを待ちかねていた。彼もそれを悟った。

「あなたはきっと、りっぱな霊媒になれますわ」ノルドストン伯爵夫人はいった。「だって、あなたにはなにか感激的なところがありますもの」

リョーヴィンは口をあけ、なにかいおうとしたが、頰《ほお》をそめて、なにひとついわなかった。

「さあ、お嬢さん、今すぐテーブルでためしてみようじゃありませんか」ヴロンスキーはいった。「奥さん、よろしいでしょうか？」

そういって、ヴロンスキーは目で小さなテーブルを捜しながら、立ちあがった。

キチイは小さなテーブルをとりに行ったが、ふと、通りすがりに、リョーヴィンと視線が合った。彼女は心の底から彼が気の毒だった。まして、彼が不幸になったのは自分のせいであることを思えばなおさらであった。《あたしを許すことがおできでしたら、どうか、許してください》と、その目は語っていた。《あたしは今こんなにしあわせなんですもの》

《みんなを憎みます、あなたも、この自分も》彼のまなざしは答えた。そして、彼は帽子に手をかけた。が、彼はまだ帰るさだめにはなっていなかった。みんなが小さなテーブルのまわりに席を占めてリョーヴィンが出て行こうとしたとき、老公爵がはいって来て、婦人たちにあいさつすると、リョーヴィンのほうへ振り向いたからである。「やあ！」公爵はうれしそうにしゃべりだした。「もうずっと前から？　きみが来ているとは、わしも知らなかったよ。よくやって来てくれたね」

老公爵はリョーヴィンに対して、時には「きみ」といったり、時には「あなた」といったりした。彼はリョーヴィンを抱きしめ、ヴロンスキーにも気づかず、話をはじめたが、ヴロンスキーのほうは席を立って、老公爵が自分のほうを向くまで、じっと、待っていた。

キチイは、あんなことのあとでは、父親の好意はかえってリョーヴィンにとってつらかろうと察した。彼女はまた、父がヴロンスキーの会釈《えしゃく》に対して、そっけない返礼をしたのも、ヴロンスキーが親しみのこもった、けげんな顔色で父を見つめながら、なぜ自分に対してこんな無愛想《ぶあいそ》な態度をとるのだろうと、その原因をさぐろうと努めながら、結局わからずにいる様子を見てとった。と、彼女は思わず赤くなった。

「公爵さま、リョーヴィンさんをこちらへよこしてくださいまし」ノルドストン伯爵夫人はいった。「あたしどもは実験をしてみたいんですの」

「なんの実験を？　ああ、テーブルをまわすんですか？　いや、失礼ですが、みなさん、わしには指輪遊びのほうがまだおもしろいですがね」老公爵はヴロンスキーをじっと見つめ、相手が張本人だなと察しながら、そういった。「指輪遊びのほうがまだ意味がありますよ」

ヴロンスキーはその鋭いまなざしで、びっくりしたように老公爵をながめ、かすかに微笑すると、すぐノルドストン伯爵夫人と、来週催される盛大な舞踏会のことを話しはじめた。

「あなたも、きっと来てくださいますね？」彼はキチイのほうを振り向いた。

老公爵が自分から顔をそむけるのを待ちかねて、リョーヴィンはそっと席を立った。

その晩、彼がいだいて帰った最後の印象は、ヴロンスキーに舞踏会のことをきかれたとき、それに答えたキチイのあの幸福そうな笑顔であった。

15

夜会が終ったとき、キチイはリョーヴィンとかわした話を母親に伝えた。すると、リョーヴィンに対して同情の気持をいだいていたにもかかわらず、自分は結婚の申し込みをされたのだという思いに心がおどった。彼女は自分の行為の正しさを少しも疑わなかった。しかし、寝床へついてからも、長いこと寝つかれなかった。一つの印象がしつこくつきまとって離れなかったのだ。それは、リョーヴィンが父の話をじっと立って聞きながら、自分とヴロンスキーのほうを見ていたときの、眉《まゆ》をひそめて、沈んだ弱々しい善良な目をのぞかせていた顔であった。キチイは彼が気の毒でたまらなくなって、思わず目に涙が浮んだほどであった。しかし、彼女はすぐリョーヴィンに見変えた人のことを考えた。あの男らしい、しっかりした顔だち、あの上品な落ち着いた態度、だれに対したときでも全身にあふれる善良さを、まざまざと思い起した。それから、愛している人が自分に示してくれた愛情を思い起して、再び、うれしい気持になった。と、幸福の微笑が浮んで、そのまま、まくらに身を横たえた。《お気の毒だわ、ほんとにお気の毒だわ。でも、どうにもならないわ。だって、あたしが悪いんじゃないから》彼女はそうつぶやいたが、内なる声は別のことをささやいた。彼女は自分が後悔しているのは、リョーヴィンをまどわしたことについてか、それとも彼の求婚を断わったことについてか――自分でもよくわからなかった。しかし、いずれにしても、彼女の幸福は疑いの思いに傷つけられてしまった。《ああ、主よ、哀れみたまえ、主よ、哀れみたまえ、主よ、哀れみたまえ！》キチイは寝つくまでつぶやきつづけた。

そのとき階下の公爵の小さな書斎では、かわいい娘のことで両親のあいだにしばしば繰り返されてきた衝突が、またもやはじまっていた。

「なんだと？　そりゃ、こういうことさ！」公爵は両手を振りまわし、たえず栗鼠皮《りすがわ》のガウンの前を合せながら、大声でどなっていた。「つまりだな、あんたには誇りというものがないのだ、品位というものがないのだ。あんたはあんなくだらない、ばかげた縁談で、娘に恥をかかせて、あれの一生を台なしにしているのだ！」

「まあ、とんでもない、後生ですからよしてください。いったい、あたしがなにをしたとおっしゃるんです？」公爵夫人はほとんど泣きださんばかりにいった。

夫人は娘と話をしてから、幸福と満足を感じていたので、いつものとおり公爵のところへ夜のあいさつに行った。そして、リョーヴィンの求婚とキチイの拒絶についてはべつに話をするつもりはなかったが、ヴロンスキーのほうはもうすっかりきまりがついたらしいということ、母親が到着すればすぐにも話がまとまるにちがいないということだけを、夫にほのめかした。ところが、そのとき、妻のそういう言葉を聞くと、公爵は不意にかっとなって、ひどい言葉を浴びせはじめたのであった。

「あんたがなにをしたかと？　そりゃ、ほかでもない、第一にあんたはいつも花婿《はなむこ》候補ばかりを集めているから、今にモスクワじゅうのうわさになるさ。いや、それはあたりまえのことさ。もし夜会を開くのなら、選《え》り好みをしないでみんなを呼べばいいんだ。あの青二才ども（公爵はいつもモスクワの青年たちをこう呼んでいた）を残らず呼べばいいんだ。ピアノひきでも呼んで、ダンスでも踊らせればいいのさ。ところがそうじゃなくて、今夜みたいに花婿の候補者だけを呼んで、いっしょにしようとするなんてとんでもない。見ておっても胸糞《むなくそ》が悪い、じつに胸糞が悪い。ところが、あんたはまんまと目的を達して、娘をのぼせあがらしてしまったじゃないか。リョーヴィンのほうが千倍もりっぱな人間だ。ところが、あのペテルブルグの伊達男《だておとこ》はどうだ、あんな連中は機械ででも作れるんだ。どいつもこいつも似たりよったりで、そろいもそろってやくざ者じゃないか。たとえあの男が王子の血筋だろうと、わしの娘はなにひとつ不自由しちゃおらんからな！」

「それで、あたしがなにをしたとおっしゃるんです？」

「そいつは……」公爵は憤怒《ふんぬ》の声でどなった。

「わかっておりますわよ」公爵夫人は相手をさえぎった。「あなたのいうことばかり聞いてたら、いつになったって娘を片づけることなんかできませんから。そういうことなら、田舎へ引っこんでしまわなくちゃなりませんよ」

「引っこんでしまうのもいいじゃないか」

「まあ、待ってください。あたしがむりに取り入ろうとしてるとでも、おっしゃるんですか？　そんなことまるっきりありませんわ。ただ、あの若い方がとてもいい青年で、しかもあの子に夢中になっていますし、あの子のほうもどうやら……」

「そうさ、あんたにはそう見えるだろうよ。ところが、もしあの娘《こ》がほんとに惚《ほ》れこんじまって、しかも男のほうじゃ結婚のことなんか、ぜんぜん考えておらんとしたらどうする、え？……まったく、そんな目にはあいたくないもんだね！……『まあ、降神術！　まあ、ニース、まあ、舞踏会で……』」公爵はそういいながら、夫人の身ぶりをまねているつもりで、一口ごとに腰をかがめてみせる始末だった。「それに、もしカーチェンカ（訳注　キチイの愛称）がほんとうにそうと思いこんだら、それこそあの子をふしあわせにすることじゃないか……」

「でも、なぜそんなことをお思いになりますの？」

「いや、思ってるんじゃなくって、ちゃんとわかっておるんだ。そういうことを見抜く目はわれわれ男どもにはあるが、女にはないのさ。わしには真剣な気持をもっている人間はちゃんとわかる。それはリョーヴィンだ。ところが、あのおっちょこちょいの鶉野郎《うずらやろう》なんか、ただちょっと楽しみがしてみたいだけなんだ、そんなことはわかってるさ」

「まあ、あなたこそずいぶん変なことに気をまわして……」

「なに、いまに思いあたるだろうが、そのときはもう遅いさ、あのダーシェンカ（注訳ドリイの愛称）の場合と同じようにな」

「ええ、けっこうです、けっこうですとも、もうこの話はよしましょう」夫人はふしあわせなドリイのことを思いだすと、夫をおしとどめた。

「いや、よかろう、じゃ、おやすみ！」

夫婦はお互いに十字を切りあい、接吻《せっぷん》をかわしながらも、互いに自分の意見を変えていないことを感じながら、別れて行った。

公爵夫人は、今夜こそキチイの運命は決せられたのであり、ヴロンスキーの気持は疑いのないものと、初めのうちは堅く思いこんでいたが、夫の言葉を聞いてその心はかき乱された。そのため、自分の寝室へもどると、キチイと同様、測り知ることのできぬ未来を前にして恐れおののきながら、《ああ、主よ、哀れみたまえ、主よ、哀れみたまえ！》と何度も心の中で繰り返した。

16

ヴロンスキーは今まで一度も家庭生活というものを味わったことがなかった。母親は若いころの社交界の花形で、結婚後も、またとくに未亡人になってからも、数々のロマンスをつくって、社交界にその名を知られていた。彼はほとんど父の記憶がなく、幼年学校で教育されたのである。

彼は華やかな青年士官としてごく若い時分に学校を出ると、さっそくペテルブルグの富裕な軍人におきまりのコースをたどった。ときにはペテルブルグの社交界へ出入りしてはいたが、その情事はすべて社交界の外に限られていた。

彼はぜいたくでがさつなペテルブルグ生活のあとで、モスクワへ来て社交界の清らかな美しい令嬢に近づいて、はじめて愛される喜びを味わった。キチイに対する自分の態度になにか悪いところがあろうなどとは、まったく考えてもみなかった。あちこちの舞踏会でもとくに彼女と踊り、その屋敷へもせっせと出入りしていた。彼はまた、普通の社交界で話題になること、つまり、いろんなくだらないことを彼女とふたりで話し合ったが、しかし、そんなくだらないことにも、彼女にとってなにか特殊な意味がありそうなことを、われともなしにつけ加えていた。なにもべつに、人の前ではいえないようなことをいったわけではないが、彼は相手がしだいに自分の意志に左右されてくるのを感じ、そう感ずるといよいよ愉快になり、相手に対する彼の感情は優しくなっていった。彼は、キチイに対する自分の態度こそある一定の名前をもっている行為、つまり、結婚の意志なくして若い令嬢をまどわすふるまいであり、これは、彼のような前途有望な青年にとっては、かなりありふれた、忌《いま》わしき行為の一つであるということを、自分では意識していなかった。彼は自分がはじめてこの満ちたりた気分を発見したような気がして、その発見を楽しんでいたのである。

彼がもしこの晩キチイの両親が話し合ったことを聞くことができ、家族の立場にたって、万一自分が拒絶したらキチイは不幸におちいるだろうということを知ったなら、彼はほんとにびっくりして、それを信じることもできなかったにちがいない。彼としては自分に、というよりも、むしろ彼女にこれほど大きな快い満ちたりた気分を与えるものが、忌わしいことであるなどとは、とても信じられなかった。まして自分が結婚しなければならないなどとは、なんとしても信じられなかったからである。

結婚ということは、彼にかつて一度も可能なこととは思われなかった。彼は単に家庭生活を好まなかったばかりでなく、自分の住んでいる独身者の世界から見ると、一般に、家族、とくに夫というものには、なにか縁もゆかりもない、敵意とでもいった、そしてなによりもこっけいなところがあるように思われた。もっとも、ヴロンスキーは両親の話したことを想像もしなかったとはいうものの、この晩シチェルバツキー家を出るや、すぐ自分とキチイのあいだに存在していた精神的な結びつきが、とくにその晩強くなったのを感じ、なんとかそれに対処しなければならないと感じていた。しかし、なにができるか、なにをしなければならないか、彼にはまったく考えつかなかった。

《なに、あれだけだってすばらしいことじゃないか》シチェルバツキー家を辞して帰る道すがら、いつものように清らかで新鮮な快い感じと――それは、彼がひと晩じゅうたばこをすわなかったことにも原因していた――同時に、自分に示された乙女の愛情に対する感激を味わいながら、彼は思いめぐらすのだった。《ぼくのほうからも、彼女のほうからもなにひとつもいわなかったけれども、あの目と声の調子だけの無言の会話で、お互いにあんなによく気持がわかったし、彼女はいつにもましてはっきりと、愛しているといったんだから、すばらしいじゃないか。それにしても、かわいらしい、気どりのない、そしてなによりも、あの信じきったような態度といったら！　いや、このおれまでが、今までよりも善良で、純潔になったような感じだ。おれにも心というものがあって、いいところがたくさんあるような気がしてくるよ。ああ、あのかわいらしい、恋をしているものの目つき！　あの「ええ、とても……」と、いったときの口ぶり》

《では、どうしたもんだろう？　なあに、たいしたことはありゃしない。おれもいい気持だし、彼女もいい気持なんだから》そこで彼は、今晩のけりをどこでつけようかとあれこれ考えはじめた。

　彼は頭の中で、これから行ける先をひとわたりあたってみた。《クラブにするか？　ビジック（訳注　トランプ遊びの一種）を一勝負やってイグナートフとシャンパンを飲むか？　いや、よそう。Château des fleurs（訳注　花の城、モスクワの有名なナイトクラブ）にするか？　あすこなら、オブロンスキーに会えるだろう、小歌でも聞いて、カンカン踊りでも見るか？　いや、あれもあきたな。おれがシチェルバツキー家へ行くのが好きなのは、ほかでもない、あすこへ行くとこのおれまでがよくなるからさ。家へ帰ろう》彼はホテル・デュソーの自分の部屋へまっすぐ帰ると、夜食を命じ、それから着替えをして、まくらに頭をつけるやいなや、ぐっすりと、いつものように、安らかな眠りにおちて行った。

17

翌日の午前十一時に、ヴロンスキーはペテルブルグ鉄道の停車場へ、母を迎えに行った。そして、その大階段の上で、まっ先に出会った人は、同じ汽車で来る妹を待っていたオブロンスキーであった。

「やあ！　閣下」オブロンスキーは叫んだ。「きみはだれを迎えに！」

「おふくろですよ」オブロンスキーに会った人がだれでもするように、ヴロンスキーは微笑を浮べながら答えると、握手をして、いっしょに階段をのぼって行った。「きょうペテルブルグから出て来るはずなんです」

「それはそうと、昨夜二時まできみを待っていたんだぜ。シチェルバッキー家からどこへ行ったんだね？」

「まっすぐ家へ」ヴロンスキーは答えた。「白状すると、昨夜はシチェルバッキー家を出たとき、あんまりいい気持だったので、もうどこへも行きたくなかったんですよ」

「名馬はその烙印《らくいん》により、恋せる若者はそのまなざしによって見分けらる、か」オブロンスキーは、前にリョーヴィンにいったと同じことを朗読調でいった。

ヴロンスキーは、それに反対はしないといった顔つきでにっこり笑ったが、すぐ話題を変えた。

「じゃ、きみはだれの出迎え？」

「ぼく？　ああ、うるわしき婦人をね」オブロンスキーはいった。

「なるほど」

「Honni soit qui mal y pense！（訳注　邪推は禁物だよ）妹のアンナさ」

「ああ、それじゃカレーニン夫人を」ヴロンスキーはいった。

「きみは、たしか、あれを知っていたね？」

「知っていたような気がするけれど、いや、違った……ほんとのところ、覚えていないな」ヴロンスキーはカレーニン夫人という名前に、なにかとりすました退屈なものを漠然《ばくぜん》と連想しながら、気のない返事をした。

「でも、ぼくの妹婿のあの有名なアレクセイ・カレーニンはきっと知ってるだろうね。なにしろ、あれは世界じゅうに知られているからね」

「つまり、世間の評判とか、風采《ふうさい》などはね。聡明《そうめい》で、学問があって、なにかこう崇高なくらいな人物だってことは承知してるよ。しかし、ご承知のとおり、それはぼくの領分じゃない……not in my line（訳注 畑ちがいだから）」ヴロンスキーはいった。

「そう、あれはじつにすばらしい人物だよ。ちょっと保守的なところがあるが、でも、りっぱな人物だよ」オブロンスキーはいった。「りっぱな人物だよ」

「そりゃ彼のためにけっこうなことだね」ヴロンスキーは微笑を浮べながら、いった。「やあ、おまえも来ていたのか」彼は、戸口に立っていた背の高い母親の老僕にむかって、声をかけた。「こっちへはいれよ」

ヴロンスキーは近ごろ、オブロンスキーが一般の人びとに与えている好感とは別に、心中ひそかに彼をキチイと結びつけて考えているために、なおいっそう彼に親愛の情を感ずるようになっていた。

「ときに、どうかね、日曜日にはプリマドンナのために晩餐会《ばんさんかい》をやろうじゃないか？」彼は微笑を浮べて相手の腕をとりながら、いった。

「ぜひやろう。ぼくが有志を募るよ。あっ、そうだ、きみは昨夜、ぼくの親友のリョーヴィンと近づきになったろうね？」オブロンスキーはたずねた。

「もちろん。でも、彼はなんだか早く帰ってしまったよ」

「あれはじつに愛すべき人物だよ」オブロンスキーはつづけた。「ね、そうだろう?」

「わからないね」ヴロンスキーは答えた。「いったい、なんだってモスクワの連中はだれでも、といっても、今ぼくの相手をしている人は別だがね」彼はふざけた調子でつけ足した。「なにかこうとげとげしたところがあるんだろう? なんだか始終ぷりぷりして、むきになるんだからね、まるでいつもなにかしら相手に感じさせないではおかないといった調子でね」

「たしかに、そういうところがあるよ……」オブロンスキーは愉快そうに笑いながらいった。

「おい、もうすぐだろう?」ヴロンスキーは駅員のほうを向いてたずねた。

「もう前の駅を出ております」駅員は答えた。

列車が近づいていることは、停車場の雰囲気《ふんいき》で、つまり、荷運び人夫が走りまわったり、憲兵や駅員たちが現われたり、出迎えの人が集まって来ることなどで、だんだんはっきりと感じられるようになった。凍《い》てついた水蒸気をとおして、半外套《はんがいとう》に柔らかいフェルトの長靴《ながぐつ》をはいた、人夫たちの姿が、何本もカーブしている線路を横ぎっているのが見えた。ずっと向うのレールでは機関車の汽笛が聞え、何か重いものが動く気配がした。

「いや」オブロンスキーはいった。彼はリョーヴィンがキチイに対していだいている気持を、ヴロンスキーに話したくてたまらなかった。「そりゃ違うよ！きみはぼくのリョーヴィンを不当に評価しているね。とても神経質なやつで、ときには不愉快に感じられることもあるだろう。それはたしかだけれど、そのかわりときどきそりゃすばらしいやつだと思うよ。じつに潔白な、正直な性質で、黄金のような心の持ち主なんだよ。しかしね、きのうは特別な原因があったのさ」オブロンスキーはきのう親友に対して感じていた心からの同情を忘れて、今はその同じ気持をただヴロンスキーに対してのみ感じながら、意味ありげな微笑を浮べて、言葉をつづけた。「そうなんだよ、ある原因があってね、それでとくに幸福になるか、それともとくに不幸になるか、どちらかだったのでね」

ヴロンスキーは立ち止って、まともにこうたずねた。「というと、なにかね、彼はきのうきみの belle-sœur（訳注 義妹）に結婚の申し込みでもしたのかい？」

「たぶんね」オブロンスキーは答えた。「きのうはなにかそんなふうに見えたからね。いや、もしあの男が早く帰ってしまって、そのうえ、きげんが悪かったとすれば、たしかにそうだな……もうずっと前から夢中だったんでね、ぼくはあの男がとてもかわいそうだよ」

「そうだったのか！……しかし、ぼくにいわせれば、きみの妹さんはもっといい相手を望む資格があると思うがね」ヴロンスキーはそういって、ぐっと胸を張ると、また歩きだした。「そりゃ、ぼくはあの人をよく知らないがね」彼はつけ足した。「いや、たしかにつらい立場だね！　だって、こうしたことのために、たいていの連中はクララとかなんとかいう女を相手にしたほうがましだ、という気になるんだから。このほうなら、振られるのは金が足りないのを証明するだけだが、この場合は人間としての資格がはかりにかけられるんだからね。それはそうと、どうやら汽車がはいったらしいね」

実際、はるかかなたでもう汽笛が響いていた。二、三分もすると、プラットフォームが震動して、寒気のために蒸気を下へ下へと吐き出し、中部車輪のピストンをゆっくりと規則正しく伸縮させながら、機関車がすべりこんで来て、襟巻《えりまき》に顔を包んで、からだじゅう霜だらけの機関手が、しきりにおじぎをしていた。炭水車のあとからは、手荷物ときゃんきゃん鳴きたてる犬をつんだ車が、しだいに速力をゆるめ、しかもいよいよ激しくプラットフォームをゆるがしながらはいって来た。最後に、客車が停車前の細かい震動をしながら近づいて来た。

すばしこい車掌が、警笛を鳴らしながら、まだ動いているうちに飛びおりた。と、そのあとから、気の早い乗客が次々におりはじめた――からだをぐっと伸ばして、いかめしくあたりを見まわしている近衛《このえ》士官、バッグを手にして、陽気そうに笑っているせかせかした商人、大きな袋を肩に背負った百姓。

ヴロンスキーはオブロンスキーと並んで立ったまま、客車や、出て来る人たちを見まわしながら、すっかり母親のことを忘れていた。いましがたキチイについて聞いたことで、彼は興奮し、喜んでいた。その胸は自然に大きく張り、その目は輝いていた。彼は自分が勝利者であることを感じていた。

「ヴロンスキー伯爵《はくしゃく》夫人はこの車におられます」車掌がヴロンスキーに近づいて行った。

この車掌の言葉で彼はわれに返り、母親のことや、目前に迫った対面のことを思いだした。彼は心の中で母親を尊敬していなかったばかりか、はっきり意識するほどではないにしても、愛してもいなかった。もっとも、彼の住んでいる階層の考え方からいっても、受けた教育からいっても、母に対しては最上級の服従とうやうやしい態度をとるほか、なにも想像することはできなかった。したがって、心の中で母を敬愛する念が少なければ少ないだけ、外面的にはますます従順で、うやうやしい態度をとるのであった。

18

ヴロンスキーは車掌のあとから車の中へはいって行ったが、車室の入口のところで、中から出て来たひとりの貴婦人に道をゆずるため、立ち止った。

社交界に出入りしている人間特有の勘で、ヴロンスキーはこの貴婦人の外貌《がいぼう》を見たとたん、相手が最上級の社会に属する人だと悟った。彼は会釈《えしゃく》してから、車室へはいろうとしたが、なんとかもう一度この貴婦人を振り返って見たいという切実な思いにかられた——それも、相手がひじょうな美人だったからでも、その姿全体にただよっている繊細な感じや、つつましい優雅さのためでもなく、相手がそばを通りすぎたとき、その愛らしい表情の中に、一種独特ないつくしむような、優しいところがあったからであった。彼が振り返ったとき、彼女もまた顔をこちらへ向けた。濃いまつげのために黒ずんで見える、そのきらきらした灰色のまなざしは、まるで相手がだれであるか気づいたように、さも親しそうに、じっと彼の顔を見つめたが、すぐまた、だれかを捜しているように、通りすぎて行く群衆のほうへ転じた。この一瞬の凝視の中に、ヴロンスキーは相手の顔に躍っている控えめな、生きいきした表情に気がついたが、それは彼女のきらきらしたまなざしと、その赤い唇《くちびる》を心持ちゆがめている、かすかな微笑とのあいだにただよっているのだった。なにかしらありあまるものがその姿全体にあふれて、それがひとりでにひとみの輝きや、微笑の中に表われているかのようであった。彼女はわざと目の輝きを消したが、それはかえって彼女の意志に反して、かすかな微笑となって光っていた。

ヴロンスキーは車室へはいった。黒い目に、巻髪の、彼の母親はかわいた感じの老婦人であったが、目を細めてじっとむすこを見ながら、薄い唇でかすかに微笑した。座席から身を起し、小間使に手さげを渡すと、母親は小さなかさかさした手をむすこにさしだして、その手に接吻《せっぷん》するわが子の首を持ちあげ、その額に接吻した。

「電報はとどきました？　お元気？　それはよかったこと」

「道中はなにもお変りありませんでしたか？」母親のそばにすわって、むすこはそう問いかけたが、戸の外から聞えてきた女の声に思わず耳をそばだてた。それは出口で会ったあの貴婦人の声だと知ったからである。

「でも、やっぱり、あなたのご意見には賛成できませんわ」という貴婦人の声が聞えた。

「奥さん、それは、ペテルブルグ風のお考えですよ」

「ペテルブルグ風じゃございません、ただ女としての考えですわ」彼女は答えた。

「それでは、お手に接吻させてください」

「さよなら、イワン・ペトローヴィチ。ねえ、ちょっと見てくださいません、その辺に兄がおりませんかしら。いたら、こちらへ来るようにおっしゃって」貴婦人は戸のすぐそばでそういうと、また車室へはいって来た。

「どうなさいました。お兄さまはお見つかりになりまして？」ヴロンスキー伯爵夫人は貴婦人に話しかけた。

　ヴロンスキーは、やっと、相手がカレーニン夫人だったと思いだした。

「お兄さまはこちらに見えています」彼は立ちあがりながらいった。「先ほどは失礼しました。ついお見それいたしまして。なにしろ、ほんのちょっとお目にかかったきりですので」ヴロンスキーは会釈しながらつづけた。「きっと、私のことは覚えていらっしゃらないでしょうね」

「いいえ、どういたしまして！」相手はいった。「あたくしもあなただとすぐ気づいたはずなんでございますのに。だって、お母さまと道々ずっとあなたのことばかりおうわさしていたんですもの」前々から外へ出ようとしていた、あの生きいきした表情に、とうとうきっかけを与え、それを微笑で表わしながら、彼女はいった。「それはそうと、兄はやっぱりおりませんのね」

「アリョーシャ（訳注 アレクセイの愛称）、呼んできておあげなさいよ」老伯爵夫人はいった。

ヴロンスキーはプラットフォームへ出て、叫んだ。

「オブロンスキー！ こっちだよ！」

ところが、カレーニン夫人は兄がくるのが待ちきれず、その姿を見つけると、しっかりした軽い足どりで車を出て行った。そして、兄が近づくがはやいか、ヴロンスキーがびっくりするほど大胆な、しかも優雅な身のこなしで、兄の首を左手で抱き、すばやく自分のほうへ引き寄せて、強く接吻した。ヴロンスキーはずっと目を放さずに彼女を見つめたまま、自分でもなんのためともわからず、微笑を浮べた。が、母親が自分を待っていることを思いだして、また車の中へとって返した。

「とてもかわいい方だねえ、え？」伯爵夫人はカレーニン夫人のことをいった。「ご主人があの方を、あたしといっしょの車室へお乗せになったのさ。あたし、ほんとうにうれしかったよ。途中ずっとあの方とおしゃべりをしてね。ときに、おまえはうわさによると……vous filez le parfait amour. Tant mieux, mon cher, tant mieux.（訳注 理想的な恋をしておいでだそうだね。けっこうだよ、けっこうだよ）」

「ママがなんのことをおっしゃっていらっしゃるのか、ぼくにはわかりませんね」むすこは冷たい調子で答えた。

「さあ、ママ、行きましょうか？」

カレーニン夫人は、伯爵夫人に別れのあいさつをするために、また車室へはいって来た。

「では、奥さま、あなたはご子息にお会いになれましたし、あたくしは兄に」彼女は楽しそうにいった。「それに、あたくしのお話もすっかり種切れになりましたから、もうこれ以上お話しすることもございませんわ」

「いいえ、そんなこと」伯爵夫人は相手の手をとっていった。「あなたとなら、世界を一周したって、退屈なんかいたしませんよ。だって、あなたは、お話をしていても黙っていても、ほんとうにこちらの気持が楽しくなる、かわいい女の方でいらっしゃいますもの。それから、お坊っちゃまのことはどうぞお考えにならないで。いつもいつもごいっしょにいるわけにはまいりませんもの」

カレーニン夫人はひどくからだをまっすぐにして、身動きもせずに立っていたが、そのひとみは笑っていた。

「カレーニンの奥さまには」伯爵夫人はむすこに説明しながらいった。「お坊っちゃまがおありでね、たしか八つにおなりだったがね。一度も離ればなれになられたことがないものだから、おいてらしたのをそれはいつも苦にしていらっしゃるんだよ」

「ええ、あたくしどもはずっと、奥さまとそのお話ばかりしてまいりましたの。あたくしは自分の子供のことを、奥さまはまたご自分のお子さまのことを」カレーニン夫人はいったが、またしても、ほほえみがその顔を照らした。それは彼に向けられた優しい微笑であった。

「それは、きっと、退屈なさいましたでしょうね」彼は相手が投げてよこした媚態《びたい》のまりを、すぐさま宙で受け止めながら、いった。しかし、彼女はどうやら、こうした調子の会話はつづけたくないらしく、老伯爵夫人のほうへ振り向いていった。

「ほんとに、ありがとうございました。きのう一日がどうして過ぎたか、あたくしには覚えがないほどでございますよ。では、奥さま、いずれまた」

「さよなら、奥さま」伯爵夫人は答えた。「どうかその美しいお顔に接吻させてくださいな。あたしは年寄りですから、なんでもざっくばらんに申しあげますが、あなたが好きになってしまいましてね」

　これはいかにも決り文句のようではあったけれども、カレーニン夫人はどうやら、心の底からそれを信じて、喜んだらしかった。彼女は頰《ほお》をそめ、軽く身をかがめて、自分の顔を伯爵夫人の唇にさしだした。それから、また身をのばして、例の唇と目のあいだにただようあの微笑を見せながら、ヴロンスキーに手をさしのべた。彼はさしだされた小さな手を握ったが、相手が力強い握手をして、強く思いきって彼の手をふったのを、なにか特別なことのようにうれしく思った。彼女は速い足どりで出て行ったが、それはかなり太っているからだをふしぎなほど軽々と運んでいた。

「ほんとにかわいい方だこと」老夫人はいった。

それとまったく同じことをむすこも考えていた。彼は、カレーニン夫人の優雅な姿が隠れるまで、そのあとを目で追っていたが、その顔にはずっと微笑がただよっていた。窓越しに見ていると、彼女は兄に近づき、その手を兄の手にのせて、なにやら活発な調子で話しはじめた。それは明らかに、彼ヴロンスキーとはなんの関係もないことらしかったが、彼にはそれが残念に思われた。

「ねえ、ママ、おからだのほうはすっかりいいのですか？」彼は母親のほうへ向きなおりながら、繰り返した。

「なにもかもけっこう、申し分ありませんよ。アレクサンドルはとてもかわいくなったし、それにマリイもとてもきれいになってね。あの子はほんとにおもしろい娘だよ」

こうしてまた、彼女は自分にとってなによりも興味のあること、つまり、そのためにわざわざペテルブルグまで出向いた孫の洗礼のことや長男に対する皇帝の特別な恩《おん》寵《ちょう》などを話しはじめた。

「ああ、やっと、ラヴレンチイが来ましたよ」ヴロンスキーは窓の外を見ながらいった。「さあ、まいりましょう、もしよろしかったら」

夫人につきそって来た老執事が、車室へはいって来て、すっかり用意ができたと報告した。そこで、伯爵夫人は出かけるために立ちあがった。

「まいりましょう。もう人が少なくなりました」ヴロンスキーはいった。

小間使は手さげと小犬をかかえ、執事と赤帽はほかの荷物を持った。ヴロンスキーは母親の手を取った。ところが、彼らがもう車から出ようとしたとき、とつぜん、五、六人の人がびっくりしたような顔つきをして、そばを駆けぬけて行った。一風変った色の制帽をかぶった駅長も、同じように駆けだして行った。なにか容易ならぬことが起ったのは明らかであった。汽車から出て来た連中も、うしろのほうへ駆けだして行った。

「なんだ？……なんだ？……どこで？……飛びこんだ！　轢《ひ》かれた！」そばを駆けだして行く人々のあいだから聞えた。

妹のアンナと腕をくんでいたオブロンスキーも、やはりびっくりしたような顔つきをして引き返し、群集をよけながら、車の出口のところに足を止めた。

婦人たちは車の中へはいった。が、ヴロンスキーはオブロンスキーといっしょに、事故の詳細を聞きに群集のあとからついて行った。

線路番が、酔っぱらっていたのか、それとも、極寒のためにあまり外套《がいとう》を深くかぶりすぎていたのか、バックして来た列車に気づかないで、轢き殺されたのであった。

ヴロンスキーとオブロンスキーがもどってくる前に、もう婦人たちは執事からその詳細を知った。

オブロンスキーとヴロンスキーのふたりは、見るもむざんな死骸《しがい》を見た。オブロンスキーは明らかに心を痛めた様子だった。その顔をしかめて、今にも泣きだしそうだった。

「ああ、なんて恐ろしいことだ！　ああ、アンナ、もしおまえがあれを見たら！　ああ、恐ろしいことだ！」彼はいいつづけた。

ヴロンスキーは黙っていた。その美しい顔はきびしい表情をしていたが、まったく落ち着いていた。

「ああ、伯爵夫人、もしあなたがごらんになったら」オブロンスキーはいった。「その男の女房もそこにおりましたがね……そりゃ見ちゃおれませんでしたよ……死骸にとりすがっていて……人の話じゃ、その男がひとりで大家族を養っていたんだそうですがね。いや、まったく恐ろしいことです」

「その女の人のために、なにかしてやれないものでしょうか？」アンナは、うわずった声でささやいた。

ヴロンスキーは彼女をちらりと見て、すぐ車を出て行った。

「ママ、すぐもどって来ますから」戸口のところで振り返りながら、彼はそうつけ足した。

彼がしばらくしてもどって来たとき、オブロンスキーはもう伯爵夫人を相手に、新しい歌姫の話をしていた。ただ夫人のほうはむすこを待ちかねて、何度も戸口を振り返っていた。

「さあ、今度こそまいりましょう」ヴロンスキーははいりながらいった。

一同はそろって外へ出た。ヴロンスキーは母親といっしょに先頭にたち、そのあとをカレーニン夫人が兄とともについて行った。停車場の出口のところで、追いかけて来た駅長がヴロンスキーに近づいた。

「あなたは助役に二百ルーブルお渡しになりましたね？　ご面倒ですが、それはだれにおやりになるのか、はっきりしていただけませんか？」

「あの亭主に死なれた女にですよ」ヴロンスキーは肩をすくめながらいった。「きくまでもないじゃありませんか」

「きみは恵んでやったのかい？」オブロンスキーはうしろから大声でいい、妹の手を握りしめながら、つけ足した。「そりゃいい、じつにいいことだ！　ねえ、ほんとに、りっぱなことじゃないか？　では、奥さん、ごきげんよう」

そういって、彼はアンナとともに、小間使を捜しながら、立ち止った。

ふたりが外へ出たとき、ヴロンスキーの馬車はもう行ってしまったあとだった。そこへやって来る人たちは、まだあの事故の話をしていた。

「まったく、恐ろしい死にざまだなあ」ある紳士は通りすがりにいった。「まっ二つにちぎれたっていうじゃないか」

「ぼくはそう思わないね、ありゃ、あっという間もないから、いちばん楽な往生ですよ」もうひとりがいった。

「なんとか防ぐ方法はないものかね」三人めがいった。

カレーニン夫人は馬車に乗った。が、オブロンスキーは、妹が唇をふるわせ、やっと涙をおさえているのを見て、びっくりした。

「アンナ、どうしたんだい？」馬車が五、六百メートル走ったとき、彼はたずねた。

「不吉な兆《しらせ》ですわ」アンナは答えた。

「なにをくだらん」オブロンスキーはいった。「おまえがやって来てくれた、これがいちばん肝心なことだよ。ぼくがどんなにおまえを頼りにしているか、想像もつかんだろうよ」

「兄さんはもう前からヴロンスキーさんをご存じなの？」アンナはきいた。

「ああ、じつはね、ぼくらは彼がキチイと結婚するものと、楽しみにしているんだよ」

「そう？」アンナは静かに答えた。「さあ、今度はあなたのお話をしましょう」実際、なにか気にかかる考えでも追いはらおうとするかのように首を振って、アンナはこうつけ加えた。「さ、兄さんの問題についてお話ししましょう。お手紙を拝見したのですぐ飛んで来たんですのよ」

「ああ、いっさいの望みはおまえにかかっているんだよ」オブロンスキーはいった。

「それじゃ、すっかりお話ししてちょうだい」

そこでオブロンスキーは話しはじめた。

家の前まで来ると、オブロンスキーは妹をおろし、ほっと溜息《ためいき》をついてその手を握り、そのまま、役所へ馬車を走らせた。

19

アンナが部屋へはいって行ったとき、ドリイは小さいほうの客間にすわって、もう父親に似てきた、まるまる太って、髪の白っぽい、男の子を相手に、フランス語の読み方を見てやっていた。男の子は本を読みながらも、上着のとれかかっているボタンを手でひねくりまわして、もぎ取ろうとしていた。母親は何度もその手をどけさせたが、そのふっくらした小さな手はすぐまたボタンをつかむのだった。ついに母親はボタンをもぎ取って、ポケットの中へ入れてしまった。

「グリーシャ、手をじっとしてらっしゃい」母親はいって、前々からの仕事になっている毛糸の掛けぶとんをまたとりあげた。これはいつもなにかつらいことがあったときにすることになっていたので、今も彼女は指を動かして、目を数えながら、いらいらした様子で編んでいた。彼女はきのう夫に対して、あなたの妹が来ようと来まいと、自分の知ったことではないと、召使を通じて伝えたにもかかわらず、それでも、やっぱりなにかと客を迎える用意をして、胸をわくわくさせながら、義妹を待ちうけていたのである。

ドリイは自分の悲しみに打ちひしがれて、それにすっかりのまれていた。しかし、義妹のアンナがペテルブルグでも一流の人物の夫人で、ペテルブルグ社交界のgrande dame（訳注 貴婦人）であることは、ちゃんと心得ていた。そのため、彼女は夫にいったことを実行しなかった、つまり、義妹がやって来ることを忘れなかったのである。《それに、結局、アンナにはなんの罪もないんだもの》ドリイは考えた。《あの人のことといったら、それこそいいことよりほかになにも知らないし、あたしに対してだって、いつでも優しく親切なんだから》もっとも、ペテルブルグのカレーニン家に泊ったときの印象を思いだすかぎりでは、彼らの家そのものは彼女の気に入らなかった。その家庭生活のあり方には、なにかしら、真実でないような感じがあった。《それにしても、あの人を迎えないなんて理由はないわ。ただあの人が、あたしを慰めようなんて気を起さなければいいけれど！》ドリイは考えた。《だって、慰めだの、忠告だの、キリスト教徒としての赦罪だの、そんなことはもう千度も考えてみたけれど、やっぱり、そんなものはなんの役にも立ちゃしないんだから》

このところずっと、ドリイはただ子供たちを相手にひとりで暮してきた。自分の悲しみを口に出すのはいやだったが、そうかといって、こんな悲しみを心にいだきながら、なにかほかのつまらない話をするのは、とてもできないことであった。いずれにしても、彼女はアンナにはなにもかも話してしまうだろうと、自分でも前から考えていた。そしてときには、なにもかも話してしまうのだと考えてうれしい気持になったが、またどうかすると、自分の恥を夫の妹にさらけだして、通りいっぺんの忠告や慰めの言葉を聞かなければならないのかと思って、苦々しい気持におそわれたりするのであった。

彼女はよくあることだが、時計を見ながら、今か今かとアンナを待ちかねていたくせに、ちょうど客が到着した瞬間うっかりしていて、ベルの音を聞かなかった。もう戸口のところで衣《きぬ》ずれの音や、軽い足音が聞えたので、彼女ははっとしてうしろを振り返った。と、そのやつれはてた顔には思わず、喜びならぬ驚きの色が表われた。彼女は立ちあがって、義妹を抱擁した。

「まあ、もう着いたの？」彼女は相手に接吻《せっぷん》しながらいった。

「ドリイ、ほんとうにうれしいわ、お目にかかれて」

「こちらこそ」ドリイは、アンナが事情を知っているかどうか、その表情で見きわめようと努めながら、弱々しい微笑を浮べていった。《きっと、知ってるんだわ》アンナの顔に同情の色を認めて、彼女はそう思った。「さあ、行きましょう、お部屋へご案内するわ」なにかむずかしい話を先へ延ばそうと思って、彼女はそう言葉をつづけた。

「これがグリーシャ？　まあ、大きくなったのねえ」アンナはいって、男の子に接吻すると、ドリイから目を放さずに、立ち止ったまま、頬を赤らめた。「ねえ、もうどこへも行かなくてけっこうよ」

アンナはショールを取り、帽子を脱ごうとしたが、そのひょうしに、カールしている黒髪の一束に帽子をひっかけ、頭を振って、髪を放した。

「まあ、あなたったら、見るからにおしあわせそうで、お元気なのね！」ドリイはほとんどうらやむような口調でいった。

「あたしが？……そうね」アンナは答えた。「おやまあ、ターニャ！　うちのセリョージャと同《おな》い年だったわね」そこへ駆けこんで来た女の子を見て、彼女はそうつけ足した。アンナは女の子を抱きあげて、接吻した、「まあ、かわいい子、ほんとに、かわいいわ！　さあ、みんなを見せてよ」

アンナは子供たちの名前を次々に呼びあげた。しかもその名前ばかりでなく、全部の子供たちの生年月日から、性質、病気にいたるまで覚えていたので、ドリイもすっかり感心してしまった。

「じゃ、子供部屋へ行きましょう」ドリイはいった。「あいにく、ワーシャは今ねんねだけれど」

子供たちをながめてから、彼女たちはもうふたりきりで、コーヒーを前にして、客間にすわった。アンナは盆に手をかけたが、また向うへ押しやった。

「ねえ、ドリイ」アンナは話しかけた。「お話は兄からうかがったわ」

ドリイは冷やかにアンナをながめた。相手が通りいっぺんの同情の言葉を叶くと思っていたのである。ところが、アンナはなにひとつそんなことは口に出さなかった。

「ねえ、ドリイ!」アンナは繰り返した。「あたしは兄を弁護しようとも、あなたを慰めようとも思いません。だって、そんなことは、とてもできないことですもの。でもね、ドリイ、あたしはただあなたがかわいそうなの、しんからかわいそうでたまらないの!」

アンナのきらきらしたひとみを縁どっている濃いまつげの下から、急に涙があふれた。彼女は相手のそばへすわりなおして、精力のあふれているような小さい手で、ドリイの手をぎゅっと握りしめた。ドリイは身をかわさなかったけれど、その顔はそっけない表情を変えなかった。ドリイはいった。

「あたしを慰めるなんてむりですよ。あんなことがあった以上、なにもかもおしまいですよ。なにもかもおしまいですよ!」

ところが、そういうかいわないうちに、彼女の顔の表情は不意に柔らいだ。アンナはドリイのやせた、かさかさの手をとって接吻し、話をつづけた。

「でもね、ドリイ、じゃ、どうしたらいいの、ねえ、いったい、どうしたらいいの？ そんなひどいことになって、これからどうするのがいちばんいいのかしら？ それを考えなくちゃいけないわ」

「もうなにもかもおしまいになったんだわ、それだけのことよ」ドリイはいった。「それに、なによりもつらいのは、ねえ、あたしがあの人を捨ててしまうことができないってことなの。子供のために、あたしはしばられているのよ、でももう、あの人といっしょに暮すことはできません。あの人を見るだけで苦しいんですもの」

「ねえ、ドリイ、兄の話は聞いたけど、今度はあなたの話が聞きたいの、なにもかもすっかりいってちょうだいね」

ドリイはさぐるような目で相手をながめた。

アンナの顔には、ほんものの同情と愛情が、あふれていた。

「じゃ、いうわ」不意にドリイは話を切りだした。「ただ、あたしはいちばんの初めからお話しするわ。お嫁に来たときのことは、あなたも知ってらっしゃるわね。ママの教育のおかげで、あたしはただ無邪気だというばかりでなくて、ばかだったのよ。

あたしなんにも知らなかった。人の話じゃ、今になって知ったんだけど、夫は妻に自分の過去の生活について話をするもんですってね、でもスチーヴァは……」といいかけて、すぐ、いいなおした。「オブロンスキーは、なんにもあたしに話してくれなかったの。あなたは本気にしないでしょうけど、あたしは今まで、あの人の知っている女はあたしひとりだけだと、思いこんでいたんですから。そうやって八年間暮してきました。ねえ、ほんとに、あたしはあの人の不実なんて疑ってみたこともないばかりか、そんなことなどとてもありえないことだと思っていたんです。それが、どうでしょう。そう思っているところへ、いきなり、ひどいこと、けがらわしいことを一度に聞かされたんですからねえ……ねえ、あたくしの身にもなってちょうだい、自分の幸福をしんから信じきっているところへ、いきなり……」ドリイはすすり泣きをおさえながら、言葉をつづけた。「例の手紙を見つけたの……あの人が自分の情婦に、うちの家庭教師にやった手紙を、ねえ、あんまりひどすぎるわ！」彼女はすぐハンカチを取り出して、顔をおおった。

「それが一時の迷いならまだわかりますけれど」ちょっと黙ってから、彼女はまたつづけた。「でも、計画的に狡猾《こうかつ》なだまし方をするなんて……しかも、その相手というのは……あんな女といっしょになりながら、あたしの夫にもなっていようなんて……

ああ、たまらない！　とてもあなたにはおわかりにはならないでしょうけれど……」

「いいえ、わかってよ、あたしにもわかってよ！　ほんとよ、ドリイ」アンナは相手の手を握りしめながらいった。

「じゃ、あの人はあたしのこのひどい立場をわかってくれていると思って？」ドリイはつづけた。「これっぽっちもわかっちゃいないの！　あの人は幸福で、満足しきってるんだわ」

「そりゃ違うわ！」アンナは早口にさえぎった。「兄は悲しんでるわ、すっかり後悔しながら……」

「あの人に後悔なんてできるかしら？」ドリイは義妹の顔を注意ぶかく見つめながら、そうさえぎった。

「できますとも、兄のことはよく知っていますもの。あたし、もう、かわいそうで見ていられなかったわ。ねえ、あたしたちはあの人をよく知ってるじゃありませんか。あの人はいい人だけれど、ちょっと自尊心の強いところがあるでしょう、それが今はすっかりしょげてしまって。それに、いちばんあたしが動かされたのは……（そこでアンナは、ドリイの心を動かすことのできる急所を考えついた）あの人は二つのことで苦しんでいるのよ。一つは、子供の手前恥ずかしいということと、もう一つは、あなたを愛していながら……ええ、ええ、この世のなによりも愛していながら」アンナは、なにかいい返そうとするドリイを、あわててさえぎった。「あなたをつらいめにあわせて、あなたの心を傷つけたことなの。『いや、いや、あれはけっして許してはくれんだろうよ』って、ずっと、いってたわ」

ドリイは義妹の言葉を聞きながら、なにか考えこんで、その顔から目をそらしていた。

「そりゃ、あたしにもわかるわ、あの人の立場もつらいってことは。罪のある者が、罪のないものより苦しいのはあたりまえですもの」彼女は口をきった。「ただあの人が、こういう不幸はみんな自分が罪を犯したからだ、と感じての話ですけれど。でも、どうしてあたしに許すことができると思って？　あの女とのことのあとで、どうしてもう一度あの人の妻になることができると思って？　もう今となっては、あの人と暮すのは苦痛だわ。だって、それは、あたしがあの人を愛していた昔の生活を、今なおなつかしく思って……」

そのとき、すすり泣きの声がその言葉をとぎらせた。

ところが、まるでわざとのように、ドリイは気が柔らぐたびに、すぐまた腹の立つことをいいださずにはいられなかった。

「そりゃ、あの女は若くて、美しいですよ」ドリイはつづけた。「ねえ、アンナ、考えてもみてよ、あたしの若さも美しさもすっかり失《う》せてしまったけれど、それはあの人とあの人の子供のためなんですからね。あたしはあの人につくして、そのおかげで、自分のすべてを、なにもかも使いはたしてしまったんですよ。だから今になって、あの人が若い下品な女に惹《ひ》かれるのもあたりまえだわ。あの人たちはきっとふたりして、あたしのうわさをしたにちがいないわ、それともわざと黙っていたかしら。そのほうがもっと性《たち》が悪いわ……ねえ、あなたわかる、あたしの気持が？」

その目は再び憎悪《ぞうお》に燃えあがった。「あんなことがあったあとでも、あの人はあたしになんとかいうでしょうが……ねえ、そんなことが信じられて？　とてもできませんわ。いいえ、もうなにもかもおしまいだわ。前にはあたしの慰めとなっていたもの、骨折りや苦しみの報酬となっていたものが、もうすっかりおしまいになったんですよ……あなたには信じられないかもしれないけれど、今もグリーシャの勉強を見てやってたのよ、前にはそれが楽しみだったのに、今じゃ苦しみになってしまったわ。なんのために骨折ってるんだろう、なんのためにこうあくせく働いてるんだろう？　なぜ子供なんかいるんだろう、ってね。でも、なによりもつらいのは、とつぜんあたしの魂がひっくり返ってしまって、今までの優しい愛情のかわりに憎しみが、ええ、ただ憎しみばかりがあることなの。あたし、いっそのこと、あの人を殺してしまって……」

「ねえ、ドリイ、あなたの気持はわかるわ、でも、そんなに自分で自分を苦しめないで。あんまりひどい仕打ちを受けて、興奮してらっしゃるから、いろんなことがちゃんと見えないのよ」

ドリイは気をしずめた。ふたりは二分ばかり黙っていた。

「ねえ、どうしたらいいの、アンナ、教えてちょうだい、助けてちょうだい。いくら考えても、なにひとつついい考えが浮ばないんですもの」

アンナもなにひとつ考えつくことはできなかったが、その心は兄嫁の一語一語を、その顔の表情の一つ一つを、しっかりととらえていた。

「あたくし、一つだけいいたいことがあるの」アンナは話しはじめた。「あたしは妹ですから、あの人の性格はよく知ってますわ。なにもかも忘れてしまって(彼女は額の前で手を動かしてみせた)、すっかり夢中になってしまうけれど、そのかわり、心の底から後悔する、あの人の癖を知ってますの。あの人は今、どうしてあんなことができたかと、自分でもなにがなんだかわからずにいるんですよ」

「いいえ、あの人にはわかっているんです、わかっていたんです!」ドリイはさえぎった。「それじゃ、あたしは……、あなたはあたしのことを忘れてしまって……あたしのほうが気が楽だとでもいうの？」

「まあ、待ってちょうだい。じつは、兄から話を聞いたときには、あなたのひどい立場が十分にのみこめなかったんですの。あたしには兄の苦しみと、もう家庭がめちゃめちゃになったことがわかりましたわ。兄のことがとてもかわいそうでしたけど、今あなたとお話をしたら、やはり女として、別の見方をするようになりましたの。あなたのお苦しみようを見て、口ではいえないほど、お気の毒に思ってるんですの。それでもね、ドリイ、あなたのお苦しみはよくわかったけれど、たった一つわからないことがあるの。あたしにはわからないんだけど、ほんとにわからないんですけど……まだあなたの心の中にはどの程度あの人に対する愛情が残っているのかしら……でも自分にはそれがわかってるでしょう、——許すことができるぐらいまだ愛情があるかどうか。もしあったら、許してあげて！」

「いいえ」ドリイはいいかけたが、アンナはそれをさえぎって、もう一度、相手の手に接吻した。

「あたしはあなたより世間を知っていますわ」アンナはいった。「スチーヴァみたいな人たちも知っていれば、ああいう人たちがこの問題をどう見ているかってことも知っています。あなたは、兄があの女とあなたのうわさをしただろう、っていいましたわね。そんなことはありませんわ、ああいう人たちは不実なことはしても、自分の家庭とか妻とかいうのは、どこまでも神聖なものとしているんですよ。どういうわけかああいう女はいつも軽蔑《けいべつ》されているので、家庭のじゃまにはならないのね。ああいう男の人たちは家庭とそうしたことのあいだに、なにか越えることのできない一線を画しているんですよ。そんなことはあたしにはわからないけれど、そういうものなのね」

「でも、あの人はあの女に接吻したんですのよ……」

「ねえ、ドリイ、お願いだから待って。あたしはあなたに夢中になっていた時分のスチーヴァを知っているわ。あの時分のことを覚えているけれど、あの人はよくあたしのとこへ来て、あなたの話をしながら泣いたものよ。あなたはあの人にとってなにか詩的な崇高なものだったのよ。兄はあなたといっしょに暮しているうちに、あなたはますます兄にとって尊いものになっていったんですの。だって、あたしたちは前によく兄のことを笑ったものですわ。兄ったら、一口ごとに、『ドリイはすばらしい女だ』ってつけたんですもの。あなたはあの人にとっていつも神聖なものだったし、今だってそのとおりなの、ただ今度のことはちょっとした心の迷いなのよ……」

「でも、その迷いがまた繰り返されるようだったら？」

「そんなことはありえませんよ、すくなくともあたしはそう思うわ……」

「そう、じゃ、あなたなら許せて？」

「わからないわ、裁くなんてできないし……いえ、できるわ」アンナはちょっと考えてからいった。それから、頭の中でその場の状況をはっきりのみこむと、それを心の秤《はかり》にかけて、つけ加えた。「ええ、できてよ、できてよ。ええ、あたしだったら許せてよ。そりゃ昔どおりにはいられないでしょうけれど、でも許せますわ、そんなことなんかまるでなかったみたいに、まるっきりなかったみたいに、許してしまいますわ……」

「そりゃ、もちろんだわ」ドリイは早口にそうさえぎったが、それは再三心に思ったことを口にしたようであった。「でなかったら、許したことになりゃしませんもの。いったん許すのなら、すっかり、許すのでなくちゃ。じゃ、行きましょう、あなたのお部屋へご案内するわ」ドリイは席を立ちながら、いった。そして、歩いて行く途中でアンナを抱きしめた。「ねえ、アンナ、来てくださって、ほんとにうれしいわ。あたし、気が軽くなったわ、前よりずっと気が軽くなったわ」

20

アンナはその日ずっと家で、つまり、オブロンスキー家で過した。そして、知人のだれかがはやくも上京を聞きつけて、その日のうちにやって来たが、だれにも会わなかった。アンナは午前中ずっとドリイと子供たちを相手に過した。ただ兄に簡単な手紙をことづけ、ぜひ家で食事するように、といってやった。『帰ってらっしゃい、神さまはお恵みぶかくいらっしゃいますから』とアンナは書いた。

オブロンスキーは自宅で夕食をした。食卓での話は一般的なもので、ドリイも夫と言葉をかわし、親しく「あなた」と呼んだが、これは前にはなかったことであった。夫婦の態度は相変らずよそよそしいものがあったが、もう別れ話などは出なかった。そこでオブロンスキーは妻と話し合って、和解する可能性があると見てとった。

食事がすむと、すぐキチイがやって来た。彼女はアンナを知ってはいたが、それはほんのちょっとだったので、みんなの賞讃《しょうさん》の的になっているこのペテルブルグ社交界の貴婦人が、自分をどんなふうに迎えてくれるかと、多少の気おくれを感じていた。しかし、キチイはアンナに気に入られた——それはキチイにもすぐわかった。アンナはどうやら、キチイの美貌《びぼう》と若さに、見とれているふうだった。一方、キチイはそれと気づくまもなく、もう自分がアンナの影響の下にあるばかりでなく、彼女に惚《ほ》れこんでさえいるのを感じた。それはよく若い乙女が年上の人妻を慕っていくのと同じだった。アンナは社交界の貴婦人にも、八つになる男の子の母親にも見えなかった。いや、そのみずみずしさからいっても、微笑やまなざしにあふれるいつも生きいきした顔の表情からいっても、むしろ二十代の娘を思わせるものがあった。ただ、キチイをはっとさせると同時に、その心を強くとらえた、きまじめな、時には沈みがちのひとみの表情だけは別であった。キチイはアンナがとてもさっぱりした気性で、なにひとつ隠しだてしないことは、よくわかったけれども、それにもかかわらず、アンナの中にはなにかしら別の世界が、キチイなどには想像もつかない、複雑で詩的な興味に満ちた、崇高な世界があるように思われた。

食事が終って、ドリイが居間へ引っこんだとき、アンナはすぐ立ちあがって、葉巻をふかしはじめた兄のそばへ近づいた。

「ねえ、スチーヴァ」快活に目くばせして、兄に十字を切ると、戸のほうを目でさしながら、アンナはいった。「さあ、行ってらっしゃい、神さまが力をかしてくださいますよ」

彼は妹の言葉の意味を察して、葉巻を捨てると、戸の陰へ姿を隠した。

オブロンスキーが出て行くと、アンナは子供たちにとりまかれながらすわっていたもとの長いすへ引き返した。子供たちはママがこの叔母を好いているのを見てとったからか、それとも自分たちで叔母のもっている特別な魅力を感じたのか、いずれにしても、小さな子供にはよくあることだが、上のふたりと、それにつづく下の弟や妹までが、もう食事の前から新しい叔母にまつわりついて、そばを離れようとしなかった。そして、子供たちのあいだにはなにか一種の遊戯みたいなものができてしまっていた。つまり、できるだけ叔母さんの近くにすわって、そのからだにさわったり、小さな手を握って接吻《せっぷん》したり、その指輪をおもちゃにしたり、でなければ、せめてそのドレスのひだにでもふれたいというわけであった。

「さあ、みんな、さっきすわってたとおりにすわるのよ」アンナは自分の席につきながらいった。

するとまた、グリーシャが彼女の腕の下へ頭を突っこんで、そのドレスにもたれかかりながら、得意になって、幸福そうに顔を輝かした。

「それで、今度の舞踏会はいつですの？」アンナはキチィに顔を向けた。

「来週ですの、とてもすばらしい舞踏会ですわ。いつも楽しい舞踏会の一つですのよ」

「まあ、いつも楽しい舞踏会なんてあるかしら？」アンナは優しく皮肉をこめていった。

「おかしなことですけど、それがありますの。ボブリーシチェフ家のはいつでも楽しゅうございますし、ニキーチン家のもそうですわ。ところが、メシュコフ家のはいつも退屈なんですの。お気づきになりませんでした？」

「いいえ、だってあたしにとってはもう楽しい舞踏会なんてありませんもの」アンナはいった。すると、キチイはその目の中に、自分には開かれていないあの特別の世界を認めた。「あたしにとっては、まあ、そう気骨の折れない、そう退屈でない舞踏会しかありませんわ……」

「あなたが舞踏会で退屈なさるなんて？」

「まあ、なぜあたしは舞踏会で退屈するはずがないんでしょう？」アンナは聞き返した。

キチイは、アンナがそれにつづく返事をちゃんと承知していることに気づいた。

「だって、あなたはいつでもだれよりもお美しくていらっしゃるんですもの」

アンナはすぐ赤くなる癖があった。頬《ほお》を赤らめて答えた。

「第一、そんなことはけっしてありませんけど、第二に、たとえそんなことがあったにしても、それがあたしにとってなんになるでしょう?」

「今度の舞踏会にはお出になりまして?」キチイはたずねた。

「まいらないわけにもまいりませんでしょうね。さあ、これを取ってもいいわ」まっ白な、きゃしゃな指先から、今にも抜けそうになっている指輪をひっぱっていたターニャに向って、アンナはいった。

「お出になりましたら、あたくし、ほんとにうれしゅうございますわ。だって、あたくし、舞踏会へお出になったところを拝見したくてたまりませんの」

「ひょっとして、出かけることになりましたら、あなたに喜んでいただけると思って、それをせめてもの慰めにいたしますわ……あ、グリーシャ、お願いだから、そういじらないで。ほら、こんなにすっかりばさばさになってしまったじゃないの」グリーシャがおもちゃにしたために、ほつれたおくれ毛をなおしながら、アンナはいった。

「あたくし、舞踏会へは紫のお召物でいらっしゃるところが目に浮びますの」

「あら、なぜ紫でなくちゃいけませんの?」アンナはほほえみながら、聞き返した。

「さあ、さあ、子供たちはみんな、あっちへいらっしゃい、ね、わかったの? ミス・グールがお茶だって呼んでますよ」アンナは子供たちをせきたてて、食堂のほうへやりながらいった。

「でも、なぜあたしを舞踏会へお誘いになるか、あたし、ちゃんと存じておりますのよ。その舞踏会はあなたにとても大きな意味をもっているので、みなさんに出ていただきたいのでしょう、みんなに加わっていただきたいのでしょう？」

「まあ、どうしてご存じですの？　そのとおりなんですけど」

「あなたぐらいの年ごろはほんとにようございますわねえ！」アンナは言葉をつづけた。「あたしもあの空色の霧のような気持を覚えていますわ、知ってますわ、まるであのスイスの山にかかっている霧のような。あの霧は、今にも少女時代を終ろうとする幸福な時代には、なにもかもすっかり包んでくれるものなんですのね。でも、その大きな、幸福で楽しい世界を出ると、道はだんだん狭くなっていきますけれど、その狭い道へはいって行くのがまた楽しいような、息づまるような気持になって……そりゃ、その道は明るくてとてもすばらしいように思えるんですけれど。だれでも一度はそれを通って行くんですわ」

キチイは無言のままほほえんでいた。《でも、この方はどんなふうにそれを通っていらしたのかしら？　ああ、この方のロマンスを知りたいものだわ》アンナの夫であるカレーニンのあまり詩的でない風貌を思い起しながら、キチイは心の中でこんなことを考えた。

「あたしも、いくらか知ってますのよ、スチーヴァが話してくれましたので。おめでとうございます、あたしもあの人が気に入りましたわ」アンナはつづけた。「あたし、停車場でヴロンスキーさんにお会いしましたの」

「あら、あの方もあそこへいらっしゃいましたの？」キチイは頬を赤らめてきいた。「ねえ、スチーヴァはなんと申しまして？」

「スチーヴァはなにもかもしゃべってくれましたわ。あたしもそうなれば、ほんとにうれしゅうございますわ……きのうはずっと、ヴロンスキーさんのお母さまと汽車がごいっしょでしてね」アンナはつづけた。「お母さまは、ひっきりなしに、あの方のことばかり話していらっしゃいましたよ。――どうやら、お気に入りのようですわ。母親がとても子供に甘いってことは、あたしも承知しておりますけれど、ただ……」

「お母さまはあなたにどんなことをお話しなさいまして？」

「そりゃもういろんなことを！　あの方がお母さまのお気に入りだってことは、わかってますけれど、でもあの方はたしかに、りっぱな騎士《ナイト》ですわ……まあ、たとえば、お母さまはこんなお話をなさいましたよ。あの方は全財産をお兄さまにあげてしまおうとなさったり、もう子供の時分からなにか非凡なことをなさって――ある女の人がおぼれかけたのを、水から救いあげたりされたんですって。まあ、一口に申せば、英雄ですわね」アンナは微笑しながらいったが、そのとき、ふと彼が停車場で二百ルーブル恵んだことを思いだした。

しかし、アンナはあの二百ルーブルのことは話さなかった。なぜかそれを思いだすと、不愉快になるのだった。そこにはなにか自分と関係のある、しかもそうあってはならぬことが隠されているような気がしたからである。

「お母さまはぜひたずねてほしいと、おっしゃってましたよ」アンナはつづけた。「あたしもお母さまにお目にかかるのは楽しみですから、あすおたずねしようと思っておりますの。でも、いいあんばいに、スチーヴァはいつまでもドリイの居間におりますこと」アンナは話題を変えて立ちあがりながら、そうつけ加えたが、何やら浮かぬ面持《おももち》ちなのがキチイには感じられた。

「いや、ぼくが先だよ！」「いいえ、あたしよ」子供たちは、お茶をすまして、アンナ叔母さんのほうへ駆けだして来ながら、口々に叫んだ。

「さあ、みんないっしょに！」アンナはいって、笑いながら子供たちのほうへ走って行って抱きつくと、もう有頂天になってわいわいきゃあきゃあ騒ぎまわる子供たちを、ひとかたまりにしておし倒した。

21

おとなたちのお茶の時間になると、ドリイは自分の居間から出て来た。オブロンスキーは顔をみせなかった。きっと、妻の居間の裏口から抜けだしたのであろう。

「あなた二階じゃ寒くないかと思って」ドリイはアンナのほうを向いて話しかけた。「階下《した》へ移してあげたいんだけれど。そのほうが、お互いに近くなるでしょう」

「ねえ、もう後生だから、あたしのことは心配しないで」アンナはドリイの顔をじっと見つめて、和解ができたかどうか見きわめようと努めながら、答えた。

「こっちのほうが明るいでしょう」兄嫁はいった。

「でもね、あたしはいつどこでも、野ねずみみたいによく眠れるのよ」

「なんの話だい？」オブロンスキーは書斎から出て来て、妻に話しかけた。

その話し方の調子によって、キチイもアンナも、すぐ和解が成立したのだなと察した。

「アンナの部屋を階下《した》に変えようと思うんですけれど、窓掛けをとりかえなくちゃ。だれもしてくれるものがないから、結局、あたしがしなくちゃなりませんわ」ドリイは夫のほうに向いていった。

《ほんとに、仲直りができたかどうか、あやしいわ》ドリイの冷やかな落ち着いた調子を聞いて、アンナは心の中で考えた。

「いや、ドリイ、もういいよ、いつも面倒なことを自分でするなんて」夫はいった。

「なんなら、わしがなんでもしてやるよ……」

《これなら、きっと仲直りしたんだわ》アンナは思った。

「あなたのなんでもしてやるは、わかってますわ」ドリイは答えた。「いつもマトヴェイにできもしないことをいいつけて、ご自分はさっさと出ておしまいになるんですもの、マトヴェイのほうはなにもかもごっちゃごちゃにしちまって」ドリイがそういったとき、もう癖になっている、さげすむような笑いが唇《くちびる》の両すみをゆがめた。

《完全な、ほんとに完全な和解だわ》アンナは思った。

《ありがたいことだわ！》アンナは自分がそのきっかけをつくったことを喜びながら、ドリイに近づいて接吻した。

「そりゃ、とんでもない。なぜおまえはわしとマトヴェイをそう軽蔑《けいべつ》するんだね？」オブロンスキーはかすかな微笑を浮べながら、妻のほうへ振り向いていった。

その晩はずっと、ドリイはいつものように夫に対して、軽く冷笑しているような態度をとっていたが、オブロンスキーのほうは満ちたりて、浮きうきしていた。もっとも、それは、許されたために自分の罪を忘れた、というそぶりを見せぬ程度であったけれど。

九時半に、オブロンスキー家のお茶を囲んでの、とくに喜ばしくも楽しい一家だんらんの夕べの集いは、一見きわめて平凡な出来事で破られた。しかし、この平凡な出来事が一同にはなぜか奇妙なことに思われた。みんなに共通のペテルブルグの知人の話をしていたとき、アンナはいきなり立ちあがった。

「あの方なら、あたしのアルバムの中にありますわ」アンナはいった。「ついでに、うちのセリョージャのもお目にかけますわ」彼女は誇らかな母親らしい微笑とともにそうつけ足した。

十時近くになると、アンナはいつもわが子におやすみをいうならわしであったし、舞踏会などへ出かけるときには、その前に自分で寝かしつけることにしていたので、今こんなにも遠くわが子から離れているのがもの悲しくなり、どんな話をしていても、思いはすぐに巻毛のふさふさしたセリョージャのことへ飛んで行くのだった。アンナはわが子の写真をながめて、その話がしたくなったのである。ちょっとしたきっかけを見つけて、彼女は席を立つと、いつもの軽やかで、しっかりした足どりで、アルバムを取りに行った。二階の彼女の部屋へ通ずる階段は、暖房のきいた玄関の大階段の踊り場から分れていた。

アンナが客間から出たとき、控えの間でベルの音が聞えた。

「まあ、だれかしら?」ドリイがいった。

「あたしのお迎えにしちゃ早すぎるし、ほかの方の訪問にしては遅すぎるわね」キチイが口をはさんだ。

「きっと役所から書類でも持って来たんだろう」オブロンスキーはいった。アンナが階段のそばを通りかかったとき、召使は来客の取次に上へ駆けのぼり、当の来客はランプのわきに立っていた。アンナは下を見おろして、すぐヴロンスキーだと気づいた。と、奇妙な満足の思いと、同時になにかに対する恐怖の念が、とつぜん、その心の中にひらめいた。彼は外套《がいとう》も脱がないで立ったまま、ポケットからなにか取り出していた。アンナが階段の中途まで行ったとき、ヴロンスキーは目を上げて彼女を見た。すると、その顔にはなにかはにかんだような、びっくりしたような表情が浮んだ。アンナは軽く会釈《えしゃく》して通りすぎたが、そのあとから、中へ通るようにというオブロンスキーの大きな声と、それを断わるヴロンスキーのあまり大きくない、柔らかみのある、落ち着いた声が聞えた。

アンナがアルバムを持って引き返したとき、彼はもういなかった。そしてオブロンスキーの話によると、彼は今度やって来た名士のために催されるあすの晩餐会《ばんさんかい》のことで、ちょっと寄ったとのことであった。

「いや、なんとしてもはいろうとしないんだ。ちょっと変だったな」オブロンスキーはつけ加えた。

キチイは頬をそめた。彼女は彼がなんのために来て、なぜはいらなかったかを、自分ひとりだけがわかっているように思ったからである。

《あの方はうちへいらして》キチイは考えた。《あたしに会えなかったものだから、ここに来ているものと思って、わざわざ寄ってくださったんだけれど、もう遅いし、それにアンナさんも見えているので、おはいりにならなかったんだわ》

一同はなにもいわずに顔を見合せると、アンナのアルバムをながめはじめた。

計画されている宴会について詳しいことをきくために、夜の九時半に友人をたずねて、家の中へはいらなかったといっても、べつにそうふしぎなことではなかった。しかし、それでもやはり、みんなは妙に感じた。だれよりもそれをいちばん妙な、よくないことに感じたのは、アンナであった。

22

キチイが母親といっしょに、頭に髪粉をつけ、真紅の上着をまとった召使たちの出迎える、花々に飾られ、光にあふれた階段をのぼって行ったとき、舞踏会はちょうど始まったばかりのところだった。広間の中からは、まるで蜜蜂《みつばち》の巣のように、そこに立ちこめているざわめきの音が、規則正しく聞えていた。ふたりが踊り場のところで、植木の陰に隠れながら、鏡に向って髪や着つけをなおしているあいだに、ある広間から、最初のワルツをかなではじめたオーケストラのバイオリンの、繊細ではっきりした響きが流れて来た。別の鏡の前で香水のにおいをぷんぷんさせながら、こめかみの白髪をなおしていた老文官は、階段の上でふたりにぱったり出会うと、一面識もないキチイに見とれながら、からだをかわして道をゆずった。シチェルバツキー老公爵《こうしゃく》が、青二才と命名している社交界の青年のひとりである、大きく胸のあいたチョッキを着たひげのない青年は、立ち止りもしないで白ネクタイをなおしながら、ふたりに会釈して、そばを通りぬけたが、すぐまた引き返して来て、キチイにカドリールを申し込んだ。初めのカドリールはもうヴロンスキーに約束してあったので、彼女はこの青年に二度めの約束をしなければならなかった。ひとりの軍人は手袋のボタンをはめながら、戸口のところで道をゆずった。そして、鼻下のひげをひねりながら、ばら色に輝くキチイに見とれていた。

その化粧をはじめ髪の結い方や、その他さまざまな舞踏会のしたくは、キチイにとってひじょうな努力と苦心のたまものだったにもかかわらず、今彼女がばら色の衣装に細かい網目のチュール・レースを重ね、おおらかな気どりのない態度で舞踏会へはいって行くのを見ると、こうしたリボンの花飾りや、レースや、さまざまなしたくのはしばしにいたるまで、なにもかも、本人や家人たちにとっては少しも苦心を要するものではなく、彼女は初めからこの高い髪型を結い、二枚の葉のついたばらをさし、チュール織りのレースをまとってこの世に生れでたのではないかと思われるほどだった。

広間へはいる前に、老公爵夫人が、ベルトのリボンの折れているのをなおしてやろうとしたときにも、キチイは軽く身をかわしてしまった。彼女はなにもかもあるがままで十分美しく優雅なはずで、なにひとつなおす必要はない、と感じていたのである。

それはキチイにとって、幸運な日の一つにあたっていた。衣装はどこも窮屈なところがなく、レースの襟《えり》もたるんだところがなく、リボンの花飾りもしわになったり、ちぎれたりしていなかった。弓なりにそったばら色のハイ・ヒールの靴《くつ》は、足をしめつけないどころか、かえっていい気持にしてくれた。ふさふさしたブロンドのかもじは、まるで自分の毛のように、かわいい頭の上にぴったりのっていた。少しも形を変えないで、その手をつつんでいる長い手袋のボタンは、三つともはずれないで、ちゃんとかかっていた。ロケットの黒いビロードは、とりわけやさしく首を巻いていた。このビロードはまったくすばらしかった。いや、キチイは家で、鏡に自分の首を映しながら、そのビロードが話しかけているような気分におそわれたほどである。ほかのものはどれにも、まだいくらか問題の余地があったけれど、ただ、このビロードだけは優雅そのものであった。キチイは舞踏会へ来てからも、それを鏡に映してみて、にっこりほほえんだ。あらわな肩と腕に、キチイは大理石のような冷たさを感じたが、それは彼女のとくに好きな感じだった。そのひとみはきらきらと輝き、赤い唇は、わが身の美しさに、思わずほほえまないではいられなかった。キチイは広間へ通り、チュール、リボン、レース、花などで飾りたて、踊りの申し込みを待っている婦人たちのグループ（キチイは一度もその中に立ったことはなかった）のところまで行き着くか着かぬうちに、はやくもワルツの申し込みを受けた。しかも、その申し込みをしたのは、第一流の紳士で、舞踏会の立て役者ともいうべき踊り手で、有名な舞踏会の指導者をつとめ、れっきとした妻をもった、美貌《びぼう》で、堂々たる押しだしの式部官エゴールシカ・コルスンスキーであった。彼はワルツの第一奏をいっしょに踊ったボーニン伯爵夫人を離れるがはやいか、その立場上、踊りはじめた幾組かを見まわしていたが、おりからはいって来たキチイの姿に目をとめると、舞踏会の指導者特有の一風変った、おおらかな、軽い足どりで、彼女のそばへ駆け寄った。そして、軽く会釈すると、相手の意向などはききもせずに、いきなり手をまわして、その細腰を抱こうとした。キチイはだれに扇を渡したものかと、あたりを見まわしていたが、すぐこの家の夫人が微笑を浮べながら、それを受け取った。

「ちゃんと時間どおりに来てくださったのは、たいへんけっこうです」彼はキチイの腰を抱きながら、いった。「だいたい、遅刻ということは、いいことじゃありませんよ」

キチイはその左手を少し曲げて、相手の肩においた。やがて、ばら色の靴をはいた小さな足は、音楽の拍子にあわせて、すばしこく、軽快に、なめらかな嵌木床《はめきゆか》の上をリズミカルに動きはじめた。

「あなたとワルツを踊っていると、休まりますよ」彼はワルツの最初のゆるやかなステップを踏み出しながら、いった。「こりゃ、すばらしい。すごく軽やかで、それに、

précision（訳注　正確）ですね」彼は、ほとんどだれにでも親しい知人にいうことを、彼女にもいった。

キチイはこのほめ言葉にほほえんで、相手の肩越しに広間を見まわしていた。彼女は舞踏会へ出ると、どの人の顔も一つの魔術めいた印象に溶けあってしまうように感ずるほどの駆け出しでもなく、また、どの顔も知りぬいていて、退屈を感ずるほど、舞踏会ずれもしていなかった。いや、彼女はちょうどこの二つのタイプのまん中ぐらいで、かなり興奮もしていたが、それと同時に、あたりをながめまわすだけの余裕をもっていた。広間の左のすみに、社交界の花形が集まっているのが見えた。そこには、もうそれ以上出せないほど肩を現わした、美人の誉れたかい、コルスンスキー夫人のリジイも、この家の女主人も、また、社交界の花形の集まる場所にはかならず顔を見せるクリーヴィンも、そのはげ頭を光らせていた。青年たちはそこへ近寄りかねて、ただ遠くからながめていた。彼女はまたそこにスチーヴァを見つけたし、さらに、黒いビロードの衣装をまとったアンナの、優雅な容姿をも見いだした。そして、あの人もやはりそこにいるのだった。キチイは、リョーヴィンの申し込みを拒絶した晩以来、彼に会っていなかった。キチイは遠目のきく目で、すぐに彼の姿を認め、彼のほうも自分をながめているのに気づいた。

「どうです、もうひとつ？　お疲れじゃないでしょう」軽く息をはずませながら、コルスンスキーはいった。

「いいえ、もうけっこうでございます」

「では、どちらへお連れしましょう？」

「カレーニンの奥さまがあそこにいらっしゃるようですから……どうか、あの方のところへお連れくださいまし」

「では、お望みのところへ」

　そういうと、コルスンスキーは歩みを加減して、"Pardon, mesdames, pardon, pardon, mesdames."（訳注　失礼、みなさん、や、失礼、失礼、みなさん）といいながら、広間の左すみにいるグループをめざして、まっすぐにワルツを踊って行った。そして、レースや、チュールや、リボンの海のあいだを縫いながら、その羽根一本にもさわらないで、くるりと激しくキチイのからだを回転させたので、一瞬、網織りの長靴下をはいたそのきゃしゃな足がぱっとのぞいて、ドレスの裾《すそ》が扇のようにひろがりながら、クリーヴィンのひざにおおいかぶさった。コルスンスキーは会釈すると、開いた胸をぐっとそらしながら、彼女をアンナのところへ連れて行くために、片手をさしのべた。キチイは赤くなって、クリーヴィンのひざからドレスの裾をとりのけ、いくらかめまいを感じながら、アンナを捜そうとあたりを見まわした。アンナは、キチイがあれほど望んでいた紫の衣装ではなく、胸を大きくあけた黒いビロードの衣装をつけ、古い象牙《ぞうげ》のように磨《みが》きあげられた豊かな肩や、胸や、手首のほっそりと、きゃしゃな、丸みをおびた腕をあらわにしていた。この衣装はすべてベニス・レースで縁取りがしてあった。その頭には、少しの入れ毛もない黒々とした髪に、三色すみれの小さな花束がさしてあり、それと同じ花束が、黒リボンのベルトの上にもとめてあって、白いレースのあいだからのぞいていた。髪の形もあまり目だたないものだった。ただ目につくものといえば、いつもうなじやこめかみにたれて、風情《ふぜい》を添えている、見るからに気ままな小さい巻毛の輪くらいのものであった。磨きあげたようにしっかりした首には、真珠の首飾りがかかっていた。

キチイは毎日アンナに会って、すっかり相手に惚《ほ》れこんでいたので、なんとしても紫の衣装を着せてみたいと想像していた。ところが、今黒い衣装をつけたアンナを見て、彼女は自分がアンナの魅力を完全に理解していなかったことを感じた。キチイは今こそアンナをまったく新しい、思いがけない存在として見なおした。今になってはじめてキチイは、アンナが紫の衣装をつけるわけにいかないことを、彼女の魅力の秘密は、彼女がいつもその化粧や着つけの中から抜け出していて、化粧や着つけがけっして目だたないことにあることを、悟ったのであった。この豪華なレースのついた黒い衣装も、彼女が着ていると、ほとんど目だたず、単なる額縁にすぎなかった。目につくのはただ、単純で、自然で、優雅で、と同時に快活で、生きいきとしている彼女自身であった。

アンナはいつものように、ぐっとまっすぐ身をそらしながら立っていたが、キチイが自分のいる一団のはうへ近づいて来たとき、この家の主人に向って、ややそちらに首を向けながら話していた。

「いいえ、あたくし、石など投げはいたしませんわ」アンナは主人に向って、なにか返事をした。「もっとも、あたくしには、よくわかりませんけれど」肩をすくめながらそう言葉をつづけたが、すでに保護者らしくやさしいほほえみを浮べて、キチイのほうを振り返った。アンナは女らしくちらっとキチイの化粧をながめると、かすかに、しかし、キチイには意味のわかるように、軽く首を動かして、その化粧と美貌にうなずいてみせた。「あなたったら、広間にも踊りながらはいってらっしゃるのね」アンナはつけ加えた。

「この人は私のもっとも忠実な助手のひとりでしてね」まだ一度も会ったことのないアンナにおじぎをしながら、コルスンスキーはいった。「公爵令嬢は舞踏会を楽しく、美しくするのを助けてくださるんですよ。カレーニン夫人、どうか、ワルツをひとつ」彼は、身をかがめながらいった。

「おや、ご存じでいらっしゃるんですか？」主人がたずねた。

「私が存じあげない人なんかおりませんからね。私ども夫婦は白狼《しろおおかみ》も同様、だれだって存じあげてますよ」コルスンスキーは答えた。「どうか、ワルツをひとつ、カレーニン夫人」

「あたくし、踊らなくてもよろしいときには踊りませんの」アンナはいった。

「でも、今晩はそうはまいりませんよ」コルスンスキーは答えた。

そのとき、ヴロンスキーがそばへ近づいて来た。

「まあ、今晩は踊らなくちゃいけないんでしたら、しかたがありませんわ。では、まいりましょう」

アンナはヴロンスキーの会釈に気づかず、さっと、コルスンスキーの肩に手をかけた。

《あの方はヴロンスキーさんに、どんな不満があるのかしら？》キチイは、アンナがわざとヴロンスキーの会釈に気のつかないふりをしたのを見て心の中で考えた。

ヴロンスキーはキチイに近づくと、最初のカドリールのことをいってから、このところずっと、キチイに会えなくて残念だったといった。キチイは、ワルツを踊るアンナに見とれながら、彼の言葉を聞いていた。キチイはヴロンスキーがワルツに誘うのを待っていたが、ヴロンスキーは誘わなかった。キチイはびっくりしてちらっと相手を見た。と、ヴロンスキーは赤面して、あわてて、ワルツを申し込んだが、彼がキチイの細腰を抱いて、最初のステップを踏みだすと同時に、音楽がやんだ。キチイはすぐ目の前にある彼の顔をじっとながめた。そして、彼女が愛に満ちた思いでじっとながめたのに、相手がそれに答えてくれなかった、そのまなざしは、その後も長いこと、数年の後までも、痛ましいはずかしめとなって、彼女の心を傷つけたのであった。

「Pardon, pardon！（訳注 失礼、失礼）ワルツ、ワルツ！」コルスンスキーは、広間の向う側で叫んだかと思うと、いきあたりばったりの令嬢をかかえて、自分で踊りはじめた。

23

ヴロンスキーはキチイといっしょに、ワルツを幾度か踊った。ワルツのあと、キチイは母親のそばへ行き、ノルドストン夫人と二言三言話したかと思うと、もうヴロンスキーが第一番のカドリールを踊ろうと迎えに来た。カドリールを踊っているときは、べつにたいした話はなかった。たとえば、ヴロンスキーが愛すべき四十代の子供だといって、愉快に描写して聞かせたコルスンスキー夫妻のことや、将来の公衆劇場のことなどについて、切れぎれの話があったばかりだった。ただ一度だけ、会話はキチイの急所にふれた。それはヴロンスキーがリョーヴィンのことをいいだし、彼はここに来ているかとたずね、私は彼がとても気に入った、といったときである。しかし、キチイはカドリールからはそれ以上を期待していなかった。キチイは胸のしめつけられる思いでマズルカを待った。マズルカのときに、なにもかもきまってしまうにちがいない、と思われたからである。カドリールのあいだに、ヴロンスキーがマズルカの申し込みをしなかったことは、まだキチイを不安にしなかった。彼女はそれまでの舞踏会と同じように、マズルカはヴロンスキーと踊るものと思いこんでいたので、もう相手がきまっていますからといって、五人も申し込みを断わった。この舞踏会は最後のカドリールのときまで、キチイにとっては、喜ばしい色彩と、響きと、動きの溶けあった、まるで魔法にでもかけられた幻を見るようなものであった。彼女が踊らなかったのは、ただあまりに疲れたような気がして、休息したくなったときだけであった。ところが、キチイが断わりきれないで退屈な青年のひとりと、最後のカドリールを踊っているとき、偶然、ヴロンスキーとアンナの対舞者《ヴィ・ザ・ヴィ》となった。キチイはここへ来た最初から、一度もアンナと踊りのあいだに行き会ったことはなかったが、ここでまた、いきなり、まったく新しい、想像もできなかったアンナを見いだした。キチイはアンナの中に、自分でもよく覚えのある、相手に対する勝利に酔っている表情を見てとった。アンナが自分でつくりだした歓喜の酒に酔いしれているのが、手にとるように見えた。その気持を知り、その兆候《きざし》を知っているキチイは、それを今アンナの中に認めたのである――そのひとみの中にふるえ燃えあがる輝きを、思わず唇《くちびる》をゆがめる幸福と興奮のほほえみを、そのしぐさにあふれる、見る目も優美で、正確で、軽やかな風情を。

《相手はだれかしら？》キチイは自問した。《みんなかしら、それとも、だれかひとりの方かしら？》キチイは考えて、いっしょに踊っている青年がなんとか会話の糸口を見つけようとして苦しんでいるのも助けずに、みんなを大円舞にしたり、鎖にしたりするコルスンスキーの命令に、表面はさも楽しそうに従いながらも、じっと、観察していた。しかも、その胸はいよいよ強くしめつけられるばかりであった。《いいえ、あの方をうっとりさせているのは、みんなが見とれているからじゃなくて、ひとりの人から讃美《さんび》されているからだわ。じゃ、そのひとりというのは、――まさか、あの人が？》ヴロンスキーがアンナに話しかけるたびに、アンナのひとみにはうれしそうな輝きが燃え立ち、幸福の微笑がその赤い唇をゆがめるのだった。アンナはそうした喜びの兆《きざし》を見せまいと、自分で努めている様子であったが、その喜びの兆は自然に顔に現われるのだった。《じゃ、あの人のほうはどうかしら？》キチイはヴロンスキーのほうを見て、はっとした。キチイはアンナの顔の鏡にはっきりと見たものを、彼の顔の上にも見いだしたのである。あの、いつも落ち着いて、しっかりした態度や、あくまでおっとりとした顔の表情は、いったい、どこへ行ったのだろう？　いや、それどころか、いまや彼は、アンナのほうへ向くたびに、まるでその前にひれ伏すように、心もち首をかがめ、その目の中には、服従と畏怖《いふ》の色だけが読みとれた。《私は自分を恥ずかしめたいのではありません》そのたびに彼のまなざしは語っていた。《ただ自分を救いたいのですが、どうしたらいいかわからないでいるのです》彼の顔には、キチイが今まで一度も見たことのない表情が浮んでいた。

ふたりは共通の知人のうわさ話などして、きわめてつまらない会話をつづけていたにもかかわらず、キチイの目には、ふたりが口にする一語一語が、ふたりと彼女の運命を決するように思われてならなかった。しかも、奇妙なことには、ふたりは実際、イワン・イワーノヴィチのフランス語がこっけいだとか、エレーツカヤはもっといい相手を見つけることができただろうにとかいった話をしていたのであるが、それにもかかわらず、これらの言葉はふたりのためになにか特別の意味をもっており、ふたりもキチイと同様それを感じていたのであった。舞踏会全体が、いや、全世界までが、なにもかもキチイの心の中では霧におおわれてしまった。ただ彼女の受けてきた厳格な教育の力だけが彼女をささえて、人から要求されることを、つまり、踊ったり、質問に答えたり、話をしたり、すすんで微笑さえするのだった。ところが、マズルカがはじまるというときになって、もういすの置きかえがはじまり、幾組かの踊り手が小さな部屋から大広間へ移って行ったとき、キチイにとって絶望と恐怖の瞬間が訪れた。彼女は五人もの申し出《いで》を断わったのに、今ではマズルカを踊る相手がなかったのである。もう申し込みを受けるという望みもなかった。というのは、社交界における彼女の成功があまりにもすばらしかったので、今まで申し込みを受けずにいるなどとは、だれの頭にも思い浮ばなかったからである。もうこうなったら、母親に気分がすぐれないといって、家へ帰るよりほかになかった。しかし、今はそうする気力さえ尽きていた。キチイはすっかり打ちひしがれていた。

彼女は小さな客間の奥まったところへはいって、ソファに身を投げだした。空気のようにふわりとしたスカートが、雲のようにもちあがって、そのほっそりしたからだをとりまいた。あらわな、やせた、乙女らしいきゃしゃな片手は、力なくたれて、ばら色のチュニックのひだの中に沈み、扇を持った片方の手は、小刻みに、せかせかと上気した顔をあおいでいた。しかし、その姿は、いましがた草の葉にとまったものの、いまにも虹《にじ》のような羽根をひろげて飛び立とうとしている蝶《ちょう》のような風情をたたえていたにもかかわらず、彼女の胸は恐ろしい絶望にしめつけられていた。

《でも、ひょっとしたら、あたしの思いちがいかもしれない。ひょっとしたら、そんなことはなかったのかもしれない？》

キチイはさっき自分の見たことを、もう一度思いだしていた。

「キチイ、これはいったいどういうことなの？」じゅうたんの上を音もなく歩いて来て、彼女のそばへ近寄りながら、ノルドストン伯爵《はくしゃく》夫人がいった。「あれはどういうことなのか、さっぱりわからないわ」

キチイの下唇がぴくりと震え、彼女はさっと立ちあがった。

「キチイ、あなた、マズルカは踊らないの？」

「ええ、ええ」キチイは涙に震える声で答えた。

「あの人はあたしの前で、あの方をマズルカにさそったのよ」あの人とあの方がだれのことか、キチイにはわかるものと承知して、ノルドストン夫人はいった。「すると、あの方はね、なんだってあなたはシチェルバツキー公爵令嬢とお踊りにならないんです、ってきいたわ」

「ああ、あたしにはどうだって同じよ!」キチイは答えた。

キチイの立場は彼女自身をのぞいては、だれにもわからなかった。彼女はひょっとすると愛していたかもしれぬ男の申し込みをつい先日断わったが、それもうひとりの男を信じていたためであった。しかし、そのことを知っているものは、だれひとりいなかった。

ノルドストン伯爵夫人は、自分がいっしょにマズルカを踊ったコルスンスキーを見つけて、キチイに申し込みをするようにいった。

キチイは第一の組で踊った。それに、幸い、なにひとついわないですんでいた。なぜなら、コルスンスキーは役目がら、いろいろ世話をやきながら駆けずりまわっていたからである。ヴロンスキーとアンナは、キチイのまっ正面にすわっていた。彼女はその遠目のきく目で、ふたりを観察していた。やがて、ふたりが踊りの組にまじってそばへやって来たので、すぐ近くからもながめたが、よくながめればながめるほど、キチイは自分の不幸がもう確定的なものであることを、はっきり信じこまないわけにはいかなかった。彼女は、ふたりがこの人であふれている大広間にいながら、自分たちふたりだけのような気持になっているのを見てとった。また、いつもは落ち着いて毅然《きぜん》としたところのあるヴロンスキーの顔にも、キチイをはっとさせた、なにか悪いことをした利口な犬に似た、途方にくれた従順な表情が認められた。

アンナが微笑すると、その微笑は彼にも伝わった。アンナが考えこむと、彼の顔もまじめになった。なにか超自然な力が、キチイの目をアンナの顔へひきつけるのだった。アンナは飾りけのない黒衣を身にまとって優雅だった。その腕輪をはめたむっちりした腕も、真珠の首飾りをまいて、しっかとすわった首も、やや乱れて波うっている髪も、小さな手足の気品のある軽々としたしぐさも、いまや生きいきとしているその美しい顔も、どれ一つとして優雅でないものはなかった。しかし、その妙《たえ》なる美しさの中には、なにかしら残酷な恐ろしいものがあった。

キチイは前にもましてアンナに見とれていたが、その胸の痛みはいよいよ激しくなるばかりであった。キチイはまったく自分がうちのめされたように感じ、その顔もまざまざとそれを表わしていた。マズルカのあいだにふと行き会ったヴロンスキーは、キチイを見たが、すぐにはだれか気がつかないほどだった。それほど彼女は変貌《へんぼう》していたのである。

「すばらしい舞踏会ですね！」ただなにかいうために、彼はキチイにそう話しかけた。

「ええ」キチイはうなずいた。

　マズルカの半ばに、コルスンスキーが新たに考案したこみいった形を繰り返しながら、アンナは輪のまん中へ出て、ふたりの紳士を選び、ひとりの婦人とキチイを、そばへ呼んだ。キチイはそばへ寄りながら、おびえたようにアンナをながめた。アンナは目を細めて相手をながめながら、その手を握って、にっこりほほえんだ。しかし、自分の微笑にこたえるキチイの顔が、ただ絶望と驚愕《きょうがく》だけを表わしているのに気づくと、アンナはさっと顔をそむけ、もうひとりの婦人と楽しそうに話しはじめた。

《ええ、そうだわ、この方にはなにかあたしたちとはかけ離れた、悪魔的な美しさがあるんだわ》キチイは心の中で考えた。

　アンナは夜食には残りたくなかったが、主人がしきりに引き止めた。

「まあ、そうおっしゃらずに、カレーニン夫人」コルスンスキーはアンナのあらわな手を、自分の燕尾《えんび》服《ふく》の袖《そで》の下へ引き入れながら、いった。「今すばらしいコチヨン（訳注　ふつうマズルカのように幾組かによって踊られる舞踏の一種）を考えついたんですよ！　Un bijou!（訳注　宝石のようにすばらしいのを）」

　そういって、彼はアンナを踊りに誘いこんでしまおうと、少しずつ歩きだした。主人はそれにうなずきながら微笑していた。

「いいえ、あたくし残りませんわ」アンナはほほえみながら答えた。しかし、その微笑にもかかわらず、答えたときの断固たる調子から、彼女が残らないだろうということとは、コルスンスキーにも主人にもわかった。「ほんとに、もうそれでなくても、この冬ずっとペテルブルグで踊ったよりも、ただお宅の舞踏会で踊ったほうが多いくらいですもの」そばに立っていたヴロンスキーのほうを振り返りながら、アンナはいった。「旅行の前には休んでおかなくては」

「じゃ、どうしてもあすお発《た》ちになるのですか？」ヴロンスキーがきいた。

「ええ、たぶん」アンナは相手の質問の大胆さにびっくりしたように答えた。しかし、アンナがそういったとき、そのひとみと微笑に現われたおさえきれぬふるえるような輝きは、彼の心を燃え立たせた。

アンナは、夜食に残らないで、帰って行った。

24

《たしかに、このおれには、なにかいやな、人好きのしないところがあるんだな》リョーヴィンはシチェルバツキー家を出て、兄のもとへおもむきながら、考えた。《それに、おれは他の人のためになんの役にも立たない人間だ。高慢だ、といわれているが、それは違う、おれにはそんなものもないのだ。もし高慢だったら、おれもこんな立場にはならなかったろうよ》彼はそう考えて、幸福で、善良で、聡明《そうめい》で、落ち着きがあって、たしかに今自分がおかれているような恐ろしい立場にはけっして追いこまれないであろうヴロンスキーのことを思いだした。《そうだ、キチイが彼を選んだのは当然だ。そうあるべきなのだ。だから、おれはだれに向っても、なにひとつ不平をいうことなんかできないのだ。とにかく、悪いのはこの自分なのだから。いったい、おれはどんな権利があって、キチイが自分の生涯《しょうがい》をおれと結びつけたいと思うだろうなんて、考えたのだろう？　おれは何者だ？　このおれはなんなのだ？　いや、まったくだれにも用のないつまらない人間じゃないか》そこでふと、彼は兄ニコライのことを思いだし、喜びを感じながら、その回想にひたった。《この世の中のことは、なにもかも悪く、けがらわしいという兄の言葉は、ほんとなのじゃなかろうか？　われわれがあのニコライのことを裁くなんて、公平に裁くなんて、とてもできやしない。そりゃ、兄が破れた毛《け》皮外套《がわがいとう》を着て酔っぱらっていたところを見たプロコーフィからすれば、兄は軽蔑《けいべつ》すべき人間だろう。しかし、おれは別の兄を知っているんだ、おれは兄の心を知っているし、自分があの兄に似ていることも承知している。それなのに、このおれは兄を捜しに行こうともしないで、食事に行ったり、こんなところへ来たりしているんだ》リョーヴィンは街燈《がいとう》のそばへ行って紙入れにしまっておいた兄の住所を読み、辻馬車《つじばしゃ》を呼んだ。兄のところまで行く長い道のりのあいだ、彼は兄の生活の中で、自分の知っているいろんな出来事を、まざまざと思い起した。兄は大学にいたときも、卒業後も一年間は、友だちに笑われるのも意に介さず、修道僧のように暮し、勤行《ごんぎょう》も精進も、すべて宗教上のしきたりを厳重に守り、いっさいの享楽《きょうらく》を、とくに女を遠ざけていたことを彼は思いだした。ところがその後、彼は急に鎖が切れたかのように、もっとも忌《いま》わしい連中に近づき、もうどうにもならぬほどの遊蕩《ゆうとう》生活へ堕してしまったのだ。さらに、ある少年についての事件を思いだした。兄はその少年を教育しようと田舎から連れて来たが、憤激の発作にかられて、めちゃめちゃに打ちのめし、少年を不具にしたかどで裁判ざたにまでなったのであった。それからまた、あるいかさま賭博師《とばくし》との事件を思いだした。兄は相手にトランプで負けて手形を渡したが、今度は自分のほうから訴訟を起して、自分はだまされたのだと証明しようとした（コズヌイシェフが支払ったのはこの金であった）。また、兄が暴行のかどで留置場で一夜をおくったことも思いだされた。さらに、コズヌイシェフが、母の遺産の分け前をすっかり払わなかったという、ニコライが兄を相手どって起した恥さらしな訴訟事件のことも思いだした。最後の事件は、彼がロシア西部へ仕事に行ったとき、上役のものをなぐったため、起訴されたものであった……すべてこうしたことはじつに忌わしいことであったが、しかしリョーヴィンの目には、ニコライという人物を知らず、その過去の歴史も、その心も知らない人たちの目に映るほど、それほど忌わしいことには思えなかった。

リョーヴィンは、ニコライがまだ敬虔《けいけん》な修道僧で、精進や、教会の勤行に熱中していたころ、彼が宗教の中に、自己の情熱的な性格に対する助けとささえを求めていたころには、だれひとり彼を支持しなかったばかりか、だれもが、いや、リョーヴィン自身までが、彼を冷笑していたことを覚えていた。彼はみんなにからかわれ、ノアと呼ばれ、坊さんと呼ばれていた。ところが、彼がその鎖をたち切ったときには、だれひとり助けようとするものもなく、恐怖と嫌悪《けんお》の念をいだきながら、顔をそむけてしまったのであった。

リョーヴィンは、兄ニコライがその醜悪きわまる生活ぶりにもかかわらず、心の中では、心のもっとも奥ふかいところでは、彼を侮蔑している人たちよりも、まちがってはいないのだと感じていた。彼が自分をおさえきれない性格と、なにか圧迫された知性をもってこの世に生れたということは、なにも彼の罪ではない。いや、それどころか、彼はいつも善人たらんと欲していたのである。《なにもかもいってしまおう、なんとかして、兄さんにもすっかりいわせよう。そして、おれが兄さんを愛していることを、だから、兄さんを理解していることを知らせてやろう》十時すぎに、番地に示してある宿屋へ乗りつけながら、リョーヴィンは自分でこう決心した。

「二階の十二号室と十三号室です」玄関番はリョーヴィンの問いに答えた。

「うちにいるかね？」

「たぶん、いらっしゃるでしょう」

十二号室の戸は半開きになっていて、そこから弱い安たばこの煙がひとすじの光の中に流れだし、リョーヴィンの聞きなれぬ人声が聞えた。しかし、リョーヴィンはすぐそこに兄がいることを知った。兄の軽い咳《せき》ばらいが聞えたからである。

彼が戸の中へはいろうとしたとき、聞きなれぬ声はこういっていた。

「すべては、いかに合理的に、また意識的に事を処理するかにかかっているさ」

リョーヴィンが戸の中をのぞいて見ると、話をしているのは、大きな帽子のような髪をして、袖なし外套を着た青年であった。また、ソファの上には、袖も襟《えり》もない毛織りの服を着た、薄あばたの女が腰かけていた。兄の姿は見えなかった。兄はなんという縁もゆかりもない他人の中に住んでいるのだろうと思うと、リョーヴィンは胸をしめつけられるような思いだった。だれも彼のはいって来たのに気がつかなかったので、リョーヴィンもオーヴァシューズを脱ぎながら、袖なし外套の男のいうことに耳を傾けていた。彼はなにか事業のことについて話しているのだった。

「おい、そんなやつらはどうだっていい、特権階級の連中なんか」咳をしながらいったのは、兄の声であった。「マーシャ、夜食をなにか持って来てくれ、残っていたら酒も頼むよ。なかったら、買いにやってくれ」

その女は立ちあがって、仕切り板の外へ出ると、リョーヴィンを見つけた。

「ニコライさん、どこかのだんなですよ」女はいった。

「だれに用なんだ？」ニコライが腹立たしげな声でいった。

「ぼくですよ」リョーヴィンは明るいところへ出て行きながらいった。

「ぼくってだれだ？」ニコライの声が、前よりもっと腹立たしげにいった。彼がなにかにつまずきながら、急に立ちあがった音が聞えたかと思うと、リョーヴィンは目の前の戸口のところに、なじみの深い、やや猫背《ねこぜ》の、大きな、やせた兄の姿を認めた。もっとも、そのすさんだ病的な感じには驚かされたが、大きな目はおびえたような表情をたたえていた。

リョーヴィンが最後にこの兄に会ったのは、三年前のことだったが、彼はそのときよりもさらにやせていた。兄は短いフロックを着ていたので、両手や頑丈《がんじょう》な骨格が、いっそう大きく見えるのだった。髪はさらにうすくなっていたが、相変らずごわごわした鼻下のひげが上唇《うわくちびる》をおおい、昔ながらの目が、訪問者をけげんそうに、ぼんやりと見つめていた。

「なんだ、コスチャ（訳注 コンスタンチンの愛称）じゃないか？」弟だとわかると、彼はいきなりそういって、その目は喜びに輝いた。ところが、その瞬間、彼は青年のほうを振り返った。と、リョーヴィンの昔からの知りぬいている身ぶりで、頭と首を痙攣《けいれん》的に動かしたが、それはまるでネクタイがきつい、とでもいうようであった。そのやつれた顔には、まったく別の――荒々しい、受難者めいた、残忍な表情が浮んだ。

「ぼくはきみにも、コズヌイシェフにも手紙を出して、自分はきみたちを知らない、いや、知ろうとも思わないと、書いてやったはずだがね。おまえは、いや、きみはなんの用があるんです？」

兄はリョーヴィンが想像していたのとは、まるっきり違っていた。リョーヴィンは兄のことをいろいろ考えたとき、人との交際をむずかしくさせている兄の性格の中でもっともやりきれなく感じられる欠点を、すっかり忘れていた。ところが、今兄の顔を見、とりわけ痙攣的に首を振る動作を見たとき、彼はそうしたいっさいのことを思い起したのであった。

「ぼくはなんか用事があって訪ねて来たのではありませんよ」彼はおずおずと答えた。

「ただ会いたくて来たんです」

弟のおずおずした態度は、どうやら、ニコライの心を柔らげたらしい。彼は唇をもぐもぐさせた。

「なるほど、そういうわけか?」彼はいった。「まあ、はいって、かけるがいい。夜食はどうだい? マーシャ、三人前持って来い。や、待ってくれ。おまえ、これはだれか知ってる?」袖なし外套の男を指さしながら、彼は弟に向っていった。「こちらはクリッツキー君といって、もうキエフ時分からの親友さ、じつにすばらしい人物なんだ。もちろん、警察からねらわれているがね、だって、卑劣漢じゃないからね」

そういって、彼はいつもの癖で、部屋の中に居あわせた一同を見まわした。戸口に立っていた女が出て行こうとするのに気づくと、彼は「待て、といったじゃないか」と、どなりつけた。それから、リョーヴィンのよく知りぬいている、例のつじつまのあわぬ話しぶりで、クリッツキーの身の上話をはじめた。彼が貧窮学生の援助会や日曜学校をつくったために、大学を追われたいきさつから、その後、小学校の教師になったが、そこもまた追い出され、その後も何かで裁判にかけられたということだった。

「キエフ大学におられたんですか?」リョーヴィンは、しばらくつづいた気づまりな沈黙を破るために、クリッツキーにたずねた。

「ええ、キエフにいました」クリツキーは眉《まゆ》をひそめて、おこったように答えた。

「さて、この女は」ニコライはマーシャを指さしてさえぎった。「ぼくの生涯の伴侶《はんりょ》の、マーシャだ。ある家からひきとったんだ」彼はそういいながら、首を一つしゃくってみせた。「で、ぼくはあれを愛し尊敬している。だから、ぼくとつきあおうと思うやつはだれでも」そこで彼は声を高め、眉をひそめながらつけ足した。「あれを愛し、尊敬してもらいたいんだ。あれはぼくの妻も同じなんだから、まったく同じなんだから。さあ、これでおまえも相手がどんな人間かわかったろう。もし屈辱を感じるようだったら、さあ、その敷居をまたいで出て行ってもらおう」

すると、彼の目はまたさぐるように、すばやく一同を見まわした。

「なぜぼくが屈辱を感じたりするんです、さっぱりわからない」

「それじゃ、マーシャ（訳注　マリアの愛称）、夜食を持って来るようにいいつけてくれ。三人前だ、それからウォツカとぶどう酒……いや、待ってくれ……いや、かまわん……行ってくれ」

25

「そういうわけでね」ニコライは力んで額にしわをよせ、からだをひきつらせながら、言葉をつづけた。

どうやら、彼はなにを話し、なにをしたらいいのか、考えだすのに苦労しているようであった。「そういうわけでね……」彼は、部屋のすみにある縄《なわ》で縛ったなにか鉄棒みたいなものを指さした。「あれなんだがね。あれがわれわれのはじめようとしている事業の手はじめなんだ。その事業というのは、つまり、生産協同組合だ……」

リョーヴィンはほとんど聞いていなかった。彼は兄の結核らしい、病的な顔にじっと見入っていたが、見れば見るほどかわいそうになって、どんなに努力してみても、協同組合のことを説明する兄の話に身がはいらなかった。彼はこの協同組合なるものは、兄にとっては自己軽蔑から救ってくれる錨《いかり》にすぎないことを見てとった。ニコライは話をつづけた。

「おまえも知ってのとおり、資本は労働者を圧迫してる。わが国の労働者は、つまり、百姓は、労働の重みを一身に背負って、いくら働いても、家畜のような状態から抜け出すことはできないんだ。本来なら、彼らは賃金によっておのれの境遇を改善し、余暇をつくり、その結果として、教養を身につけることができるはずなんだが、その賃金の余剰利得はすっかり資本家に吸いとられてしまっているんだ。いや、この社会ってものは、あの連中が働けば働くほど、商人や地主が太っていって、連中は永久にただ働くための家畜で終るようにできているのさ。だから、こういう制度を変革しなくちゃならないんだよ」彼はそう話し終えると、もの問いたげに弟をながめた。

「ええ、それはもちろんですよ」リョーヴィンは兄のとびだした顴骨《かんこつ》の下ににじみ出た赤みをじっと見ながら、いった。

「そこでわれわれは今錠前屋の組合をつくろうとしているんだ。そこではいっさいの生産が、その利潤も、生産の主要な機械も、みんな共有になるんだ」

「その組合はどこにできるんです？」リョーヴィンはたずねた。

「カザン県のヴォズドレモ村だ」

「どうしてそんな村なんかに？　村じゃそれでなくても、仕事が多いようにみえるけれど。なんだって一つの村に錠前屋の組合なんかいるんです？」

「そりゃ、ほかでもないが、百姓たちが今も昔と同じ奴隷《どれい》状態におかれているからさ。おまえやコズヌイシェフは、連中がこの奴隷状態から救いだされようとしているのが気に入らないんだよ」ニコライは反駁《はんばく》されたので、いらいらしながら、いった。

リョーヴィンはそのとき、薄暗いきたない部屋を見まわしながら、ほっと溜息《ためいき》をついた。どうやら、この溜息がよけいニコライをいらいらさせたらしい。

「おまえやコズヌイシェフの貴族的な物の見方は、よくわかってるよ。あの男は現存する悪を弁護するために、あらゆる知力を用いているんだ、そりゃ、わかってるさ」

「違いますよ、それに、なんだってコズヌイシェフのことなんかいいだすんです？」

リョーヴィンは微笑を浮べながらいった。

「コズヌイシェフだって？　それはこういうわけさ！」コズヌイシェフの名前を耳にすると、ニコライはいきなりこう叫んだ。「いや、こういうわけさ……いや、なにもいうことはありゃしない！　ただ一つ……いったい、なんのためにおまえはここへやって来たんだ？　おまえが軽蔑しているのは、それでけっこうだよ。そんなら、さっさと出て行ってもらおう、さあ、出て行ってくれ！」彼はいすから立ちあがりながらどなった。「さあ、出て行け、出て行けったら！」

「ぼくはちっとも軽蔑なんかしてません」リョーヴィンはおずおずといった。「それどころか、議論だってしてないじゃありませんか」

そのとき、マーシャが帰って来た。ニコライは腹立たしげに振り返った。彼女は急いでそばへよると、なにやらささやいた。

「からだの調子が悪いものだから、すぐいらいらしてくるんだ」ニコライはしだいに落ち着いてきて、重々しく息をつきながら、いった。「おまけに、おまえがコズヌイシェフや、あの男の論文のことなどいいだすもんだから。あんなものはくだらん、でたらめだ、自己欺瞞《ぎまん》だ。正義を知らない人間が、正義についてなにが書ける？　きみはあの男の論文を読んだかね？」彼はまたテーブルに腰をかけながら、そうクリッキーに話しかけ、テーブルの上に散乱しているたばこを半分ほど片づけて、あいた場所をこしらえた。

「読みませんでしたよ」どうやら話に加わりたくないらしく、クリッキーは陰気くさい声で答えた。

「なぜ？」リョーヴィンはいらいらした調子で、今度はクリッキーのほうへ向きなおった。

「なぜって、そんなことに時間をつぶす必要を認めなかったからですよ」

「というと、失礼ですが、なぜきみはそれが時間つぶしだってことがわかるんです？　そりゃ、あの論文は多くの人にとって難解です、つまり、彼らの能力以上なんですよ。でも、ぼくは別ですよ、ぼくは彼の思想を見通しているので、なぜあれの力が弱いか、ちゃんとわかっているんです」

一同は口をつぐんだ。クリッキーはゆっくりと立ちあがって、帽子に手をかけた。

「夜食はして行かないの？　じゃ、失敬。あすは錠前屋といっしょに来たまえ」

クリツキーが出て行くが早いか、ニコライはにっこり笑って、目くばせしてみせた。「やっぱり、悪いのさ」彼は話しだした。「いや、ぼくにはちゃんとわかっているんだ……」しかし、そのときクリツキーが戸口で彼を呼んだ。

「まだなんの用事があるんだろう？」彼はいって、廊下へ出て行った。マーシャとふたりきりになると、リョーヴィンは話しかけた。

「もうずっと前から兄といっしょにおられるんですか？」彼はきいた。

「ええ、もう足かけ一年になりますわ。からだのぐあいがとても悪くおなりになりましてね。なにしろ、ずいぶんお飲みになるんで」彼女はいった。

「というと、どんなふうに飲むんです？」

「ウォツカを召しあがるんですけど、それがおからだにさわるんですの」

「そんなにたくさん？」リョーヴィンはつぶやくようにいった。

「ええ」彼女はおずおずと戸口を振り返りながら、いった。そこへニコライが姿を現わした。

「なんの話をしていたんだい？」彼は眉をひそめて、おびえたような目でふたりをかわるがわるながめながら、いった。「え、なんの話？」

「いや、べつに」リョーヴィンはどぎまぎしながらいった。

「いいたくなければ、いいさ。ただ、おまえなんか、あれと話なんかすることはないよ。あれはその辺の女だし、おまえは紳士だからな」彼は首を震わせながらいった。「おれにはちゃんとわかっているんだが、おまえはなにもかも承知して、それを評価したうえで、このおれの迷いに対して哀れみの態度をとっているんだろう」彼はまた声を高めながら、しゃべりだした。

「ニコライさん、ニコライさん」と、またマーシャは彼のそばへ近寄りながら、ささやいた。

「いや、わかった、わかった！……ところで、夜食はどうなった？　や、ちょうどいいとこへやって来たな」盆を運んで来たボーイを見て、彼はいった。「こっちだ、こっちへおいてくれ」彼は腹立たしげにいって、すぐウォツカをとりあげ、一杯つぐと、むさぼるように飲みほした。「飲めよ、おい」たちまち陽気になりながら、彼は弟に話しかけた。「もうコズヌイシェフの話はたくさんだよ。なんといっても、おまえに会えたのは愉快だよ。とやかくいっても、やっぱり赤の他人とは違うからな。さあ、飲めよ。そして、今どんなことをやってるか話してくれ」がつがつと一切れのパンをかみ、二杯めを注《つ》ぎながら、彼は言葉をつづけた。「暮しはどうかね？」

「昔どおり、田舎でひとり暮しをして、領地の経営をやってますよ」兄ががつがつ飲んだり食ったりするのを、ぞっとする思いでながめながらも、それを気どられまいとして、リョーヴィンはそう答えた。

「なぜ結婚しないんだい？」

「チャンスがなかったんですよ」リョーヴィンは赤くなって答えた。

「なぜ？ そりゃおれなんか、もうおしまいさ。おれは一生を棒にふっちまったのさ。これは前にもいったことだし、これからもまたいうかもしれんが、もしおれが必要なときに財産の分け前をもらってたら、おれの生涯《しょうがい》もまるっきり別のものになってたろうね」

リョーヴィンは急いで話題を変えた。

「それはそうと、あなたの使っていたワニューシカは、今、ポクローフスコエでぼくの番頭をしていますよ」彼はいった。

ニコライはぴくっと首をひっつらせて、考えこんだ。

「そうだ、ひとつ、ポクローフスコエ村の様子を話してくれよ。どうだ、屋敷は相変らず健在かね？ あの白樺《しらかば》の林も、おれたちの習った教室も？ 庭師のフィリップもまだ達者かね？ あの四阿《あずまや》だの、ソファだのは、今でもよく覚えているよ！……おい、いいかね、家の中の様子はなんにも変えちゃいけないぜ。まあ、早く結婚して、また昔とおんなじようにやってくれ。そうしたら、おれはおまえんとこへ行くよ、おまえの細君がいい人だったらな」

「いや、今すぐぼくんとこへ来ませんか」リョーヴィンはいった。「ふたりして愉快に暮せるんだがなあ！」

「コズヌイシェフに出くわさないとわかってたら、行ってもいいんだがね」

「出くわしゃしませんよ。ぼくはあの人からまったく独立して暮してるんだから」

「そうか、しかし、なんといっても、おまえはあの男かおれか、どちらかを選ばなくちゃなるまいよ」彼はおずおずと弟の目をのぞきこみながらいった。このおずおずしたところがリョーヴィンの心をうった。

「もしその点についてぼくの本心を聞きたいというのなら、はっきりいいますが、あなたとコズヌイシェフのけんかでは、ぼくはそのいずれにも味方しません。だって、あなたは外面的に正しくないし、あの人は内面的にまちがっていますから」

「おい、ほんとか！　おまえにはそれがわかっていたんだな。それがわかっていたんだな！」ニコライはさもうれしそうに叫んだ。

「でも、なんならいいますがね、ぼくは、あなたとの友情をもっと尊重しますよ、なぜって……」

「なぜ、なぜだね？」

リョーヴィンがニコライとの友情を大切にするのは、この兄が不幸なために、友情を必要とするからだったが、それをいうわけにはいかなかった。ところが、ニコライは、弟がいおうとしたのがまさにそのことであることを悟って、眉をひそめながら、またウォツカに手をかけた。

「もういけませんよ、ニコライさん」

むっちりした、むきだしの手をフラスコのほうへのばしながら、マーシャはいった。

「おい、放せ！　とやかくいうな！　なぐるぞ！」ニコライは叫んだ。

マーシャはにっこりと、やさしいつつましい微笑を浮べたが、その微笑はニコライにも伝わった。そこで、彼女はウォツカをとりあげた。

「いや、おまえはこんな女になにがわかるものかと思ってるんだろう？」ニコライはいった。「でも、これはだれよりもいちばんよくわかっているんだよ、なあ、これはなにかしらいいところが、かわいいとこがあるだろう？」

「あなたは前に、一度もモスクワにいらしたことがないんですか？」リョーヴィンはただなにか話をするために、マーシャに向ってきいてみた。

「おい、これにそんなあなた言葉を使うなよ。かえって恐縮するからな。今までだれひとり、あなた言葉で話しかけたものなんかいないからな。ただ、あの治安判事だけは別さ。これが女郎屋から足を抜こうとしたとき、裁判ざたになったのさ。それにしても、この世の中のことなんて、なにもかも無意味なことばかりじゃないか」彼は急に大声でいった。「いや、新しい制度は、治安判事にしても、地方自治体にしても、まったくなんという醜態だ！」

そういって、彼はその新しい制度に直面したいろいろの場合を話しはじめた。

リョーヴィンは兄の話を聞いていた。そして、相手がすべての社会的施設に否定的見解をとっている点については彼も同感であって、自分でもよくそれを口にしたものだが、今それを兄の口から聞かされると、不愉快であった。

「あの世へ行ったら、なにもかもすっかりわかるでしょうよ」リョーヴィンは冗談半分にいった。

「あの世だって？　いや、おれはあの世がきらいだよ！　きらいだね」ひどくおびえたような目で弟を見すえながら、彼はいった。「そりゃ、自分のことにしろ、他人のことにしろ、いっさいのけがらわしいごたごたから抜け出すことができたら、せいせいするだろうなあ。でも、死ぬのはこわいよ、死ぬのは、ぞっとするほどこわいんだ」彼はぶるっと身を震わせた。「まあ、なにか飲めよ。シャンパンがいいかい？

それとも、どこかへ出かけるか？　ジプシーのとこへでも出かけようじゃないか！　なあ、おれはジプシーと、やつらの歌うロシア民謡が、すっかり好きになったんだよ」

彼は舌がまわらなくなり、その話題もあちこちへとんで行った。リョーヴィンはマーシャの助けをかりて、どこへも行かないように兄をなだめ、完全に酔いつぶれたところを寝かせつけた。

マーシャはリョーヴィンに、なにか困ることがあったら手紙を出すことを、またニコライが彼のところへ移り住むように説得することを約束した。

26

その翌朝、リョーヴィンはモスクワを発《た》って、晩にはわが家へ帰り着いた。帰りの汽車の中で、彼は隣りあわせた人びとと、政治のことや、新しい鉄道のことなどを話し合ったが、またしてもモスクワにいたときと同じように、観念の混乱や、自分自身に対する不満や、なにものかに対する羞恥《しゅうち》に悩まされた。しかし、自分のおりる駅へ着いて、外套《がいとう》の襟《えり》を立てた、片目の御者のイグナートの姿を見つけたり、停車場の窓からさしているぼんやりした光の中に、じゅうたんを張った自分の橇《そり》と、輪や房《ふさ》を飾った馬具をつけて、しっぽを縛られた自分の馬を見たり、御者のイグナートが橇のしたくをしながら、村の新しい出来事を、たとえば、請負師が来たことや、雌牛のパーヴァが子を生んだことなどを話すころには、しだいに気分もおさまっていき、その羞恥心も、自分に対する不満も、薄らいでいくのを感じた。それはイグナートと馬を見た瞬間に感じたことであった。しかし、持って来てくれた毛皮外套をまとい、膝掛《ひざか》けにくるまって橇に落ち着き、これから村でする仕事を考え、乗馬用だったのが、足を痛めたために引き馬にしたものの、今でもかなり元気のいいドン産のわき馬をながめながら出発したときには、彼も自分の身に起ったことを、まったく別の角度から解釈しはじめていた。彼は自分を自分として感じ、それ以外のものになりたいとは思わなかった。ただ、今は、前よりもっといい人間になりたかった。第一に、きょうからのちはもう結婚によって得られる並みはずれた幸福など期待せず、したがって、現在をおろそかにするようなことはしないと決心した。第二に、今後は彼が結婚を申し込もうと考えたとき、その記憶のためにひどく苦しめられたあのけがらわしい情欲にけっしておぼれるようなことはしないと決心した。それから、兄ニコライのことを思い起しながら、もうけっして兄のことを忘れず、兄が困ったときはいつでも救いの手がさしのべられるよう、いつもその動静に気をつけて、行くえを見失わぬようにしようと、自分に誓った。また、そのときが間もなくやって来ることを彼は感じた。それから彼がきわめて軽くあしらった、共産主義についての兄の話も今では彼を考えこませるのであった。彼は経済条件の改革などくだらないことのように思っていた。しかし、彼はいつも民衆の貧困に比べて、自分のあまりに豊かな牛活を不正と感じていたので、いまや彼はひそかに、自分がまったく正しいと確信するために、今までずいぶんよく働き、ぜいたくを慎んできたけれど、これからはもっと働き、もっとぜいたくを慎もうと決心した。そして、こんなことは自分にとっていとも簡単なことのように思われたので、彼は道々このうえもなく快い空想にひたっていた。彼はよりよき新牛活を期待するはずんだ気持で、夜の八時すぎに、わが家へ帰り着いた。

家で家政婦の役目を勤めている年とったばあやのアガーフィヤの部屋の窓から漏れる光が、屋敷の前にある小さな広場の雪にさしていた。老婆《ろうば》はまだ寝ていなかったのである。アガーフィヤに起されたクジマーが、寝ぼけた眼《まなこ》ではだしのまま、入口の階段へ駆けだして来た。雌の猟犬のラスカは、クジマーの足をはらわんばかりの勢いで、同じように飛びだして来て、彼のひざに身をすりよせ、後足で立っては、主人の胸に前足をかけようとしたが、そこまではしなかった。

「まあ、お早いお帰りでございますね、だんなさま」アガーフィヤはいった。

「家が恋しくなってね、アガーフィヤ。お客に行くのも悪くはないが、やっぱり、わが家のほうがいいからねえ」彼は答えて、自分の居間へ通った。

居間は運ばれて来たろうそくで、だんだんに照らしだされていった。なじみの深いこまごましたものが、闇《やみ》の中から浮きだしてきた——鹿《しか》の角、本棚《ほんだな》、鏡、通風孔を修繕しなければならない暖炉、父譲りのソファ、大きなテーブル、その上に開いたままの本、こわれた灰皿、彼の手で書きこんである帳面。彼はこうした品々を見たとき、道々空想してきた新生活がはたして可能かどうかと、一瞬疑いをいだいた。すべてこうした生活の痕跡《こんせき》が、まるで一時に彼をとりかこんで、こう語りかけて来るように思われたからである。《いや、だめだよ、おまえはおれたちから逃げだせないさ。別人になんかなれっこないさ、相変らずもとのままだろうよ。おまえの懐疑も、永久の自己不満も、自己改造のむなしい試みも、堕落も、今までも、またこれからも与えられるはずのない幸福を永遠に期待する気持も》

しかし、それをいったのは彼の持ち物であって、内なる声は、過去に屈服してはいけない、決意したからにはどんなことでもできる、とささやいていた。で、彼はこの声に従いながら、一対《つい》の十六キロ啞鈴《あれい》の置いてある片すみへ行って、気持をふるいたたせようと努めながら、体操をはじめた。戸の外でぎしぎしという靴音《くつおと》が聞えた。彼は急いで啞鈴を置いた。

支配人がはいって来て、幸い万事うまくいっているが、ただ新しい乾燥機でそばが焦《こ》げたむねを報告した。この知らせはリョーヴィンをいらいらさせた。この新しい乾燥機はある程度までリョーヴィンの考案にかかるものであった。支配人はずっとこの乾燥機に反対だったので、いまや内心得々としながら、そばが焦げたと報告したのであった。一方、リョーヴィンは、もしそばが焦げたとしたら、それはあれほど繰り返しいいつけておいた方法をとらなかったためにほかならない、と堅く信じこんでいた。彼はいまいましくなって、支配人に小言をいった。ところが、ただ一つ重大な喜ばしい出来事があった。博覧会で買った良種で高価な雌牛のパーヴァが子牛を生んだのである。

「クジマー、毛皮外套をくれ。それから、きみは明りを持って来るようにいいつけてくれ。ひとつ見に行ってくるから」彼は支配人にいった。

大事な牛を入れてある牛舎は、屋敷のすぐうしろにあった。彼はライラックの根もとの雪だまりをさけて内庭を横ぎり、牛舎へ近づいた。凍《い》てついた戸があいたとき、生暖かい牛糞《ぎゅうふん》のにおいがぷんと鼻をついた。そして、慣れない提灯《ちょうちん》の明りにびっくりした牛どもは、新しい敷《し》き藁《わら》の上でもぞもぞと動いた。黒ぶちのオランダ牛のすべすべした大きな背中が、ちらりと見えた。じっと横になっていた、鼻輪をつけた雄牛のベルクートは、人がそばを通ったとき、起きあがろうとしたが、また考えなおして、ただ二度ばかり鼻を鳴らしただけだった。河馬《かば》のように大きな赤毛の美女パーヴァは、くるりと向きを変え、はいって来た人たちからわが子をかばいながら、それを嗅《か》ぎまわしていた。

リョーヴィンは柵《さく》の中へはいって、パーヴァをながめまわし、赤ぶちの子牛をひょろひょろした長い足で立たせてみた。パーヴァは気をもんでうなりかけたが、リョーヴィンが子牛を返すと安心して、重々しく大きな吐息をつき、そのざらざらした舌でわが子をなめはじめた。子牛は乳房を捜しながら、鼻先で母親の股《また》の付け根を突きあげ、しっぽを振っていた。

「おい、こっちを照らしてくれ、フョードル、提灯をこっちへ」リョーヴィンは子牛をながめながらいった。「母親そっくりだな！　もっとも、毛色だけは父親似だが。こりゃ、いいぞ。足も長いし、腰もしっかりしてる。なあ、ワシーリイ、いいだろう？」子牛の生れた喜びにまぎれて、そばの件はすっかり仲直りしながら、彼は支配人に話しかけた。

「どちらに似たって、悪いはずはございませんよ。ところで、請負師のセミョーンが、お発ちになったあくる日にやってまいりました。あの男との相談もきめなけりゃなりませんな、だんなさま」支配人はいった。「機械のことは先ほどご報告いたしましたな」

このたった一つの問題が、大がかりで複雑な領地経営の雑事へ、リョーヴィンを引きずりこんでしまった。そこで、彼は牛舎からまっすぐに事務所へおもむき、支配人と請負師のセミョーンとしばらく話をすると、屋敷へもどって、すぐその足で二階の応接間へ通った。

27

それは大きな古い屋敷であった。リョーヴィンはひとりで暮していたけれども、暖房をして家じゅうを占領していた。彼もそんなことはばからしいことと承知していたし、いや、それどころか、それがよくないことで、今度の新しい計画にそむくことも心得ていたが、しかし、この屋敷はリョーヴィンにとって全世界にひとしかった。それは、彼の父母が暮し死んで行った世界であった。この両親の生きていた世界は、リョーヴィンにとってあらゆる完成の理想であり、彼はそれを自分の妻、自分の家族とともに復活させようと夢みていたのである。

リョーヴィンはほとんど母親を覚えていなかった。母親についての思いは、彼にとって神聖な追憶であり、空想に描く未来の妻は、母親がそうであったように、美しく神聖な女性の理想の再現でなければならなかった。

彼は女性に対する愛というものを、結婚を除いては想像することすらできなかったのみならず、まず最初に家族を思い描いたのち、はじめて家族を与えてくれる母親を思い描くのだった。したがって、彼の結婚観は、結婚を数多い社会的事件の一つにすぎないとする知人の大多数のそれとは似ても似つかないものだった。リョーヴィンにとっては、結婚は彼のいっさいの幸福を左右する生活の重要な事がらであった。ところが今、彼はそれを断念しなければならなかった。

リョーヴィンがいつも茶を飲む小さい客間へはいって、本を手に肘掛《ひじか》けいすにすわり、アガーフィヤがお茶を持って来て、例の調子で「だんなさま、わたくしもかけさせていただきますよ」といいながら、窓ぎわのいすに腰をおろしたとき、それがどんなにふしぎなことであろうとも、彼は自分が例の空想とたもとを分ったり、この空想なしで生きるなんてとても不可能なことであると感じた。相手が彼女であるか、またはほかの女であるか、いずれにしても、その空想は実現されるであろう。彼は本を読んだり、読んだことを考えたり、アガーフィヤの話を聞くために、時おり読むのをやめた。老婆はひっきりなしにしゃべりつづけたが、それと同時に、領地の経営や未来の家庭生活のさまざまな光景が、なんのつながりもなく、彼の想像に浮んでくるのだった。彼は、心の奥底でなにかが確立し、調節され、おさまっていくのを感じた。

　彼はアガーフィヤの話を聞いていたが、それはプローホルが神さまを忘れて、馬を買えといってリョーヴィンがやった金で、夜昼なしに飲んだくれて、女房を死ぬほどなぐったというのであった。彼は聞きながら本を読んでいるうちに、読書で呼びさまされた思想の流れを、すっかり思い起した。それはチンダル（訳注　一八二〇―一八九三。イギリスの科学者）の熱力論であった。彼は、チンダルがおのれの実験の巧みさに自己満足していることと、哲学的な見解が不十分であることを、かつて自分が批判したことを思いだした。と、不意に喜ばしい思いが浮んだ。

《もう二年もすれば、うちの牛小屋にはオランダ牛の雌が二頭になる。パーヴァのやつもまだ生きてるだろうし、ベルクートの若い十二頭の雌牛がいるから、あの三頭をうまいとこまぜたら――すばらしいぞ》彼はまた本を読みだした。

《まあ、電気も熱も同じことなんだから。ところで、問題の解決のために、ある方程式で一つの量を別のものに置き換えることは、はたして可能だろうか？　そりゃ、だめだ。それじゃ、どうしたらいいのだ？　自然界のあらゆる力の関連は、そうでなくても、本能で感じられるからな……パーヴァの子がもう赤ぶちの雌牛になって、全体の中にあの三頭をまぜるのかと思うと、まったく愉快だよ！……すばらしいじゃないか！　いや、女房や客たちといっしょに、牛の群れを出迎えに行くなんて……女房のやつは、『あたし、宅のコスチャとふたりで、この雌牛を、まるで赤ちゃんみたいに世話しましたのよ』なんていうんだ。すると、客のだれかが『どうしてそんなに興味がおありなんでしょうね？』ときくんだ。『宅の興味があることは、なんでもあたしにもおもしろいんですの』それにしても、その女房には、いったい、だれがなるんだろう？》彼はそこでモスクワでの出来事を思いだした……《ああ、どうすればいいんだ……なにもおれが悪いんじゃないからな。しかし、今度はなにもかも新規まきなおしだ。生活が許さない、過去が許さないなんていうのは、ばかげた考えだ。もっとよく、もっとずっとよく生きるために、がんばらなくちゃ……》彼はちょっと頭をもちあげて、考えこんだ。老犬のラスカは主人が帰って来た喜びをまだよくのみこめないで、もうすこしほえるために内庭を駆けまわっていたが、しっぽを振りふり、冷たい空気のにおいを身につけて帰って来ると、彼のそばへよって、手の下へ首を突っこみ、哀れっぽくかぼそい鳴き声をたてながら、もっとかわいがってくれとせがむのだった。

「ただ、ものがいえないばかりでございますよ」アガーフィヤがいった。「犬とはいっても……ご主人さまが、お帰りになって、ふさいでいらっしゃることが、ちゃんと、わかっているんですからね」

「なんでふさいでいるんだい？」

「まあ、だんなさま、あたくしにそれがわからないとお思いで？　もうだんなさま方のお気持はわかる年でございますよ。なにせ、小さいころから、だんなさま方の中で大きくなったんでございますもの。だんなさま、ご心配にはおよびませんよ。ただお達者で、やましいお気持さえなければ」

相手が自分の気持を見ぬいたのに驚きながら、リョーヴィンはじっと老婆を見つめた。

「さあ、お茶をもう一杯持ってまいりましょうか？」といって、アガーフィヤは茶碗《ちゃわん》を持って出て行った。

犬のラスカは相変らず、リョーヴィンの手の下へ首を突っこんでいた。彼がちょっとなでると、犬は突き出した後足の上に首をのせて、すぐ彼の足もとにくるりと丸くなった。そして、今度はなにもかも気に入っているというしるしに、心もち口をあけ、唇《くちびる》を鳴らし、年とった歯の上にねばっこい唇をいっそうぐあいよくのせ、心から安心しきった様子で静まりかえった。リョーヴィンはこの犬の最後の動作を注意ぶかく見守っていた。

《このおれもあれとおんなじだ！》彼はつぶやいた。《おれもあれとおんなじさ！　なあに、たいしたことはない、万事うまくいってるさ》

28

舞踏会のあと、朝はやくアンナは夫あてに、きょうモスクワを出発すると電報をうった。

「いいえ、だめなの、どうしても帰らなくちゃ」まるで数えきれないほどの用事を思いだしたといった調子で、アンナは予定の変更を兄嫁に説明した。「いいえ、もうきょう発《た》つほうがいいのよ！」

オブロンスキーはうちで食事をしなかったが、七時には妹の見送りに帰って来ると約束した。

キチイも頭痛がするからという書きつけをよこして、やはりやって来なかった。ドリイとアンナは、子供たちとイギリス婦人だけを相手に、食事をした。子供たちは気まぐれなせいか、それとも敏感に、この日のアンナ叔母さんは、あれほど好きになった到着の日とはまるっきり違って、もう子供たちのことなんかかまってくれないのだと悟ったためか、いずれにしても、子供たちは急に叔母さんといっしょに遊ぶのも、叔母さんを愛するのもやめてしまい、叔母さんが帰るということも、まったく問題にしていなかった。アンナは午前中ずっと、出発の準備に追われていた。モスクワの知人に手紙を書いたり、勘定を払ったり、荷物をこしらえたりしていた。どうやら、ドリイの目には、アンナが落ち着いた気分になれず、ドリイ自身も覚えがある、なにか気がかりなことのために、いらいらしているように思われた。それにはなにか理由がなくてはならないもので、多くの場合、自分自身に対する不満に根ざしているものであった。食後、アンナは着替えに自分の居間へ行った。ドリイもそのあとにつづいた。

「あなた、きょうは少し変ね！」ドリイはいった。

「あたしが？　そう見えて？　あたし、変なのじゃなくって、いけない女なのよ。よくあることなの。すぐ泣きたくなってしようがないの。ほんとにばかげてるけど、じきなおってよ」アンナは早口にいって、ナイトキャップや精麻《バチスト》のハンカチをつめていた玩具《がんぐ》のような袋に、上気した顔をうずめた。そのひとみはいつにもましてきらきらと輝き、たえず涙がにじんでいた。「ペテルブルグを発つときも気が進まなかったけれど、今もここを発って行きたくないわ」

「あなたはここへ来て、いいことをしてくださったんだわ」ドリイは注意ぶかくじっとアンナをながめながら、いった。

アンナは涙にぬれたひとみで、ちらっとドリイを見た。

「そんなこといわないで、ドリイ。あたし、なんにもしやしなかったし、できもしなかったんですもの。あたし、よくふしぎに思うんだけど、なぜ人はあたしをだめにしようなんて思うのかしら。あたしがなにをしたというの、なにをすることができたかしら？　あなたの胸の中に許すだけの愛情があったからこそ……」

「でも、あなたって人がいなかったら、それこそどんなことになったかしれなくってよ！　アンナ、あなたはほんとにしあわせな方ねえ」ドリイはいった。「あなたの胸の中はすみからすみまで澄みきっていて、きれいなんですもの」

「人はだれでも心の中に、イギリス人のいうskeletons（訳注　秘密）を持っているのよ」

「まあ、あなたにどんなskeletonsがあるの？　だって、あなたはどこも、そりゃ澄みきっているじゃないの」

「いいえ、あるのよ！」不意にアンナはいった。と、涙のあとでは思いもよらぬいたずらっぽい、笑い上戸《じょうご》らしい微笑が唇をゆがめた。

「まあ、それじゃ、あなたの skeletons は暗いものじゃなくて、こっけいなものね」ドリイは微笑を浮べながらいった。

「いいえ、暗いものよ。どうしてあたしがあすでなしにきょう発つか、わかって？ ねえ、これはずっと胸につかえていた告白なのよ、今あなたにそれを打ち明けたいの」思いきった様子で、肘掛けいすの背に身を投げかけ、まっすぐにドリイの目を見つめながら、アンナはいった。

そして、ドリイのびっくりしたことには、目の前のアンナ[illegible]の付け根から、黒い編み髪のうねっている首筋まで、まっ赤になっていた。

「ほんとよ」アンナはつづけた。「なぜキチイがお食事に来なか[illegible]わかって？ あの人はあたしに嫉妬《しっと》してるのよ。だって、あたしがだめにしたんで[illegible]舞踏会があの人に喜びでなくって、苦しみになったのは、あたしのせい……あのでもね、ほんとは、ほんとうは、あたしが悪いんじゃないの。それとも、[illegible]もの。っとだけ悪いのかしら」『ほんのちょっと』という言葉を引っぱりながら、[illegible]かぼそい声でいった。

「まあ、あなたの言い方ったら、スチーヴァそっくりよ」ドリイは笑いながらい[illegible]

アンナは気を悪くした。

「いいえ、違うわ、違いますわ！　あたしはスチーヴァとは違うわ」彼女は眉《まゆ》をひそめながらいった。「あたしが打ち明けるのは、一瞬でも、自分で自分を疑うようなことがしたくないからなの」アンナはつづけた。

　しかし、アンナはそういった瞬間、それが真実ではないことを感じた。アンナ
分で自分を疑っていたばかりでなく、ヴロンスキーのことを思うと、心の動揺
ていたからである。いや、現に、予定よりも早く発とうとしているのは、
に会わないようにするためばかりであった。

「ええ、スチーヴァが話していたわ、あなたがあの人とマズルカを踊　あの人が……」

「それがどんなにおかしなことになったか、想像することもで　いわ。あたしはね、ただ結婚のお話をまとめようとしただけなの、それが急にま　きり別なふうになってしまって。でも、ひょっとすると、あたし自身の心にもなく……」

　アンナは頰《ほお》をそめて、口ごもった。

「まあ、世間の人たちはすぐそうしたことに感づくものよ」ドリイはいった。

「でも、あの人のほうになにか真剣なものがあるとしたら、あたし、もうどうしたらいいかわからないわ」アンナは相手の言葉をさえぎった。「そりゃ、あたしもこんな

ことはなにもかも忘れられてしまって、キチイもあたしを憎んだりしないようになるってことを信じていますけれど」

「でもね、アンナ、はんとのことをいうと、あたし、この縁談はキチイのためにあまり望ましくないと思ってるのよ。もしもあの人が、ヴロンスキーさんが、たった一日であなたに恋してしまうようだったら、むしろ、こんなお話はこわれたほうがいいのよ」

「まあ、ほんとに、こんなばかげたことってありませんわ！」アンナはいったが、自分の心を占めていた思いが言葉になって語られたのを聞くと、またもや深い満足の紅がその顔をそめた。『ねえ、あたしはこうやって、あれほど好きになったキチイを敵にして、このまま発って行くのね。ああ、ほんとにかわいい人ねえ！　でもドリイ、あなたはなんとかしてうまくとりつくろってくださるわね？　ねえ？』

ドリイはやっとのことで、笑いをこらえていた。彼女はアンナを愛していたけれども、この妹にも弱点があるのだと思うと、なんとなく快かったのである。

「まあ、敵ですって？　そんなことってないわ」

「そりゃ、あたしだって、こちらがあなた方を愛しているのと同じように、あなた方みんなから愛してもらいたいわ。それに、今度は前よりもっとあなた方が好きになったんですもの」アンナは目に涙を浮べながらいった。

「ああ、きょうはどうかしてるわね、あたしったら」

アンナはハンカチで顔をぬぐい、着替えにかかった。

もういよいよ出かけるというときになって、遅れたオブロンスキーが、楽しそうな赤ら顔で、酒と葉巻のにおいを振りまきながら、帰って来た。

アンナの感傷はドリイにも感染した。そこで、最後に義妹を抱きしめたとき、ドリイはこうささやいた。

「ねえ、アンナ、覚えててね、あなたがあたしのためにしてくれたことは、一生忘れないわ。それから、あなたをいちばんの親友として、あたしが昔も今も、これからも永久に愛しつづけるってことを、忘れないでね」

「あたしにはわからないわ、なぜそんなにいってくださるのか」ドリイに接吻《せっぷん》して涙を隠しながら、アンナはいった。

「あたしの気持をわかってくださったんですもの、今だってそうよ。じゃ、アンナ、お大事に」

29

《ああ、これでなにもかもおしまいだわ、ありがたいことに！》第三のベルが鳴るまで車室の入口をふさいで立っていた兄と最後の別れをつげたとき、アンナの頭にはこういう思いがひらめいた。アンナはアンヌシカと並んで自分の席に腰をおろすと、寝台車の薄明りの中を見まわした。《おかげさまで、やっと、あしたはセリョージャとアレクセイに会えるんだわ。そうすれば、また昔ながらの、慣れっこの快い生活がはじまるんだわ》

この日一日つづいていた、あの万事に気をつかわなくてはいられぬような気持はまだおさまっていなかったが、アンナは満ち足りた気持をいだきながら、きちょうめんに道中の用意にかかった。例の小さなすばしこい手で、赤い手さげをあけてまたしめると、膝掛《ひざか》けを取り出して膝にのせ、きちんと両足をくるみ、ゆったりと席に落ち着いた。ひとりの病身らしい婦人は、もう寝じたくをしていた。ほかのふたり連れの婦人はアンナに話しかけ、太った老婦人は足をくるみながら、暖房のことでなにか小言をいった。アンナはこれらの婦人たちに、二言《ふたこと》三言《みこと》返事をしていたが、話がたいしておもしろそうでなかったので、アンヌシカに明りを出すようにいい、それを肘掛けいすの腕木に縛りつけ、ハンドバッグからペーパー・ナイフとイギリスの小説を取り出した。はじめのうちは読んでも身がはいらなかった。最初はまわりの混雑と、人びとの足音がじゃまになったし、汽車が動きだしてからは、その響きに耳を傾けないわけにいかなかった。それから後は、左側の窓を打ってはガラスに凍《い》てつく雪や、片方から雪に吹きつけられながら、外套《がいとう》にくるまってそばを通りすぎて行く車掌の姿や、外は今すごい吹雪だとまわりの人びとの話す声に気がちってしまった。それから先は、ずっと同じようなことばかりであった——相変らず、ごとんごとんという音を伴った震動、窓に吹きつける雪、熱くなったり冷たくなったりするスチームの急激な転換、薄明りの中にちらつく人びとの顔、話し声など。やがてアンナは読書にかかり、読んだことが頭にはいりだした。アンヌシカは片方の破れた手袋をはめた、幅の広い手で、ひざの上に赤い手さげを握ったまま、もう居眠りをはじめていた。アンナは読んだことを理解していったが、しかし、読んでいても楽しくなかった。というのは、他人の生活の反映などを追って行くのは、不愉快だったのである。アンナは、ほかならぬ自分自身が生きて行きたい思いでいっぱいであった。小説の女主人公が病人の看護をしているところを読むと、アンナは自分も足音を忍ばせて病室を歩きまわりたくなったし、国会議員が演説をするところを読むと、アンナも同じ演説がしたくなるのだった。また、メリイ夫人が騎馬で鳥を撃ちに行きながら、弟の嫁をからかって、その大胆なふるまいで一同を驚かすところを読むと、自分もそれと同じことがしたくなるのだった。しかし、なにもすることがなかったので、アンナはその小さな手でつるつるしたペーパー・ナイフをいじりながら、読書に身を入れようとした。

小説の主人公はもはや男爵《だんしゃく》の位と領地という、イギリス人としての幸運を手に入れはじめていた。そこで、アンナも彼とともにその領地へ乗りこみたくなったが、そのとき急に、アンナは小説の主人公がきっとそれを恥ずかしく思うにちがいないと感じ、彼女自身もそれが恥ずかしいことのような気がした。しかし、小説の主人公は、いったい、なにが恥ずかしいのだろうか？　《あたしはいったい、なにが恥ずかしいのかしら?》なにか侮辱されたようにびっくりして、アンナは自問した。そして、本を置き、ペーパー・ナイフを固く両手で握りしめたまま、いすの背に身を投げかけた。恥ずかしいことはなにもなかった。アンナはモスクワの思い出をいちいち調べてみた。それはなにもかも快い楽しい思い出ばかりだった。あの舞踏会の一件を思い起し、ヴロンスキーとその恋に酔ったような従順な顔つきを思いだし、相手に対する自分の態度をすっかり思いだしたが、なにも恥ずかしいことはなかった。ところが、それと同時に、追憶がここまでくると、羞恥《しゅうち》の念はいっそう強まってくるのであった。それはまるでアンナがヴロンスキーのことを思い起したとき、なにかしら内なる声が、《胸の中が暖かいわ、とても暖かいわ、熱いくらいだわ》とささやいているようであった。《まあ、それがなんだっていうの？》アンナはいすの上にすわりなおして、きっぱりと自分にいいきかせた。《これはいったいどういう意味なの？　あたしはそれをまともに見るのがこわいのかしら？　まあ、どうしたってことなの、あの坊やのような士官とあたしのあいだに、普通の知人同士とは違ったなにかほかの関係があるっていうの、いいえ、そんなことってありうるかしら？》

アンナはさげすむように、にやりと笑って、また本を取りあげたが、もうなにを読んでいるのか、さっぱりわからなかった。アンナはペーパー・ナイフで窓ガラスをこすり、それから冷たいつるつるした刃を頬にあてたが、不意に、なんということもなくこみあげてくる喜びに、思わず、声をあげて笑いそうになった。アンナは、自分の神経がねじに巻かれた楽器の絃《げん》のようにしだいに強く張っていくのを感じた。そのひとみはいよいよ大きく見ひらかれ、手足の指は神経質に動き、胸の中ではなにものかが息をおさえつけ、この揺れ動く薄闇《うすやみ》の中にあって、すべての形象や響きが異常なあざやかさで、自分を驚かせたことを感じた。ふと、アンナは汽車は前へ走ってるのか、うしろへ走ってるのか、それともまるっきり動かないのか、疑ってみるのだった。そばにいるのはアンヌシカだろうか、それとも知らない女だろうか？《あれはなんだろう、あの腕木にかかっているのは？　毛皮外套かしら、それとも獣かしら？　それに、ここにいるあたし自身はなにものだろう？　あたし自身かしら、それともほかの人かしら？》アンナはこうして自分を忘れるのが恐ろしかったが、なにものかがそうさせるのであった。しかし、アンナは忘却に身をゆだねるのも、おのれをおさえつけることも、意のままであった。アンナはわれに返るために立ちあがり、膝掛けを捨てて、暖かい服のケープをはずした。その瞬間、アンナはわれに返った。おりからはいって来た、ボタンのとれた南京木綿《ナンキン》の外套を着た、やせた百姓男が暖炉たきであって、寒暖計を見にやって来たことも、そのうしろの戸口から風と雪がどっと吹きこんで来たのにも気づいた。しかし、それからまたなにもかもがまじりあってしまった……その胴長の百姓男は、壁の中でなにかがりがりかじりはじめたし、老婆《ろうば》は車室の長さいっぱいに足をのばして、車の中を黒い雲でいっぱいにしてしまった。それから、まるでだれかが八つ裂きにでもされたように、恐ろしい悲鳴が起り、なにやら音ががたがたしはじめた。それから、赤い火が目をくらませたかと思うと、なにもかも一面の壁に隠れてしまった。アンナは、自分がどこかへ落ちて行くような感じがした。しかし、こうしたことはすべて恐ろしいどころか、かえって楽しいものであった。雪だらけの外套にくるまった男の声が、アンナの耳のすぐ下でなにかどなった。アンナは立ちあがって、われに返った。と、汽車が停車場に近づいたことと、今のは車掌だったことがわかった。アンナは脱いだばかりのケープとプラトーク（訳注 ショール）を取りだすようアンヌシカにいい、それを身に着けると、戸口のほうへ歩いて行った。

「外へお出になるのですか？」アンヌシカはきいた。

「ああ、ちょっと、外の空気が吸いたくて。ここはひどい暑さだもの」

そういって、アンナはドアをあけた。吹雪と風がどっと吹きつけて来て、アンナとドアの奪いあいをはじめたが、それもアンナにはおもしろかった。アンナはドアをあけて、外へ出た。風はまるでアンナが出るのを待っていたかのように、うれしそうに口笛を吹きながら、アンナを引っぱって連れて行こうとした。しかし、アンナは冷たい鉄の柱につかまって、頭の布をおさえたまま、プラットフォームへおりると、車の陰へはいった。風はステップの上では強かったが、列車の陰になったプラットフォームは静かだった。アンナは楽しそうに胸をはり、雪まじりの凍てついた空気をいっぱいに吸いこんで、車のそばに立ちながら、プラットフォームや明りに照らされた停車場を見まわしていた。

30

恐ろしい吹雪が停車場のすみずみから起って、列車の車輪のあいだや、柱のまわりを荒れ狂い、たけり狂った。列車や、柱や、人びとなどすべて見える限りのものは、片方から雪をかぶって、その雪はしだいに厚くなっていった。あらしは時に、ほんの一瞬だけ静まったが、すぐまた恐ろしい勢いでどっと襲って来るので、とてもそれに面と向って立っていられそうもなかった。ところが、人びとはそのあいだにも、愉快そうに話し合ったり、プラットフォームの板をきしませたり、たえず大きなドアをあけたりしめたりしながら、あちこち駆けまわっていた。前かがみになった人間の影が、アンナの足もとをかすめたかと思うと、鉄を打つ金槌《かなづち》の音が聞えた。「電報をよこせ！」というおこったような声が、向う側の荒れ狂う闇の中から起った。「こちらへどうぞ！　二十八号車です！」というまちまちな叫び声がして、外套に身をつつんで、雪をかぶってまっ白になった人びとが、駆けぬけて行った。火のついたたばこをくわえたどこかの紳士がふたり、そばを通りすぎた。アンナはたっぷり空気を吸うために、もう一度大きく息をついた。それから列車の鉄柱につかまって車内にはいろうと、マフの中からもう片手を出したとたんに、軍外套をまとったひとりの男が、すぐそばに現われて、ゆらめくランプの光をさえぎった。アンナがふとそちらへ顔を向けると、そこにヴロンスキーの顔を認めた。相手は帽子のひさしへ手をあてて、会釈《えしゃく》すると、なにかご用は、なにかお役に立つことはありませんか、とたずねた。アンナはかなり長いあいだ、なんとも答えないで、じっと相手の顔に見入っていた。そして、相手が影の中に立っていたにもかかわらず、その顔と目の表情を読みとった。いや、読みとったように思われた。それはきのうあれほど強くアンナの心をうった、あの従順な歓喜の表情であった。この二、三日、アンナは一度ならず、いや、現にたった今も、ヴロンスキーなんかは自分にとって、どこでもざらに出会える、永久に同じような青年のひとりにすぎない、そんな男のことなど考えるのさえおとなげないと、心の中でつぶやいていたのであった。ところが、今会ってみると、その最初の瞬間から、アンナは思わず喜ばしい誇らしさの思いにとらえられてしまった。なぜ彼が目の前にいるのか、アンナにはもうたずねてみるまでもなかった。まるで彼がアンナに向って、自分がここにいるのは、ただあなたのおそばにいたいからですと、口に出していったのと同様、アンナはそれをちゃんと知っていたからである。

「あなたが乗ってらっしゃることは、少しも、存じませんでしたわ。どうしてお帰りになるんですの？」鉄柱につかまろうとした片手をおろして、アンナはいった。と、おさえきれない喜びと生きいきした表情が、その顔に輝いた。

「どうして帰るかですって？」相手はまともにアンナの目を見つめながら、鸚鵡《おうむ》返しにいった。「ご承知じゃありませんか、ぼくはあなたのいらっしゃるところにいたいから、こうしてやって来たんです」彼はいった。「そうするよりほか仕方がなかったのです」

と、ちょうどこのとき、一陣の風が障害物でも征服したかのように、列車の屋根からさっと雪を吹きはらい、どこかではがれかかったブリキ板をばたばたいわせはじめた。すると前方では、泣くような、陰気くさい調子で重々しい機関車の汽笛が、ほえはじめた。いまや、こうした吹雪のすさまじさそのものまでが、アンナの目にはひとしお美しいものに映るのだった。彼はアンナが心の中で願いながらも、理性で恐れていたまさにそのことを、口に出していったからである。アンナはひと言も答えなかった。そして、彼はその顔に内なる戦いを見てとった。

「ぼくのいったことがお気にさわりましたら、どうかお許しください」彼は素直にいった。

彼の言葉の調子はていねいで、うやうやしくはあったが、きっぱりと執拗《しつよう》な感じだったので、アンナは長いことなんとも答えられなかった。

「今おっしゃったことは、よくないことでございますわ。どうか、あなたがいい方でしたら、今おっしゃったことを、お忘れになってください、あたくしも忘れてしまいますから」やっと、アンナはいった。

「あなたのおっしゃったことは、ひと言だって、あなたの身ぶりはどれ一つだって、けっして忘れやしません。いや、忘れることなんかできません」

「いけません、いけませんたら！」相手がむさぼるように見つめている自分の顔に、きびしい表情を浮べようとむなしい努力をしながら、アンナはそう叫ぶと、冷たい鉄柱に手をかけ、ステップに飛びのって、すばやく車の入口へはいって行った。が、その狭い入口のところで、今起ったことを頭の中で考えながら、ふと足を止めた。と、べつに自分の言葉も、相手の言葉も思いだしたわけではなかったのに、アンナはあの束《つか》の間《ま》の会話が自分たちふたりを恐ろしく近づけたことを、直感によって悟った。アンナは思わずはっとしたが、またそれを幸福にも感じた。アンナはしばらくそこにたたずんでから、車の中へはいって、自分の座席へ腰をおろした。すると、はじめからアンナを苦しめていた、あの緊張した心の状態が、再びよみがえって来たばかりでなく、さらにいっそう激しくなって、ついにはなにか胸の中で張りつめていたものが、今にも堰《せき》を切って流れだすのではないかと、そら恐ろしくなるほどであった。アンナはひと晩じゅうまんじりともしなかった。しかし、そうした緊張感や、その思いを満たしていたさまざまな幻想の中には、不快なものや暗いものは少しもなかった。いや、それどころか、なにかしら心の浮きたつような、やきつくような、胸をわくわくさせるものがあった。明け方になって、アンナは肘掛《ひじか》けいすに腰かけたまま、まどろみはじめた。そして、目をさましたときには、あたりはもうしらじらと明るくなっていて、列車はペテルブルグに近づいていた。と、アンナはたちまち、わが家のことや、夫のことや、子供のことや、きょうからはじまる日々の生活のことなどをあれこれと思いめぐらすのだった。

ペテルブルグで汽車が止って、プラットフォームにおりたとたん、アンナの注意をひいた最初の顔は、夫の顔であった。《あら、まあ！　なんだってあの人の耳はあんなになったんだろう？》夫の冷やかな堂々たる押しだしを、とりわけ、今びっくりして目を見はった丸帽子の鍔《つば》をささえている耳の軟骨部をながめながら、アンナは心の中で思った。相手は妻を見つけると、いつものあざけるような微笑で唇《くちびる》をゆがめ、大きな疲れたようなその目で、まともに妻を見つめながら、歩いてやって来た。アンナは相手の執拗な疲れたようなまなざしに出会ったとき、まるでそれが予期していなかったもののように、なにかしら不愉快な感情が、ちらっと心の中をかすめた。ことにアンナをびっくりさせたのは、夫に会った一瞬感じた、自分自身に対する不満の感情であった。この感情は、夫に対してもうずっと前から身にしみて経験していた、偽善にも似た感情であった。もっとも、以前には自分ではこの感情に気づいていなかったのに、今ははっきりと、痛いほどそれを感じたのであった。

「なあ、こりゃ、優しいだんなさんじゃないか。まるで結婚してまだ一年とたってないみたいじゃないか。一刻も早くおまえに会いたいと心を燃やしているなんて」彼は例のゆっくりした細い声でいった。それは、彼がほとんどつねに妻に対して用いる調子だったが、本気でそんなことをいうやつをからかうような調子でもあった。

「セリョージャは元気？」アンナはきいた。

「ほう、それが心を燃やしているこのわしに対するごあいさつかね？」彼はいった。

「元気だ、元気だとも……」

31

ヴロンスキーはその晩、ずっと眠ろうともしなかった。彼は席に腰かけたまま、まっすぐ前方に目をこらしたり、出入りする人びとをながめたりしていた。彼は、今までにも、その泰然と落ち着きはらった態度で、未知の人びとを驚かせ、強い印象を与えたものだが、今はそれよりもさらに傲然《ごうぜん》として、他人のことなど気にもとめないように見えた。彼は、他人をまるで品物かなにかのような調子で、ながめていた。真向いにすわっていた神経質な青年は、地方裁判所に勤めていたが、こうした態度のために彼に憎悪《ぞうお》を感じたほどである。この青年は、自分が品物でなく人間であることを相手に思い知らせるために、彼にたばこの火を借りたり、話しかけたり、さらには突っつきまでしたが、ヴロンスキーは相変らず、まるで明りでも見るような目つきで彼をながめていた。ついに、青年は、自分を人間と認めてくれぬ相手の態度におされて、しだいに自制心が失われていくのを感じながら、渋い顔をしていた。

ヴロンスキーは、なにひとつ、だれひとりながめていなかった。彼は自分が王者になったような気がしていたが、それは、自分がアンナに感銘を与えたと信じていたからではなく――彼はまだそれが信じられなかった――アンナから受けた感銘が幸福と誇りをもたらしたからであった。

こうしたいっさいのことがどういう結末になるか、彼にはわからなかったし、また考えてみようともしなかった。ただ、彼は今までむなしく費やされていた自分の力が、すべて一つに集中され、すさまじいエネルギーで、一つの幸福な目的に向って突進して行くのを感じた。彼もそのために幸福であった。彼は自分がアンナに真実を語ったことだけを知っていた。すなわち、彼は、ぼくはあなたのいるところへ行くのです、今のぼくはこの人生におけるいっさいの幸福も、生活の唯一《ゆいいつ》の意義も、ただあなたに会い、あなたの声を聞くことしか認めていないのです、といったのである。そして、ソーダ水を飲みに、ヴォロゴヴォ駅で列車からおり、アンナの姿を見かけたとき、思わず彼の口をついて出た言葉こそ、彼が心に思っていたことをアンナに打ち明けたのであった。彼はそのことをアンナに打ち明け、アンナも今はそれを知り、そのことを考えているかと思うと、うれしかった。彼はひと晩じゅう眠らなかった。自分の車室へ帰ると、彼はアンナに会ったときのいっさいの光景と、アンナの語ったすべての言葉を、たえず記憶の中から、さぐりだしていた。そして、将来起りうるであろうさまざまな光景を、胸のしびれるような思いで、あれこれと思い描くのだった。

ペテルブルグで汽車をおりたとき、彼は前の晩まんじりともしなかったのに、まるで冷水浴でもしたあとのように、生きいきとして、すがすがしい気分であった。彼はアンナがおりて来るのを待ちうけながら、自分の車のそばにたたずんでいた。《もう一度会えるだろう》彼は思わず微笑を浮べながら、つぶやいた。《あの歩き方、あの顔が見られるだろう。なにかいうかもしれんな、首をちょっとまわして、ちらっとこちらをながめ、ひょっとすると、にっこり笑ってくれるかもしれん》ところが、彼はアンナよりも先に、駅長が群集を分けてうやうやしく案内して来る彼女の夫を見つけた。《あ、そうだ！　夫じゃないか！》そのときはじめ、ヴロンスキーは、アンナに結びつけられた人間が夫であることを悟った。アンナに夫のることは彼も知っていたが、その実在は信じられなかったからである。しかし、いまンに包まれた足を備えたその人の姿を見たとき、とりわけ、この頭、肩、黒いズボだといわんばかりに、大様《おおよう》にアンナの手を取ったとき、彼もはっきりも自分のものじこまされたのであった。存在を信

やや猫背《ねこぜ》ではあるが、ペテルブルグ人らしいさっぱりした顔をして、丸いぶり、いかめしく自信ありげな風采《ふうさい》のアレクセイ・カレーニンを見ると、彼は在をはっきりと認識して、いやな感じをうけた。それはちょうど、渇きに悩まされ人が、ようやく泉にたどり着いてみると、そこにはすでに犬や羊が、あるいは豚がいて、その清水を飲んだり、どろどろにかきまわしている、といった感じであった。腰から下と鈍い両足をひねるようなカレーニンの歩き方に、ヴロンスキーはとりわけ軽《けい》蔑《べつ》されたような感じをうけた。彼は、アンナを愛する正当な権利を、ただ自分ひとり

だけに認めていた。ところが、アンナは依然として変りなく、その容姿は依然として彼を肉体的に活気づけ、興奮させ、その心を幸福で満たしながら、彼に働きかけた。彼は、二等車から駆けだして来たドイツ人の召使に、荷物を持って先へ行くように命じてから、アンナのほうへ近づいて行った。彼は夫妻の最初の出会いを目撃したが、アンナが夫に話しかける調子に、ややぎごちないものがあるのを、愛する者の敏感さで見てとった。《そうだ、あの人は夫を愛してはいないんだ、いや、愛することなんかできないんだ》彼は勝手にそうきめてしまった。

彼は自分がうしろのほうからアンナのほうへ近づいて行ったとき、アンナ[illegible]の[illegible]づいて来たことを感じて、振り向こうとしたが、すぐまた夫のほうへ向き[illegible]に気づいて、うれしくなった。

「昨晩はよくおやすみになれましたか？」彼は、アンナと夫に向[illegible]いっしょに会釈しながら、そういったが、それは、カレーニンがこの会釈を自分に向けられたものと取ろうが、また彼に気がつこうがつくまいが、どうでもご勝手に、といった調子だった。

「おかげさまで、とてもよくやすめました」アンナは答えた。

その顔は疲れているように見えた。そして、時には微笑に、時には目もとにあふれる、あの生きいきとした表情の戯《たわむ》れは見られなかった。しかし、彼をちらっと見た瞬間、その目の中にはなにかがきらりとひらめいた。もっとも、その火はすぐ消えてしまったけれど、彼はその一瞬に幸福を感じた。アンナはちらと夫を見やって、ヴロンスキーを知っているかどうか、たしかめようとした。カレーニンは、相手がだれだか、ぼんやり思いだしながら、不満げにヴロンスキーを見つめていた。ヴロンスキーの落ち着きと自信に満ちた態度が、カレーニンの冷たい自信にまともにぶつかった。

「ヴロンスキー伯爵《はくしゃく》でいらっしゃいますよ」アンナはいった。

「やあ！　たしか、われわれは知合いでしたな」カレーニンは手をさしだしながら、そっけなくいった。「行きはご母堂、帰りはご子息とごいっしょだったわけだね」彼は、まるでひと言ごとに一ルーブルずつ恵みでもするように、はっきりと発音しながらいった。「きっと、賜暇《しか》のお帰りでしょうな？」彼はそういって、その返事を待たずに妻のほうを振り向き、例のふざけたような調子で、「どうだね、モスクワでのお別れでは、さぞ涙を流したことだろうね？」

彼はこう妻にいったことで、早くふたりきりになりたいことを、ヴロンスキーに思い知らせようとした。そして、ヴロンスキーのほうへ振り向いて、帽子にちょっと手をかけたが、ヴロンスキーはアンナのほうを向いて、

「お宅をおたずねしてもよろしいでしょうね」と、いった。

カレーニンはどんよりした目つきで、ちらっとヴロンスキーを見た。

「どうぞ」彼は冷やかな調子でいった。「いつも月曜日にお客をすることになっています」それから、彼はヴロンスキーのほうはすっかり無視して、妻に話しかけた。

「いや、うまいぐあいだったよ、ちょうど三十分だけ時間があいておって。おまえを迎えに来て、わしのこの優しい心を見せることができたのはね」彼は相変らずふざけた調子でいった。

「ご自分の優しい心を、そんなに売り物になさらないほうがよくってよ。いくら、あたしにありがたがらせようと思っても」自分たちのあとからついて来るヴロンスキーの足音に、思わず耳を傾けながら、アンナも同じようなふざけた調子で答えた。《でも、あたしの知ったことじゃないわ》アンナはそう考えて、留守中にセリョージャがどんなふうに暮したかを、夫にたずねはじめた。

「なに、満点だったよ！　マリエットの話じゃ、とてもおとなしくって、それに……おまえをがっかりさせるかもしらんが、おまえの夫ほどはおまえを恋しがらなかったそうだよ。いや、もう一度メルシーをいおう。一日早く帰って来てくれて。わが愛すべきサモワール夫人がさぞ有頂天になって喜ぶだろうよ（彼は有名なリジヤ伯爵夫人が年じゅうなにごとにつけても気をもんだり、熱くなったりするので、サモワール（訳注　ロシア式の湯わかし）とあだ名したのであった）。あの人は、おまえのことをとても案じていたよ。それで、これからひとつ忠告なんだが、きょうにもあの人をたずねたほうがいいね。なにしろ、あの人はありとあらゆることに心を痛めているんだからね。今のところは、いろんな心配事のほかに、オブロンスキー夫婦の和解にもかかずらっているんでね」

リジヤ伯爵夫人は、アンナの夫の親友で、ペテルブルグ社交界のあるグループの中心人物であり、アンナは夫との関係から、だれよりももっとも親しくしていた。

「でも、あの方にはお手紙を出しておきましたわ」

「ところが、あの人はなんでも根掘り葉掘りききたいんだよ。おまえ、疲れていないようだったら、ちょっと行っておいで。さて、おまえの馬車は、コンドラーチイがすぐまわしてくれるよ。わしは委員会へ出かけるから。もうきょうからまたひとりで食事をしなくてすむね」カレーニンは言葉をつづけたが、それはもうふざけた調子ではなかった。「おまえには信じられないだろうが、わしはおまえとの暮しにあまり慣れちまったので……」

そういって彼は、長いこと妻の手を握りしめながら、一種特別な微笑を浮べて、妻を馬車へ乗せた。

32

わが家で、アンナを出迎えた最初の人間は、むすこであった。少年は家庭教師の叫び声にも耳をかさず、母親に向って階段を駆けおりると、「ママ、ママ!」と有頂天になってはしゃいだ。そして、母親のそばまで駆けつけると、いきなりその首にぶらさがった。

「ねえ、いったでしょう、ママだって!」少年は家庭教師に向って叫んだ。「ぼく、ちゃんとわかってたんだ!」

むすこも夫と同じように、なにか幻滅に似た感じをアンナに呼びおこした。アンナはむすこを、実際よりもっといいように想像していた。あるがままのむすこをかわいがるためには、現実の世界までおりて行かなければならなかった。いや、あるがままのむすこも、白っぽい髪をふさふささせ、空色の目をして、長靴下《ながくつした》をぴったりはいた足は長く、よく太って、とてもかわいかった。アンナはむすこを身近に見いだし、その愛撫《あいぶ》を感じ、ほとんど肉体的な喜びを覚えた。また、その単純な、信じやすい、愛情にみちたわが子のまなざしを見、その無邪気な質問を聞くと、心の安らぎを覚えるのだった。アンナはドリイの子供たちからの贈り物を取り出してから、モスクワにはターニャという女の子がいて、そのターニャはもう本が読めるばかりか、ほかの子供たちに教えることもできるのよ、と話して聞かせた。

「じゃ、ぼくのほうがその子より悪いの？」セリョージャはきいた。

「ママには坊やが世界じゅうでいちばんいい子なの」

「そんなこと知ってるよ」セリョージャは、にこにこしながらいった。

アンナがまだ一杯のコーヒーも飲み終らないうちに、リジヤ伯爵夫人がたずねて来たと取次がれた。リジヤ伯爵夫人は、病身らしい黄色い顔をしていたが、背の高い、よく太った婦人で、夢みるような黒いひとみは美しかった。アンナは夫人が好きであったが、きょうはどういうものか、はじめて夫人の欠点という欠点を残らず見るような気がした。

「ねえ、どうだったの、無事にオリーヴの枝を持っていらした？」（訳注　「オリーヴの枝」は平和を意味するので、ここでは和解が成立したかというほどの意味）リジヤ伯爵夫人は、部屋へ通るが早いかこうたずねた。

「ええ、あれはもうすっかりけりがつきましたわ。でも、あれは、あたしどもが考えていたほど大事件ではございませんでしたの」アンナは答えた。「どうも、あたしの

belle-sœur（訳注 兄嫁）は、すこし気がはやすぎましてね」

ところが、リジヤ伯爵夫人は、自分に関係のないことだと、むやみに興味をもつくせに、ほんとうに自分の興味のあることはけっしてたずねない癖があった。そこで、夫人はアンナの言葉をさえぎった。

「まあ、ほんとにこの世には悲しいことや不正なことが多いのねえ。きょうは、あたし、ほんとにくたびれてしまいましたわ」

「どうなさいましたの？」アンナは、微笑をおさえようと努めながら、たずねた。

「あたし、真理のためのむなしい戦いに、そろそろまいってきましたの。どうかすると、すっかり力を落してしまいますの。姉妹協会（それは博愛的、かつ愛国的な宗教団体であった）なんか、発足はすばらしかったんですけど、あんな連中といっしょでは、なんにもすることができないんですの」なにかあきらめに似た自嘲《じちょう》の響きをこめて、リジヤ伯爵夫人はつけ加えた。「あの連中ときたら、会の趣旨に賛同したくせに、それをめちゃくちゃにして、なんだかだいいながら、すっかりだめにしてしまったんですもの。あの仕事の意味をちゃんと理解しているのは、お宅のご主人をいれて、ほんの二、三人で、あとの連中はただ引っかきまわすだけですわ。きのうもプラヴジンさんが手紙をよこして……」

プラヴジンは、外国にいる有名な汎《はん》スラヴ主義者であった。そこで、リジヤ伯爵夫人は、その手紙の内容を披露《ひろう》した。

さらに、伯爵夫人は、さまざまの不愉快な出来事や、教会連合の事業に対する奸計《かんけい》などについて語った後、きょうはまだある団体の会合と、スラヴ協会の委員会に出席しなければならないといって、そうそうに帰って行った。

《以前だって、あのとおりだったんだわ。それなのに、なぜ前にはあれに気がつかなかったのかしら？》アンナはつぶやいた。《それとも、きょうはあの方、特別いらいらしてたのかしら？　ほんとに、こっけいだわ。だって、あの方の目的は善行で、あの方はクリスチャンなのに、しょっちゅうおこってばかりいるんですもの。あの方にとってはだれもかれも敵ばかり、しかも、それがキリスト教と善行の敵なんですものねえ》

リジヤ伯爵夫人のあとへ、親友の局長夫人がやって来て、市《まち》のニュースをすっかり話してくれた。三時になると、晩餐《ばんさん》に来ると約束して、この夫人も帰って行った。カレーニンは役所にいた。アンナはひとりきりになると、晩餐までの時間を利用して、むすこの食事するそばについていてやったり（少年は別に食事をすることになっていた）、自分の身のまわりの物を整理したり、机の上にたまっていた手紙類を読んだり、その返事を書いたりしていた。

帰途に経験した理由のない羞恥《しゅうち》の念と心の動揺は、もうすっかり消えていた。慣れた生活環境にもどって、アンナは再び自分が非難されるところのない、しっかりした女であることを感じていた。

アンナはきのうの心理状態を思いだして、自分ながらあきれてしまった。《いったいどうしたものかしら？　いいえ、たいしたことないわ。ヴロンスキーさんはばかなことをいったけど、あんなことはすぐけりをつけてしまえるわ。それに、あたしのほうは、ちゃんとした返事をしたんだから。あんなことは夫に話す必要もないし、また話すわけにもいかないわ。あんなことを話すのは、意味もないことにわざわざ重大な意味をつけるようなものなんですもの》

アンナは、ふとこんなことを思いだした。いつかペテルブルグで夫の部下にあたる青年が、自分に向ってほとんど恋の告白にちかいことをしたことがあった。その話を妻から聞いたカレーニンは、どんな婦人でもこの世に生きているかぎり、そういった場合にぶつかるだろうが、わしはおまえの良識をかたく信頼しているから、嫉妬《しっと》などしておまえをも自分をもはずかしめるようなまねはしない、と答えたものであった。

《つまり、なにも話す必要なんかないんだわ。それに、幸い、なにも話すようなこと

もないし》

アンナはそうつぶやいた。

33

カレーニンは四時に役所から帰って来た。しかし、これはよくあることだったが、すぐ妻のところへ行くわけにいかなかった。彼は書斎へ通って、待っていた請願人に会ったり、事務主任の持って来たいくつかの書類に署名したりしなければならなかった。晩餐にやって来たのは（カレーニン家ではたいてい三、四人の人が食事にやって来た）、カレーニンの従妹《いとこ》にあたる老嬢と、局長夫婦と、カレーニンの役所へ推薦されて来た青年であった。アンナはお客のお相手をするために、客間へはいって行った。きっかり五時に、ピョートル一世と呼ばれている青銅の時計が、まだ五つめを打ち終らないうちに、カレーニンが白ネクタイをして、燕尾服《えんびふく》に勲章を二つつるして、はいって来た。食後、すぐ出かけなければならなかったからである。カレーニンの生活は、一分一分ちゃんと割り当てられ、予定されていた。そして、毎日、きめられたことをまちがいなくやっていくために、彼は厳格このうえない規律を守っていた。『急ぐこともなく、休むこともなく』というのが、彼のモットーであった。彼は広間へ現われると、一同に会釈《えしゃく》して、妻に笑顔を見せながら、そそくさと腰をおろした。

「ああ、やっとわしのひとり暮しもおしまいになったな。おまえ、本気にしないだろうが、ひとりで食事をするのは、じつに間のぬけた（彼は間のぬけたという言葉に、わざわざ力を入れた）もんだよ」

食事のあいだに、彼は妻に向ってモスクワのことを話したり、ばかにしたような薄笑いを浮べてオブロンスキーのことをたずねたりしたが、会話はだいたい一同に共通の話題である、ペテルブルグの役所に関係したことや、一般の社会的な問題にかぎられていた。食後、彼は三十分ばかり客といっしょに過した後、再び微笑を浮べて妻の手を握って部屋を出ると、会議に出るために出かけて行った。アンナはその晩、彼女の帰京を知って夜会に招待してくれたベッチイ・トヴェルスコイ公爵夫人のもとへも、ボックスの取ってあった劇場へも行かなかった。外出しなかったおもな理由は、あてにしていた服ができて来なかったからである。もっとも、アンナは、客が帰ってから化粧にかかったとき、ひどくふきげんだった。もともと、あまり金をかけない服装をととのえることのじょうずなアンナは、モスクワへ発《た》つ前に、三枚の服を仕立てなおすため、洋裁師に渡しておいた。それは、見ちがえるほどきれいに仕立てなおされて、三日も前に届いているはずであった。ところが、二枚はぜんぜんできていず、一枚は仕立てなおされたものの、アンナの思っていたようなものとはちがっていた。洋裁師は言いわけに来て、このほうがずっとお似合いですといってきかないので、アンナは思わずかっとなって、あとで思いだしても気がさすほどどなりつけた。アンナはすっかり気分をしずめるために、子供部屋へ行き、その晩はずっとむすこのそばで過し、自分で寝かしつけてから、十字を切り、毛布にくるんでやった。アンナはどこへも出かけないで、ひと晩気持よく過せたのを喜んだ。アンナはすっかり心が軽くなって、気分も落ち着いたので、汽車の中ではあれほど重大に思われたことが、まったくありふれた、取るに足りない社交界の出来事にすぎず、自分は他人に対しても、自分自身に対しても、なにひとつ恥ずるところはないと、はっきりと悟ったのであった。アンナはイギリスの小説を手に、壁炉のそばへ腰をおろすと、夫の帰りを待った。きっかり九時半に、夫の鳴らすベルの音が聞え、つづいて本人が部屋へはいって来た。

「やっと、お帰りですのね！」アンナは手をさしのべながらいった。

相手はその手に接吻《せっぷん》して、妻のそばに腰をおろした。

「どうやら、おまえの旅行は首尾よくいったらしいね」彼はいった。

「ええ、とても」アンナは答えて、夫にいっさいの経過を初めから話しだした。ヴロンスキー夫人との汽車の旅や、到着の模様や、停車場での突発事件などを。それからはじめ兄に対して、その後ドリイに対して感じた哀れみの情についても物語った。

「わしとしては、ああいう人間を許していいとは思わんね、そりゃおまえの兄さんではあるがね」カレーニンはきびしい調子でいった。

アンナはにっこりと笑った。アンナにはわかっていたが、夫がこういうのは、親戚《しんせき》などという関係も、自分が誠実な意見を表明するのを阻止することはできない、という気持を知らせるためであった。アンナは夫のこうした性格を承知していて、それを愛していた。

「とにかく、万事うまくいっておまえが帰って来たのは、うれしいよ」彼はつづけた。「ときに、わしが委員会で通過させた新しい法案のことを、向うではどんなふうにいってるかね？」

アンナはその法案のことについてなにも聞いて来なかった。そのため、夫にとってそんなに重大なことを、自分がけろりと忘れてしまったことに、気がさしてしまった。

「ところが、こっちじゃ、とてもたいへんな騒ぎを起してね」夫はひとりで満足そうな微笑を浮べながら、いった。

アンナは、夫のカレーニンがこの問題について、なにか自分として愉快な話をしたがっているのを見てとったので、いろいろと質問をしながら、話をそのほうへもって行った。彼は相変らず満ち足りた微笑を浮べながら、その法案が通過したとき、拍手かっさいを浴びた話をはじめた。

「わしは大いに喜んだものさ。だって、やっと、わが国でもこの問題に対して理知的な、確固たる見解が生れるようになったことを、このことは立証しているようなものだからね」

　クリームを入れた二杯めのお茶をパンといっしょに飲み終ると、カレーニンは立ちあがって、書斎へ向った。

「じゃ、おまえはどこへも行かなかったんだね？　きっと、退屈だったろう？」夫はいった。

「いいえ、すこしも！」アンナは夫につづいて席を立ち、広間を横ぎって書斎まで見送りながら答えた。「今はどんなものを読んでらっしゃるの？」アンナはきいた。

「今はDuc de Lille（訳注　ド・リール公）の《Poésie des enfers（訳注　地獄の詩）》を読んでるよ」夫は答えた。「こりゃすばらしい本だよ」

　アンナはにっこり笑ったが、それはよく人が愛するものの弱点に対して笑いかけるそれであった。そして、夫と腕を組んで、書斎の入口まで送って行った。アンナは夫にとって、もはや欠くべからざるものとなった夜の読書の習慣を、ちゃんと承知していたのである。アンナはまた、夫は勤務の上で、ほとんど時間をとられているにもかかわらず、知的な分野における目ぼしい問題にも注意を怠らぬことを、自分の義務と心得ていることを知っていた。いや、アンナはまた次のことも承知していた。実際、彼は政治、哲学、神学の本には興味をもっていたが、ただ芸術だけはその性格からいってまったく無縁であった。しかし、それにもかかわらず、いや、むしろそのためかもしれないが、カレーニンはこの分野で問題となった本は、一冊として見のがさず、すべて読破することを、自分の義務と心得ていた。アンナの知っているところによると、カレーニンは政治、哲学、神学の領域においては、疑いをいだいたり、模索したりすることもあったが、芸術や詩や、ことに音楽のこととなると、まったくその理解力を欠いているくせに、このうえなくきっぱりした断固たる見解を持っているのだった。彼は好んでシェークスピア、ラファエル、ベートーベンについて論じ、詩や音楽の新しい流派の意義などについて語ったが、それらは彼の頭の中できわめて明晰《めいせき》な論理によって、きちんと分類されているのであった。

「じゃ、のちほど」アンナは書斎の入口で、いった。部屋の中には、もうほやをかぶせたろうそくと、水のはいったフラスコが、肘《ひじ》掛《か》けいすのそばに用意してあった。

「あたしはモスクワへ手紙を書きますわ」

彼は妻の手を握りしめて、またそれに接吻した。

《やっぱり、あの人はいい人だわ、正直で、親切で、専門のほうでもたいしたものだし》アンナは、自分の部屋へ引き返しながら、まるでだれかが夫を非難して、あんなやつを愛するわけにいかぬ、といったのに対して、弁護でもするようにつぶやいた。《それにしても、あの人の耳はなぜあんなにおかしく突ったっているんだろう！　散髪したてのせいかしら？……》

きっかり十二時に、アンナがドリイあての手紙を書き終ろうとして、まだ机に向っていたとき、規則正しいスリッパの足音がして、顔を洗って、髪をなでつけたカレーニンが、本を小わきにかかえて、アンナのところへやって来た。

「さあ、もう時間だよ、時間だよ」彼は特別な笑いを浮べながら、寝室のほうへはいって行った。

《でも、いったい、どんな権利があってあの人は、うちの人をあんなふうに見たんだろう？》アンナは、カレーニンをながめたときのヴロンスキーの目つきを思いだしながら、こんなことを心の中で考えた。

アンナは着替えをして寝室へはいって行ったが、その顔には、モスクワにいるあいだその日もとにも微笑にもあふれていたあの生きいきした表情が、跡形もなく消えていた。いや、今ではもうその生命の火が消えてしまったのか、それとも、どこか遠いところに隠れてしまったみたいであった。

34

ペテルブルグを発つとき、ヴロンスキーはモルスカヤ街にある自分の大きな邸宅を、親友で、同僚のペトリツキーにあずけて行った。

ペトリツキーは若い中尉《ちゅうい》で、名門の出でも、金持でもないばかりか、借金で首がまわらぬくらいだった。ところが、晩になると、いつも酔っぱらって、ありとあらゆる、こっけいで不潔な事件を起しては、よく営倉へ入れられたが、同僚にも上官にもかわいがられていた。十一時すぎに、停車場から自分の邸宅へ乗りつけたとき、ヴロンスキーは車寄せのところに、見覚えのある辻馬車《つじばしゃ》が止っているのに気づいた。彼がベルを鳴らすと、ドアの中から男の連中の高笑いと、女の甘えたような声と、『だれか悪党だったら、通してはだめだぞ！』とどなるペトリツキーの声が聞えてきた。ヴロンスキーは従卒に取次をさせないで、そっと、いちばんはしの部屋へ通った。ペトリツキーの女友だちのシルトン男爵《だんしゃく》夫人が、紫の繻子《しゅす》の服を着て、金髪のばら色の顔を輝かせ、パリ仕込みのフランス語を、カナリヤのように部屋いっぱいに響かせながら、丸テーブルの前にすわって、コーヒーを沸かしていた。外套《がいとう》を着たペトリッキーと、きっと勤務からの帰り道であろう、正装したカメロフスキー大尉が、夫人を囲んですわっていた。

「よう！　ヴロンスキー！」いすをがたがたいわせて躍りあがりながら、ペトリッキーが叫んだ。「ご主人のお帰りだ！　男爵夫人。ひとつ、新しいコーヒー沸かしでコーヒーをいれてください。こりゃ、意外だったね！　でも、きみの書斎のこの新しい飾りものには、満足してもらえるだろうね」彼は男爵夫人を指さしながらいった。「きみたちはたしか知合いだったね？」

「あたりまえさ！」ヴロンスキーは愉快そうに微笑して、男爵夫人の小さな手を握りしめながら答えた。「それも、古なじみだよ！」

「旅行からお帰りになったんですのね」男爵夫人はいった。「じゃ、もうおいとましなければ、ええ。今すぐにもおいとましますわ、おじゃまのようでしたら」

「あなたのいらっしゃるところはどこでも、ご自分のお宅ですよ、男爵夫人」ヴロンスキーはいった。「やあ、カメロフスキー」彼はそうつけ加えて、そっけなくカメロフスキーの手を握った。

「ねえ、よくって、あなたなんかけっしてこんな気のきいたことはいえないでしょう?」男爵夫人は、ペトリツキーのほうを向いていった。

「いや、どうして? 食後なら、ぼくだってもっと気のきいたことをいってみせますよ!」

「さて、それじゃ。あたしはコーヒーをいれますから、そのあいだに、お顔を洗ったり、お荷物を片づけたりなさったら」男爵夫人はいって、またいすに腰をおろすと、注意ぶかく新しいコーヒー沸かしのねじをまわしはじめた。「ピエール、コーヒーをとって」夫人はペトリツキーに声をかけたが、それは、ペトリツキーという姓をもじったものであり、夫人はそう呼ぶことによって、ふたりの関係を隠そうともしなかった。「も少しいれるわ」

「だめになっちまいますよ!」

「いいえ、だめになんかしないわ! それはそうと、あなたの奥さんは?」不意にヴロンスキーがペトリツキーと話しているのをさえぎりながら、男爵夫人はいった。「あたしたちはこちらで勝手に、あなたを結婚させていたんですのよ。奥さんは連れていらっしゃいまして?」

「いや、男爵夫人、ぼくはジプシーとして生れたんですから、ジプシーとして死にますよ」

「それならいいの、なおさらいいわ。じゃお手をかしてくださいな」

男爵夫人は、そういうと、ヴロンスキーを放そうともしないで、冗談をとばしたり、自分の最近の生活プランを話したり、相手の忠告を求めたりしはじめた。

「あの人ったら、まだ、あたしを離縁してくれないんですのよ！　ねえ、どうしたらいいんでしょう？（あの人というのは夫のことであった）あたし今度こそ、訴訟を起そうと思うんですけど。あなた、なにかいいお知恵ございまして？　カメロフスキーさん、コーヒーを見ててくださいよ——ほら、ふきこぼれてよ。こちらは用事で忙しいんですから！　あたし訴訟を起したいんですの、だって、自分の財産がほしいんですもの。あたしがあの人に不貞を働いたんですって。そんなばからしいことってあるかしら？」夫人は軽蔑《けいべつ》するような調子でいった。「それを口実にして、あの人ったらあたしの財産を、手に入れようとかかってるんですのよ」

ヴロンスキーは、この美しい女性の快活なおしゃべりを、いい気分で聞きながら、相槌《あいづち》を打ったり、冗談半分の忠告をしたり、要するに、この種の女性を相手にするときのもの慣れた調子を、たちまち、取りもどしていった。

ペテルブルグにおけるヴロンスキーの世界は、すべての人びとがまったく相反する二つの種類に分れていた。一つは下等な種類であって、これは月並みな、愚劣な、とくに、こっけいな連中が属しており、この連中は、夫たるものはいったん結婚したら、ただひとりの妻を守らねばならぬとか、乙女は純潔でなければならぬとか、女はしとやかで、男は男らしく節操を持し堅実でなければならぬとか、子女を教育し、労働によってみずからのパンをかせぎ、借金は返さなければならぬとか、そういったばかげたことを信じているのであった。つまり、旧式でこっけいな人びとに属していたのである。ところが、もう一つ別の種類の、ほんとうの人間がおり、彼らはすべてみなこれに属していた。この種の人びとは、なによりもまず優雅で、美しく、おおらかで、大胆で、快活でなければならず、また顔を赤らめもせずに、あらゆる情欲に身をゆだね、その他のいっさいのものを冷笑しなければならなかった。

ヴロンスキーも最初のうちは、モスクワから持ち帰ったまったく違った世界の印象のあとだけに、いくらか茫然《ぼうぜん》となっていたが、すぐに古いスリッパに足を突っこんだように、昔ながらの愉快な楽しい世界へはいって行った。

コーヒーはやっぱりうまく沸かずに、みんなに飛沫《ひまつ》をかけてふきこぼれてしまい、まさしく期待されていた効果を奏した。つまり、高価なじゅうたんと男爵夫人の服をよごして、みんなの騒ぎと笑いのきっかけをつくったのである。

「じゃ、今度こそさよならですわ。でないと、あなたはいつまでたっても、お顔をお洗いにならないんですもの。そうなると、あたしの良心には、ちゃんとした人にとっていちばん重い罪、不潔という罪をうけることになりますもの。それじゃ、あなたは、のどに刀をつきつけろとおっしゃるんですのね？」

「ええ、かならず。それも、あなたのお手を、なるべく彼の唇《くちびる》に近いようにおかなくては。すると彼はあなたのお手に接吻して、万事うまくいきますよ」ヴロンスキーは答えた。

「では、今晩、またフランス劇場でね！」そういって、夫人は衣《きぬ》ずれの音をたてながら、姿を消した。

カメロフスキーもまた立ちあがった。と、ヴロンスキーは、彼が出て行くのを待ちかねて、別れの握手をした後、化粧室へ行った。彼が顔を洗っているあいだに、ペトリツキーは簡単に、自分の立場を説明して、それがヴロンスキーの出発後、どれだけ変ったかを話して聞かせた。金は一文もない。父親は一文もくれない、借金も払わない、といった。洋服屋は彼を監獄へぶちこもうとしているし、もう一軒のほうは、かならずぶちこんでみせると脅《おど》かしている。連隊長は、もしこういう醜行がやまなければ、隊を出てもらわなければならぬ、と申しわたした。男爵夫人は、もうやりきれないほど鼻についてしまったが、なによりも、しょっちゅう金をくれようとするのがたまらない。ところで、ひとりいい女の子がいるから、いつか、きみに見せてやろう。まあ、奇蹟《きせき》といっていいくらい、すばらしいよ。東洋的な清楚《せいそ》な容姿で、『女奴隷《どれい》レベッカのタイプ』（訳注　スコットの『アイヴァンホー』に登場するユダヤ系美少女）なんだ、わかるかい。またきのうは、ベルコショーフとけんかして、やつは決闘の介添人をよこすといったが、もちろん、なんのこともなくすむにきまっている。まあ、いってみれば、なにもかも上首尾で、きわめて愉快にいっている。それから、ペトリツキーは、相手に自分の立場をくわしく話す余裕を与えないで、あらゆるおもしろいニュースを話しはじめた。もう三年ごし住んでいる自分の住まいの、なじみの深い道具立ての中で、これまたなじみの深いペトリツキーのおしゃべりを聞いているうちに、ヴロンスキーは自分が慣れ親しんだ、のんきなペテルブルグ生活へもどって来たという快感を、しみじみと味わうのだった。

「そんなことがあるもんか！」彼は洗面台のペダルを踏んで、血色のいい、健康そうな首筋に水を浴びせながら、叫んだ。「そんなことがあるもんか！」ローラがミレーエフといっしょになって、フェルチンゴフを捨てたというニュースを聞いて、彼は叫んだ。

「それで、やっこさんは相変らずの間ぬけで、うぬぼれているのかい？　ところで、ブズルーコフはどう？」

「ああ、ブズルーコフにもひと騒ぎあってね——いや、たいした話だよ！」ペトリッキーは叫んだ。「なにしろ、やつはダンスに夢中だろう、だから宮廷の舞踏会といったら、一度だって欠かしたことはないんだ。ところでやっこさん、新型の軍帽をかぶって、大舞踏会へ出かけて行ったのさ。きみは、新しい軍帽を見たかい？　なかなかしゃれてるんだ。軽くってね。さて、やっこさんが立っているといきなり……おい、聞いてろよ」

「ちゃんと聞いてるじゃないか」ヴロンスキーは、タオルでからだをふきながら答えた。

「そこへ大公妃が、どこかの大使を連れて通りかかったんだが、やっこさんにとって運の悪いことにゃ、たまたま、新しい軍帽のことが話題になったのさ。大公妃は、大使に新しい軍帽を見せようと思って……ふと見ると、やっこさんがそこに立ってるじゃないか（ペトリッキーは、軍帽をかぶって立っている様子をまねてみせた）。大公妃は、ちょっと軍帽を貸してくれとおっしゃったが、——やっこさんときたら、渡さないんだ。こりゃどうしたわけかと、みんなは目くばせしたり、顔をしかめてみせたりしたんだが、渡さないんだよ。ただもう棒立ちになって、身動きもしないというわけさ。まあ、その格好を想像してくれよ……ついに、あの……なんといったっけな……いや、ひとりの男が、やっこさんの軍帽を取ろうとしたんだが……どうにも、渡さない！……やっと、ひったくって、大公妃にさしだしたったってわけさ。『これが新しい軍帽でございます』と大公妃がいって、それをくるりと引っくり返すと、まあ、どうだろう——その中から梨だのキャンデーだのが、それも二斤からのキャンデーがこぼれ落ちたんだからねえ！　やっこさん、そいつをかっぱらって来たわけさ、たいしたやつだよ！」

ヴロンスキーは腹をかかえて笑いころげた。それからあとも長いこと、もうほかの話に移ったときでも、ヴロンスキーはその軍帽の一件を思いだしては、きれいにそろった丈夫そうな歯を見せながら、例の健康そうな笑い方で、大いに笑いころげていた。

ニュースをのこらず聞いてしまうと、ヴロンスキーは召使の手をかりて軍服に着替え、連隊へ申告するために出かけた。申告をすましたあと、彼は兄のところやベッチイの家へ立ち寄り、そのほか二、三の訪問を試みようと思っていた。それは、カレーニン夫人のアンナに会える可能性のある社交界へ出入りする準備であった。ペテルブルグでは、いつものことながら、彼はもう夜おそくまで帰らないつもりで、家を出かけた。

第二編

1

冬の終りに、シチェルバツキー家では医者の立会い診察が行われた。それは、キチイの健康がどういう状態にあるか、またその衰弱していく体力を回復するにはどうすればいいか、きめるためであった。キチイは病気だった。そして、春が近づくにつれて、その健康はますます悪くなっていった。かかりつけの医者はまず肝油を飲ませ、それから鉄剤、さらに硝酸銀剤を与えた。しかし、そのどれ一つとしてききめがなく、また医者は、春になったら外国へ転地するように勧めたので、今度は有名な博士が招かれたわけである。この名医はまだそう年配でもなく、なかなかの美男子だったが、とにかく、病人を診察したいといった。彼は一見、なにか特殊の満足をもって、処女の羞恥心《しゅうちしん》は野蛮時代の遺物にすぎないとか、まだあまり年をとっていない男が、若い女性の裸体にふれることほど自然なことはないとか、主張するのであった。彼がそれを自然なことと信じたのは、現に、自分が毎日それをやっており、しかも、その際なんの感じもうけず、べつに悪いことを考えたりしないと彼には思われたからである。そのために、彼は彼女の羞恥心こそ単に野蛮時代の遺物であるばかりでなく、彼自身に対する侮辱であるとさえ考えたのである。

とにかく、それに従うよりほかなかった。どの医者もみな同じ学校で、同じ書物によって勉強するのであるから、その学問も、結局は同じものであるのに、また一部の人びとは、この有名な博士を藪《やぶ》医者だといっているのに、公爵《こうしゃく》夫人の家でも、一般に夫人の仲間たちのあいだでも、どういうわけか、この名医がひとりだけなにか特別なことを知っていて、この人ばかりがキチイを助けることができるのだと、信じこまれていた。恥ずかしさのあまり途方にくれて、気が遠くなっている病人を、ていねいに聴診したり、打診したりしてから、名医は念入りに両手を洗い、客間で公爵と立ち話をした。公爵は医者のいうことを聞きながら、咳《せき》ばらいをして、眉《まゆ》をひそめていた。公爵は人生経験の豊かな人間で、ばかでも病人でもなかったから、医学なんかてんで信用せず、心の中でこうした茶番劇をいまいましく思っていたが、キチイの病気の原因を知りぬいているのは、ほとんど彼ひとりであってみれば、それもむりからぬことであった。

《それそれ、このほら吹きめ》公爵は心の中で、猟師仲間の言葉からとったこのあだ名を有名な博士に進呈しながら、娘の病状についての相手の長ったらしいおしゃべりを聞いていた。一方医者もまた、この老貴族に対する軽蔑《けいべつ》の表情を、やっとのことでおさえながら、相手の低い理解力にまで、自分を引き下げるのに苦心していた。医者には、こんな老人と話してもしようがない、この家の主権は母親にあるのだ、とちゃんとわかっていたので、母親が出て来たら、大いに雄弁をふるおうと、かまえていた。そこへ公爵夫人が、かかりつけの医者をつれて客間へはいって来た。公爵は、こんな茶番劇はおかしくてたまらない、という自分の気持を悟られまいとして、向うへ行ってしまった。公爵夫人はすっかり途方にくれて、なにをしていいかわからないでいた。自分がキチイに対して、なにか悪いことをしたような気持だったからである。

「さあ、先生、あたしどもの運命をきめてくださいまし」公爵夫人はいった。「どうか、なにもかもおっしゃってくださいまし」夫人は『望みがございますでしょうか？』と聞きたかったのだが、唇が震えてしまって、この質問を口にすることはできなかった。「さあ、いかがでございましょう、先生？」

「いや、待ってください、奥さん、今同僚と相談してから、そのうえで、私の意見を申しあげますから」

「では、あたくしはさがっておりましょうか？」

「それはどちらでも」

公爵夫人は溜息《ためいき》をついて、出て行った。

医者がふたりきりになったとき、かかりつけの医者はおずおずと自分の意見を述べはじめた。それは、結核の初期らしいが、しかし、云々《うんぬん》というのであった。名医のほうは相手の話にじっと耳をかしていたが、その話の途中で、ちらっと大きな金時計を見た。

「なるほど」彼はいった。「しかしですな……」

かかりつけの医者は話なかばで、うやうやしく口をつぐんだ。

「ご承知のとおり、結核の初期というやつには、決め手がありませんでね。空洞《くうどう》が現われるまでは、なんら決定的な徴候はないわけですからな。そりゃ、推測することはできますよ。それに多少の徴候がないでもありません、食欲不振とか、神経性のいらだちとかいったようなものですな。そこで問題となるのは、結核の疑いがあるものとして、栄養を維持するにはどうしたらいいか、ということなんですな」

「しかし、ご承知でもありましょうが、このような場合には、いつも心理的、精神的原因が隠れておるものでして」かかりつけの医者は、かすかな笑いを浮べながら、思いきって意見を述べた。

「いや、それはもちろんですとも」名医はまた時計をちらりと見て、答えた。「失礼ですが、ヤウススキー橋はもう竣工《しゅんこう》しましたか、それとも、まだ迂回《うかい》しなくちゃならんでしょうか？」彼はきいた。「ほう！　竣工しましたか。いや、それなら、二十分もあればいけるでしょう。さて、今話していたのは、栄養を維持して、神経を静めるにはどうすればいいか、でしたな。これは相互に関連していますから、円の両側に向って作用させていかなけりゃなりませんな」

「そうしますと、外国旅行の件は？」かかりつけの医者はたずねた。

「私は外国旅行の反対論者でしてな。いや、失礼ですが、もし結核の初期だとしても、われわれはそれを現実に知るわけにいかないんですから、外国旅行をしても、なんの役にも立ちゃしませんよ。なによりもまず栄養を維持して、しかも、害にならない方法を講ずることが必要ですな」

そこで、この名医は、ソーデン水による治療の方法を提案したが、その方法を指定したおもな目的は、どうやら、ソーデン水ならけっして害にならない、ということらしかった。

かかりつけの医者は、注意ぶかく、うやうやしく相手の話に耳を傾けていた。

「しかし、私は外国旅行の効果として、習慣の変化や、記憶を呼びおこす生活環境からの逃避などをあげたいのですが。それにじつは、こちらのご母堂もそれを希望されておりますので」彼はいった。

「なるほど！　いや、そういうことなら、行ってもいいでしょう。ただ、あのドイツのいんちき医者どもがいじくりまわすだろうなあ……私の意見を守ってもらわなくちゃこまるけれど……まあ、そういうことなら、行ってもいいでしょう」

彼はまた時計をちらっと見た。

「や、もう時間だ」そういって、戸口のほうへ歩きだした。

名医は公爵夫人に向って（それは体裁上いったのだが）、もう一度病人を診察しなくては、といった。

「まあ！　また診察ですって！」母親はぎくりとして叫んだ。

「いや、なに、細かいことを少したしかめるだけですよ、奥さん」

「では、どうぞ」

そこで、母親は医者を伴って、キチイのいる客間へはいった。キチイは、いましがた恥ずかしい思いをさせられたために、肉のおちた頬《ほお》をぱっと赤く上気させ、目に特殊な輝きをみせて、部屋のまん中に立っていた。医者がはいって行ったとき、キチイはぱっと赤くなり、その目は涙でいっぱいになった。キチイには、自分の病気騒ぎも、その治療も、なにもかもがじつにばかげた、いや、こっけいなことにさえ思われた。自分を治療することは、まるでこわれた花瓶《かびん》のかけらをくっつけるのと同様に、まったくこっけいなことに感じられた。あたしの心はうちひしがれてしまったのだ。それなのに、あの人たちは、錠剤や粉薬でなにをなおそうというのだろう？　でも、お母さまを侮辱するようなことはできないわ。だって、お母さまは自分が悪かったと思っていらっしゃるんだから、なおさらだわ。

「お嬢さん、ちょっと、かけてみてくださいませんか」名医はいった。

彼は微笑を浮べながら、真向いに腰をおろすと、脈をとり、また退屈な質問をはじめた。キチイはそれに答えていたが、急に腹を立てて、立ちあがった。

「先生、失礼でございますけど、こんなことをして、なんの役に立つんですの。もう先ほどから三度も同じことをたずねていらっしゃって」

名医はべつに腹も立てなかった。

「病気でいらいらしているんですな」彼はキチイが出て行くと、公爵夫人にいった。「とにかく、私のほうはもうすみました……」

それから医者は公爵夫人を前にして、まるでとびぬけて聡明《そうめい》な婦人でも相手にしているように、学術的な言葉をつらねて、令嬢の病状を定義して聞かせ、その結論として、必要もない例のソーデン水の飲み方について弁じたてた。外国へ行ったものかどうか、という問いに対しては、さも困難な問題を解決する人のように、医者は深いもの思いに沈んだ。最後に、やっとその解答が発表された。すなわち、出かけてもいいが、いんちき医者を信用しないで、なにごとも自分に相談してもらいたい、というのであった。

この名医が帰ったあとは、まるでなにか、楽しいことでも起ったみたいであった。母親は娘のところへもどって来て、浮きうきしているし、キチイのほうも浮きうきしているようなふりをしていた。いまやキチイは、しょっちゅうというよりも、ほとんどいつも、なにか心にもないそぶりをしていなければならなかった。

「ママ、ほんとよ、あたし、なんでもなくてよ。でも、ママがいらっしゃりたいんだったら、ごいっしょにまいりましょう」キチイはいった。そして、目前に迫った旅行にさも興味があるようなふりをしながら、旅立ちの準備についてあれこれと話をはじめた。

2

医者の帰ったあとへ、ドリイがたずねて来た。ドリイはきょう立会い診察があることを知っていたので、先日やっと産褥《さんじょく》を離れたばかりなのに（冬の終りに女の子を生んだのである）、また、自分の悲しみや心配事を山とかかえていたのに、きょう決定されるはずであったキチイの運命を知るために、乳飲み子と病気の女の子を家に残して、やって来たのであった。

「ねえ、どうだったの？」ドリイは帽子もとらずに部屋の中へはいりながら、いった。「みんな、なんだか、浮かれてるわね。じゃきっと、よかったんでしょう？」

みんなは医者のいったことを、彼女に話して聞かそうと努めた。しかし、医者はすこぶる流暢《りゅうちょう》にながながと説明したにもかかわらず、今になってみると、彼の話を伝えることは、なんとしてもできなかった。ただ外国行きのきまったことだけが、みんなの興味をひいた。

ドリイは思わずほっと溜息をついた。いちばん親友である妹が行ってしまうのだ。それに、ドリイの生活は楽しいものではなかった。夫のオブロンスキーとのあいだも、和解後は屈辱的なものになってきた。アンナの試みたはんだ付けも案外もろいものだったので、家庭の和解はまた同じところでひびがはいった。べつに、取りたててどうということはなかったが、オブロンスキーはほとんどいつも家にいなかったし、お金もまたほとんどいつも足りなかった。さらに、夫の不実に対する疑いは、たえずドリイを苦しめたが、前になめた嫉妬《しっと》の苦しみを恐れて、今ではその疑いをはらいのけるようにしていた。もうすでに体験したような嫉妬の爆発は、二度と繰り返されようがなかったし、また夫の不実を見つけたにせよ、もう最初のときほどの衝撃を与えることはできなかったであろう。そんなことをあばいてみても、ただドリイから家庭的な習慣を奪うだけにすぎないので、彼女は夫を軽蔑《けいべつ》し、また、なによりもそうした弱点をもつ自分自身をさげすみながら、甘んじて自分自身を欺《あざむ》いているのだった。さらにそのうえ、大家族に対する心くばりは、たえず彼女を苦しめるのだった。赤ん坊の授乳がうまくいかなかったり、乳母が暇をとったり、またきょうみたいに子供のひとりが病気になったり。

「どうなの、おまえのところは？」母はたずねた。

「それがね、ママ、うちでも困ることだらけなのよ。今もリリイが病気なんですけど、猩紅熱《しょうこうねつ》じゃないかと思って、びくびくしているの。こちらの様子が知りたくって、抜けだして来たんですけど、万一そんなことがあったらたいへんですけど、猩紅熱だったら、ずっと家に閉じこもっていなければなりませんわ」

老公爵は、医者が帰ると、これまた書斎から出て来て、ドリイに頰を接吻《せっぷん》させ、二言《ふた》三言《ことみこと》話をしてから、妻のほうを振り返った。

「どうなったね、行くかね？　ところで、わしのほうはどうしてくれるのかね？」

「あなたには残っていただかなくっちゃ」妻はいった。

「どちらでもいいさ」

「ママ、どうしてパパはいっしょにいらっしゃらないの」キチイが口をはさんだ。

「そのほうがパパも、あたしたちも楽しいじゃありませんか」

老公爵は立ちあがって、キチイの頭をなでた。キチイはいつも、父はほとんど自分のことを話さないけれど、家じゅうのだれよりもいちばん自分の気持をわかってくれているような気がしていた。末っ子のキチイは、父親のお気に入りだった。だから、キチイには自分に対する愛情が、父に洞察力《どうさつりょく》を与えているように思われた。だから今も彼女の視線が、じっと自分を見つめる父の人の良さそうな、空色の目と出会ったとき、父は自分を心の奥底まで見透かして、そこにうごめいている良からぬものを、すっかり見抜いているような気がした。キチイは頬を赤らめながら、父の接吻を予期して、そのほうへ身をかがめたが、父はただ娘の髪を軽くたたいただけで、こういった。

「なんで、こんなばかげた入れ毛をするんだ！　これじゃ、本物の娘にはさわらんで、死んだ女の髪をなでるだけじゃないか。ときに、どうだね、ドーリンカ」彼は彼女のほうへ振り向いた。「おまえのところの美丈夫は、元気かな？」

「おかげさまで、パパ」ドリイは夫のことをいわれているのだと悟って、こう答えた。「ただ、いつも出かけてばかりいますので、ろくすっぽ顔を合わすこともありませんけど」彼女はみずからあざけるような笑いを浮べて、こうつけ足さずにはいられなかった。

「それじゃ、まだ森を売りに領地へ出かけないんだな」

「ええ、しょっちゅう用意だけはしてるんですけど」

「なるほどな！」公爵はいった。「じゃ、わしも出かけることにするか？　や、よくわかった」彼は腰をおろしながら、そう妻に向っていった。「ところでいいかね、キチイ」末娘のほうへ向いて、いい添えた。「いつか、朝ふと、目をさましたら、自分で自分にこういってきかせるのだよ、あたしはすっかり丈夫になって、気分も浮きうきしてるから、パパといっしょに凍った土の上を散歩して来ようって。いいね？」

父親のいったことは、一見、きわめて単純なことのように思われた。しかし、キチイはその言葉を聞くと同時に、証拠をつかまれた犯人のようにどぎまぎして、途方にくれてしまった。

《やっぱり、パパはなにもかも知ってらっしゃるんだわ、なにもかもわかってらっしゃるんだわ。あんなことをおっしゃったのは、つまり、いくら恥ずかしくても、その恥ずかしさを忍ばなければいけないってことなんだわ》しかし、キチイはそれに対してなにか返事をする勇気はなかった。口を開きかけたが、そのとたんに、わっと泣きくずれて、部屋から飛びだしてしまった。

「ほら、またつまらない冗談を!」公爵夫人は夫に食ってかかった。「あなたはいつだって……」

夫人はお得意のぐちをこぼしはじめた。

公爵はかなり長いこと妻のお説教を黙って聞いていたが、その顔はしだいに暗くなっていった。

「あの子はそうでなくたって、かわいそうで、気の毒で、見る目も痛ましいくらいですのに、あなたときたら、その原因になったことをちょっとでもほのめかされるのが、あの子にとってどんなにつらいことか、察してもやらないんですからね! ほんとに、人がらを見そこなったわ！」公爵夫人はそういったが、その語調の変化から、ドリイも、公爵も、夫人がヴロンスキーのことをいっているのだとわかった。「なぜあんなけがらわしい、卑劣な人間を罰する法律がないんでしょうね」

「いや、そんなことは聞きたくないね」公爵は顔をくもらせて、肘掛《ひじか》けいすから立ちあがって、出て行きそうにしながら、暗い顔でいったが、ふと、戸口のところで立ち止った。「なに、法律はあるのさ、ただおまえさんが話を持ちだしたんだから、いうがね、この件について悪いのは、おまえさんだよ、ああ、おまえさんだとも、ただおまえさんだよ。あんな若造を罰する法律はいつでもあったし、今でもちゃんとあるさ！　そうとも、こっちになにもまちがったことがなかったのなら、この老人のわしでも、あのにやけた野郎に決闘を申し込むとこだったよ。そうとも。だが今となっちゃ、あんないんちき医者でも連れて来て、治療するしかないのさ」

公爵にはまだいくらでも言い分がありそうだった。しかし、夫人は相手の語調を聞くと、いつも重大な問題になるとよくやるように、急におだやかになって、後悔の色をみせた。

「Alexandre, Alexandre」夫人は夫の名前をフランス語風に発音して、夫にすり寄ってささやくと、わっと泣きだした。

夫人が泣きだすと、公爵もすぐ静かになって、妻のそばへ歩み寄った。
「さ、もうたくさんだ、たくさんだよ！　おまえだって苦しいだろう、わかっとるよ。でも、しかたがない！　まあ、たいしたことじゃないさ！　神さまはお慈悲ぶかいからな……ありがたいことだ……」公爵は自分でもなにをいってるのかわからず、ただ自分の手に感じた、妻の涙にぬれた接吻にこたえながら、いった。やがて、公爵は部屋を出て行った。

もうキチイが涙をためて部屋から出て行ったときから、ドリイは家庭の母親としての経験から、この際、女のしなければならぬ仕事があると見てとって、それをしようと覚悟をきめた。まず帽子を脱ぎ、両袖《そで》をまくりあげんばかりの意気ごみで、次の行動の心がまえをした。母親が父に食ってかかっているあいだは、娘としての礼儀の許す範囲で、母親をおさえようとしたし、父がかんしゃくを破裂させたときは、母親に対して差恥《しゅうち》の念を感じたし、公爵がすぐ優しい気持に返ったときは、父に対する愛情を覚えたが、父が出て行ってしまうと、この際いちばん大切なことをしようと、つまり、キチイの部屋へ行って、その気持をしずめさせようと決心した。

「ねえ、ママ、じつは前からお話ししたいと思ってたんですけど、リョーヴィンさんがキチイに結婚の申し込みをされようとしたのご存じ？　あの人がこのあいだモスクワへいらしたときのことだけど。あの人がそうスチーヴァに話したんですって」

「それがどうしたの？　あたしにはなんのことだかわからないけど……」

「それでね、ひょっとすると、キチイはそれをお断わりしたんじゃないかしら？……そんなお話、ママにしませんでした？」

「いいえ、なんにも。あの子ときたら、それこそなにひとついってくれないんでね。すこし気位が高すぎるのね。でも、あたしにはわかってるの、なにもかもあのことがもとで……」

「ええ、だからママも考えてみてよ、もしあの子が、リョーヴィンさんをお断わりしたとすれば……だって、あの人さえいなかったら、リョーヴィンさんをお断わりするわけがないんですもの、そりゃそうよ……それをあとになって、あの人ったら、あんなひどいだまし方をするんですもの」

　公爵夫人は、自分が娘に対してどれほどすまないことをしているか、考えてみるのも恐ろしかったので、ついに腹を立ててしまった。

「ああ、あたしにはもうなにがなんだかわからないわ！　近ごろの若い人は、自分の考えだけでやっていこうとして、母親には、なにもいわないんだからねえ。それでいて、あとになればこんなことに……」

「ママ、あの子のところへ行ってきますわ」

「行っておいで。なにも止めてなんかいないじゃないか」

母親はいった。

3

vieux saxe（訳注 古いサクソニア焼き）の陶器人形などを飾った、キチイのかわいらしい、ばら色の小部屋は、ついふた月まえのキチイその人のように、若々しく、明るいばら色に輝いていた。ドリイは今そこへはいって行きながら、去年妹とふたりで、あんなに楽しく、深い愛情をこめてこの部屋を飾ったことを思い起した。が、ドアのすぐそばの低いいすにすわって、じゅうたんの一隅《いちぐう》にじっと動かぬ目をそそいでいるキチイを見たとき、ドリイは思わず心臓の凍る思いをした。キチイはちらっと姉を見たが、その冷やかな、いくぶんきびしい顔の表情は変らなかった。

「これから帰るとこだけど、あたしもう、当分外へ出られないし、あなたも来るわけにいかなくなるから」ドリイは妹のそばにすわりながらいった。「ちょっと、あなたとお話ししたいことがあるの」

「なんのお話？」キチイははっとして顔を上げ、すばやくたずねた。

「なんのお話って、あなたの悲しみのことにきまってるじゃないの」

「そんな悲しみなんてないわ」

「よしてよ、キチイ。あたしが知らないとでも思ってるの。なんだって知ってますよ。さ、あたしのいうことを信じてね、こんなことって、まったくたいしたことじゃないんだから……だれだってみんなそれを経験してきたんですもの」

キチイは黙りこくっていたが、その顔はきびしい表情をおびてきた。

「あんな人、あなたがそんなに苦しむほどの値打ちなんかなくてよ」ドリイはいきなり肝心な点にふれながら、言葉をつづけた。

「ええ、そりゃあの人はあたしを軽蔑したんですもの」キチイはひびのはいったような声でいった。「そんなこと、もういわないで！　お願いだから、いわないで！」

「まあ、だれがそんなことをいって？　だれもそんなことはいいませんよ。いいえ、あの人はあなたに夢中だったし、今でもやっぱり夢中でしょうけど、ただね……」

「まあ、そんな同情の言葉なんて、聞くだけでもぞっとするわ！」キチイは急に腹を立てて叫んだ。キチイはいすの上でくるりと身をかわし、まっ赤になって、せかせかと指を動かしながら、手にしていたベルトの尾錠を、両手でかわるがわる握りしめた。

ドリイは、妹が興奮すると、両手でかわるがわる物を握る癖があるのを、知っていた。そこで、ドリイは妹をしずめようとした。しかし、それはもう手おくれだった。

また、やたらによけいな不愉快なことをしゃべりだすことも知っていた。

「いったい、なにを、なにをあたしに思い知らせようとしてるの、え？」キチイは早口にいった。「あたしに目もくれない人のことを思って、あたしが恋の病で死にかかっているっていうの？　そんなことをお姉さんがいうなんて。そのくせ……ご自分では、あたしに同情してらっしゃるおつもりなんでしょ！……そんな同情や、もっともらしい見せかけなんか、まっぴらごめんですわ！」

「キチイ、あなたは思いちがいしてるのよ」

「なんだってそうあたしを苦しめるの？」

「まあ、なにをいうの……あんまりあなたが苦しそうなので……」

しかし、もうかっとなってしまったキチイは、相手のいうことに耳をかさなかった。

「あたし、べつに苦しんでもいないし、慰められることもないわ。あたしって、とても気位の高い女ですから、こちらを愛してもくれない人を恋するなんて、絶対に、しないわ」

「ええ、だから、そんなことをいってるんじゃないの……ただね、あたしにほんとのことを、いってちょうだい」ドリイは妹の手を取っていった。「ね、お願い、リョーヴィンさんはあなたに結婚の申し込みをなさったの？……」

リョーヴィンのことをいわれて、ついにキチイも最後の自制心を失ったらしかった。いきなりいすから立ちあがると、尾錠を床へたたきつけ、両手でなにか激しい身ぶりをしながら、まくしたてた。

「いったい、なんだって、リョーヴィンさんのことまで持ちだすの？　なぜそんなにお姉さんはあたしを苦しめたいの、え？　あたし、さっきいったことを、もう一度かさねていいますけど、あたしって、とても気位の高い女ですから、お姉さんのなさるようなまねは絶対、絶対いたしませんからね。自分を裏切ってほかの女を愛した男のところなんかに、帰って行くなんてまねは！　そんなこと、あたしには理解ができないわ、ええ、理解できないわ！　お姉さんにはできても、あたしにはできないのよ！」

やがて、これだけのことをいってしまうと、キチイはちらと姉のほうを見た。が、ドリイが浮かぬ顔で頭をたれ、じっと黙りこくっているのを見ると、キチイは急に部屋から出て行くのをやめ、ドアのそばに腰をおろし、ハンカチで顔をおおって、うなだれてしまった。

この沈黙は二分ばかりつづいた。ドリイは自分のことを考えていた。いつも感じていた自分の卑屈さが、妹に指摘されて、今までになく痛感された。妹がこれほど残酷な仕打ちをしようとは思いもよらなかったので、ドリイも妹に腹を立てた。しかしその瞬間、衣《きぬ》ずれの音とともに、とつぜん、堰《せき》を切って出たのをやっとおし殺したような号泣の声が聞え、だれかの手が下のほうからドリイの首に抱きついた。キチイが姉の前にひざまずいているのだった。

「ドーリンカ、あたし、とても、とても、ふしあわせなのよ！」キチイはすまなそうにささやいた。

そして、涙にぬれたかれんな顔が、ドリイのスカートの中にかくれた。

さながらこの涙は、ふたりの姉妹の心を通わせる機械の回転に、なくてはならない油のようなものであった。ふたりは泣いたあと、もういいたいと思うこととは別のことを話しはじめた。しかし、ほかのことを話しながらも、ふたりはお互いに理解しあっていた。キチイは、自分が腹立ちまぎれにいった夫の不実とそれに対する姉の卑屈さ云々《うんぬん》のひと言が、あわれな姉を胸の底まで傷つけたものの、姉は今それを許してくれたのだと悟った。ドリイはまたドリイで、自分の知りたいと思ったことを、すっかり悟った。ドリイは自分の推測がまちがっていなかったことを確信した。つまり、キチイの悲しみ、その癒《いや》すことのできない悲しみは、リョーヴィンの求婚を拒絶し、しかもヴロンスキーには欺《あざむ》かれ、今ではリョーヴィンを愛して、ヴロンスキーを憎む気持になっていることにあったのだ。キチイもそのことについては、ひと言もいわなかった。ただ自分の心の状態を話しただけだった。

「あたし、悲しいことなんか、ちっともないのよ」キチイは気持が落ち着いてから、いった。「でもお姉さんにはとてもわかりっこないでしょうけど、あたし、なにもかもけがらわしく、いやらしく、あさましく思われてきたの、それもこのあたしがいちばん。あたしがなにもかも、すぐけがらわしいことに結びつけて考えるってこと、お姉さんなんかにはとても想像がつかなくてよ」

「まあ、いったい、どんなけがらわしいことを考えるの？」ドリイは、微笑を浮べながらきいた。

「とっても、とってもけがらわしい、あさましいことよ。とてもお姉さんにはいえないわ。憂鬱《ゆううつ》とか退屈なんてものじゃなくて、もっと、ずっといけないものなのよ。なんだか、あたしの持っているいいものが、すっかりどこかへ隠れてしまって、いちばんいやらしいものばかりが残ってしまったみたいなの。さあ、なんていったらいいかしらね？」キチイは姉の目の中にけげんそうな表情を見て、言葉をつづけた。「さっきもパパがあたしに話しかけられたでしょう……するとあたしって、もうパパはただあたしが結婚しなくちゃいけないと、ただそればかり考えていらっしゃるような気がしてくるの。ママが舞踏会へ連れてってくださると、あたし、すぐ思っちゃうの——ママがこうして連れて来てくださるのは、ただ少しも早くあたしをお嫁にやって、厄介払《やっかいばら》いをするためなんだって。それがまちがってるのは承知してるんだけど、そうした考えを払いのけることができないのよ。いわゆる花婿《はなむこ》候補なんて、あたしとても見ていられないわ。だって、みんなあたしの寸法をとってるような気がするんですもの。前は、舞踏服を着てお出かけするのが、ただもうそれだけでうれしくて、自分で自分に見とれていたもんですけど、今はもう恥ずかしくって、居心地《いごこち》が悪いばかりなの。それで、どうだっていうの？　あのお医者さまは……ねえ？……」

キチイはふと口ごもった。キチイはそれからさらに、例の一件が起きてから、もうオブロンスキーのことがいやでたまらず、なにか思いきりあさましく、醜いことを想像しなくては、彼を見ることができなくなったといいたかったのである。

「それで、あたしはなにもかも思いきりあさましい、けがらわしい姿で想像するようになったの」キチイはつづけた。「これがあたしの病気なのね。ひょっとしたら、それもなおるかもしれませんけど」

「そんなこと考えないほうがいいのよ……」

「でも、そうなってしまうのよ。ただ子供といっしょにいるときだけがいいの、お姉さんのところにいるときだけ」

「残念だわ、家へ来てもらえなくて」

「いいえ、行くわ。あたし、もう猩紅熱《しょうこうねつ》はしたんですもの、ママにお願いしてみるわ」

　キチイは我を張って、姉のもとへ移った。それから、事実となった猩紅熱のあいだじゅう、子供たちの面倒を見てやった。ふたりの姉妹は、無事に六人の子供たちを守りとおしたが、キチイの健康は回復しなかった。そこで、大斎期（訳注　復活祭の前七週間の精進期間をいう）のくるのを待って、シチェルバツキー一家は外国へ旅立って行った。

4

　ペテルブルグの上流社会は、もともと、一体をなしていて、すべての人はお互いに知り合ってるばかりでなく、お互いに行き来しあっていた。しかし、この大きな組織にも、それぞれのグループがあった。アンナ・カレーニナは、三つの異なったグループに友だちがあって、一つは社会的な条件から見ると種々雑多な組合せで、いとも気まぐれに集散離合する夫の同僚や部下たちから成っていた。アンナは、はじめのころこれらの人びとに対して、ほとんど敬虔《けいけん》とさえいえるほどの尊敬の念をいだいていたが、今ではその気持を思いだすのすらむずかしいくらいであった。今アンナはこれらの人びとを、地方の小さな町の人びとがお互い同士知り合っているのと同様、だれかれの別なく知りぬいていた。だれはどういう癖で、どういう欠点を持っているか、だれのどちらの足の靴《くつ》が窮屈か、といったようなことまでも承知しており、お互い同士の関係も、中央との関係も、またどれはだれを頼りにしているか、それはどんなふうに、なにを手段としているか、だれはだれとどういう点でつながったり、離れたりしているか、というようなことも心得ていた。しかし、この政治的な男の利害で結束したグループは、リジヤ伯爵《はくしゃく》夫人からいくら説いてまわられても、アンナの興味をひくことはできず、アンナのほうもそれを避けるようにしていた。

もう一つのアンナの親しくしていたグループは、夫のカレーニンが出世の踏み台にしたものであって、そのグループの中心にはリジヤ伯爵夫人がおさまっていた。それは年配の、器量の悪い、信心ぶかい、篤志家《とくしか》の婦人たちと、聡明《そうめい》な、学問のある、名誉心の強い男たちの集まりであった。このグループに属するある聡明な男性のひとりは、これを『ペテルブルグ社交界の良心』と名づけた。カレーニンはこのグループを大いに尊重していたので、すぐだれとでも仲よくやっていくことのできるアンナは、ペテルブルグ生活の初期には、このグループの中にも、幾人かの親友をもっていた。ところが、今度モスクワから帰ってみると、このグループがいやでたまらなくなってしまった。アンナは、自分もほかの人たちも、みんななにかポーズをつくっているような気がして、そういう連中の中にいると退屈で、居心地が悪くなるのであった。そのため、アンナはなるべくリジヤ伯爵夫人のところへ行かないようにしていた。

最後に、アンナの関係していた第三のグループは、本来の意味の社交界、つまり、舞踏会や晩餐会《ばんさんかい》や輝かしい衣装くらべの社交界であった。この社交界は売笑の世界まで堕落しないために、片手でしっかりと宮廷につかまっており、自分では売笑の世界を軽蔑《けいべつ》しているつもりでありながら、その実、彼らの趣味はそれと似ているどころか、まったく同じものであった。このグループとアンナとの関係は、トヴェルスコイ公爵夫人を通して結ばれていた。公爵夫人はアンナの従兄《いとこ》の細君で、年二十万ルーブルもの収入があり、アンナが社交界へ出たいちばんの初めから、アンナを気に入ってしまい、なにかとごきげんをとっては、自分のグループへ引っぱりこもうとしていた。リジヤ伯爵夫人のグループのことは薄笑いを浮べながら、

「あたしも年をとって、みっともなくなったら、お仲間入りさせてもらいますよ」ベッチイ・トヴェルスコイ公爵夫人はいった。「でもね、あなたみたいに若くて美しい方は、まだあんな養老院へはいるのは早すぎてよ」

アンナははじめのうちこそ、努めてこのトヴェルスコイ公爵夫人のグループを避けるようにしていたが、それは、このグループとの交際には身分不相応な金がかかったし、それにアンナ自身心の中では、どちらかといえば第一のグループを好んでいたからであった。ところが、モスクワからもどって来ると、それが反対になってしまった。アンナは、前の精神的な友人を避けるようになり、華やかな社交界へ出入りするようになった。アンナはよくヴロンスキーに出会い、出会うたびに胸がわくわくするような喜びを感じた。中でもいちばんよくヴロンスキーに出会うのは、ベッチイの家で、ベッチイはヴロンスキー家の出で、彼とは従兄妹《いとこ》にあたっていた。ヴロンスキーのほうも、アンナに会えそうなところなら、どこへでも出かけて行き、機会をとらえては、自分の愛を打ち明けるのだった。アンナはそれに対して、問題となるようなことはなにもしなかったけれど、彼と顔を合わすたびに、はじめて彼を汽車の中で見たあの日と同じように、生きいきした感情が心の中に燃えあがるのであった。アンナ自身も、彼を見ると、自分のひとみに喜びの色が輝き、唇《くちびる》が微笑にほころびるのを感じた。そして、アンナもこの喜びの表情を自分で消すことはできなかった。

初めのころはアンナも、自分が彼につけまわされるのを不満に思っていると、心から信じきっていた。ところが、モスクワから帰って間もなく、ヴロンスキーに会えると思って来た夜会で、彼の姿が見えなかったとき、アンナは、急にもの足りぬ気分にとらわれたところから、今まで自分で自分を欺いてきたことを悟った。彼につけまわされることは、アンナにとって不愉快でないばかりか、今のアンナの生活をささえる興味のすべてであった。


有名な歌姫が二回めに出るというので、上流社交界の全員が劇場に集まっていた。第一列めの自分の席から従妹《いとこ》を見かけたので、ヴロンスキーは幕間《まくあい》も待たずに、その桟敷《さじき》へはいって行った。

「あら、なぜお食事にいらっしゃらなかったの?」ベッチイは彼に話しかけた。「恋する人の敏感さにもあきれてしまうわ」公爵夫人は、相手にだけ聞えるような声でこうつけ足した。「あの方もこなかったのよ。でもね、オペラがすんだらいらっしゃいよ」

ヴロンスキーはもの問いたげな表情でベッチイを見た。彼女は黙ってうなずいた。

ヴロンスキーは微笑で感謝の気持を見せ、そのそばに腰をおろした。

「でも、ちょっとおもしろいわね、あなたがいつも口にしている皮肉を思いだすと！」ベッチイはこの種の情熱の成り行きを見守ることに、特別な興味をもっているので、そう言葉をつづけた。「あの皮肉はいったいどこへ行ってしまったのかしら？　ねえ、あなた、すっかりまいってしまったのね」

「ええ、ぼくは、そのまいってしまうことばかりを念願にしてるんですよ」持ち前の、落ち着いた、人の良さそうな微笑を浮べながら、ヴロンスキーは答えた。「いや、なにか不満があるとしたら、まいりかたが少し足りないってことだけですよ。じつは、希望を失いかけているんですよ」

「あら、じゃ、どんな希望をもつことがおできになりますの？」ベッチイは自分の親友のために侮辱を感じてこういった。「entendons nous（訳注　さあ、話してくださいな）……」もっとも、その目の中にちらちらしていた火花は、あなたがどんな希望をもつことができるか、わたしもあなたと同じくらい正確に、ちゃんと承知しています、と語っていた。

「まるっきりないんですよ」ヴロンスキーはきれいに並んだ歯を見せて、笑いながら答えた。「ちょっと、失礼」彼はそうつけ加えて、ベッチイの手からオペラ・グラスを取り、彼女のあらわな肩ごしに、反対側の桟敷を見まわしにかかった。「ぼくは自分がだんだんこっけいな人間になっていきやしないかと心配してるんですよ」

　もっとも彼は、自分がベッチイをはじめ、社交界のすべての人びとから見て、もの笑いのたねになるような危険は冒していないことをよく承知していた。これらの人びとの目には、年ごろの娘とか、一般に自由な立場にある婦人に不運な恋をしている男の役まわりは、あるいは、こっけいに映るかもしれないが、人妻を追いまわして、なんとか不倫な関係に引き入れようと命がけになっている男の役まわりは、なにか、美しく偉大なところがあって、けっしてこっけいに見える気づかいのないことを、彼はよくわきまえていたからである。そのため、彼は口ひげの下に誇らかな楽しそうな微笑を見せながら、オペラ・グラスをおろして、従妹の顔をのぞきこんだ。

「ねえ、なぜ、お食事にいらっしゃらなかったの？」ベッチイは、彼に見とれながらきいた。

「ええ、それをお話ししなくちゃなりませんね。とにかく、忙しかったんですが、それがなんだと思います？　これは百のうち九十九まで……いや、千のうち九百九十九まで、ちょっと想像がつかないでしょうね。じつは、ある夫と、その細君を侮辱した人間を仲直りさせていたんですから。いや、ほんとうですとも！」

「それで、どうなの？　うまく仲直りはできたの？」

「まあ、だいたいね」

「そのお話はぜひ聞かせていただかなくちゃ」ベッチイは立ちあがりながらいった。「今度の幕間にいらっしゃてね」

「それがだめなんですよ、フランス劇場へ行かなくちゃならないんで」

「まあ、ニルソン（訳注　一八四三―一九二一。スウェーデンのソプラノ歌手）を聞かないで？」ベッチイは、びっくりしたようにいったが、そのベッチイにしても、ニルソンをただのコーラス・ガールと区別していたわけではなかった。

「しかたがありませんね。向うで人に会わなくちゃならんので。やっぱり、その仲裁の一件でね」

「平和をもたらすものは幸いなり、その人は救われん、ですものね」ベッチイはだれかからなにか似たようなことを聞いたのを思いだして、こういった。「さあ、それじゃ、ここにすわって、今のお話を聞かせてくださいな」

そういって、ベッチイは再び腰をおろした。

5

「これはちょっとあけすけの感がありますがね、じつにおもしろい話なので、なんとしてもしゃべりたくてたまらないんですよ」ヴロンスキーは笑みを含んだ目で相手をながめながら、こういった。「名前だけはいわないことにしますがね」

「でも、すぐ見当がつきましてよ、そのほうがかえってけっこうですけど」

「さて、いいですね、陽気な若い男がふたり、馬車を走らせていたとしましょう……」

「もちろん、あなたの連隊の将校さんでしょう？」

「なにも将校とはいいませんよ、いや、ただちょっと飯を食って出かけたふたりの若者ですよ」

「一杯きげんのふたり、といったほうがよくってよ」

「かもしれませんね。ま、とにかく、すごく上きげんで、友だちのところへ晩餐に行く途中だったのです。ところが、ふと見ると、すばらしい美人が辻馬車《つじばしゃ》に乗って、ふたりを追い越しながら、しきりにあとを振り返って、うなずいたり、笑ったりしているんです。いや、すくなくとも連中にはそう思われたんですね。そこで、今度は全速力で追いかけたというわけですよ。ところが、びっくりしたことに、その美人は、連中がたずねようとしていた屋敷の車寄せに、馬車を止めるじゃありませんか。その美人はすぐ二階へ駆けあがって行きました。連中が見ることのできたのは、ただその短いヴェールの下からのぞく赤い唇と、小さな美しい足ばかりだったのです」

「どうやら、そう熱をいれて話してらっしゃるところを見ると、そのおふたりのうちひとりは——あなたご自身だったようね」

「え、なにか今おっしゃいましたか？　さて、そのふたりの青年は、友だちの部屋へ通りました。そこで送別の宴がはられていたのです。たしかに、そこでは、したたか飲んだことでしょう。なにしろ、送別の宴というやつは、いつもそうですからね。ところで、宴会の最中に、ふたりはみんなをつかまえて、上に住んでいるのはだれかとたずねてみたのですが、だれひとり知らないんですよ。ただ主人の召使が、この上にはマドモアゼルが住んでいるのかというふたりの質問に答えて、そんなのは大勢いますよ、というんですね。晩餐のあと、ふたりの青年は主人の書斎へ行って、例の未知の婦人にあてた手紙を書きました。それは愛の告白みたいな、情熱あふれる手紙でしたが、連中は自分でそれを二階へ持って行ったんです、つまり、手紙では十分意をつくさないところを、よく説明するためにね」

「まあ、なんのために、そんなけがらわしいことをお話しなさるの？　それで？」

「ベルを鳴らすと、女中が出て来たので、その手紙を渡して、自分たちはふたりとも恋いこがれて、今にもこのドアの前で死にそうだといったんですよ。女中は納得がいかずに押し問答をしていると、そこへ不意にソーセージみたいな頰《ほお》ひげをはやした紳士が、ゆでえびのようにまっ赤な顔をして現われ、この家には、自分の女房よりほかだれもおらんといって、青年たちを追い出してしまったんです」

「でも、なぜその人がソーセージみたいな頰ひげをしていたなんてご存じなの？」

「まあ、聞いてください。ぼくはきょうその連中の仲裁に行って来たんですから」

「それで、どうなりました？」

「いいですか、ここがいちばんおもしろいところなんですから。それは九等官と九等官夫人の幸福な夫婦だということがわかりました。その九等官氏が訴えて出たものですから、このぼくが仲裁役を買ってでたんですが、いや、その仲裁ぶりといったら！……誓っていいますが、ぼくに比べたら、タレイラン（訳注　一七五四―一八三八。フランスの外交官）でも問題になりませんよ」

「なにがそう骨が折れたの？」

「いや、まあ、聞いてくださいよ……われわれはまず型どおりに謝罪したんです。『私どもはどうしていいかわからずにいます。あの不幸な誤解をなにとぞお許しください……』とね……ソーセージをぶらさげた九等官も、だんだんに軟化していったんですが、しかし、向うもまた、自分の気持を表明したくなってきたんですよ。それはまあいいとして、そいつを表明する段になると、いきなり、恐ろしくのぼせあがって、乱暴なことをいいだしたものだから、ぼくも、再び自分の外交的手腕を発揮しなければならなくなったんです。『もちろん、この連中の行動がよくなかったのは私も認めますが、しかしどうか、誤解ということと、この連中がまだ若いってことを考慮していただきたい。しかも、連中はこのちょっと前に食事をしたばかりなんですから。ごらんのとおり、ふたりは心から後悔して、どうか自分たちの罪を許していただきたいといってるんですから』とね。九等官のほうもまた折れてきました。『いや、ごもっともですとも、伯爵。しかし、私の立場も察してください、自分の女房が、れっきとした婦人である、私の女房が、追いまわされたり、まったく無礼な目にあわされたんですからな、それもどこの馬の骨ともわからぬ若造の、やくざに……』ところが、なにしろ、その若造がその場にいるんですからね、こちらはまた双方をなだめなくちゃならない。例の外交的手腕を発揮しましてね。やっと、円満におさまろうとしたとたん、わが九等官氏はまたかっとなって、顔をまっ赤にし、例のソーセージを振りまわすものだから、ぼくはまたもや、微妙な外交戦術の限りをつくすというわけなんですよ」

「ああ、この話はぜひあなたにお聞かせしなければなりませんわ！」ベッチイは、そのときボックスへはいって来た婦人に話しかけた。「あたし、この人にすっかり笑わせられてしまいましたのよ」「それでは、bonne chance（訳注 ご成功を祈りますわ）」ベッチイは手に扇を持っていたが、そのあいていた指をヴロンスキーにさしだし、軽く肩を動かして、ずりあがった夜会服の肩を下げながら、そうつけ足した。それは、舞台のフットライトのほうへ歩み寄って、一同の見ている前でガス燈《とう》の光に照らしだされるとき、すっかり肩をあらわにしておくためであった。

ヴロンスキーはフランス劇場へ出かけて行った。事実、そこで連隊長に会わねばならなかったのである。この連隊長は、フランス劇場の芝居は一度も欠かしたことがない人物であった。ヴロンスキーはもう足かけ三日も、忙しい思いをしたり、同時に自分でもおもしろがっている例の仲裁の件について、連隊長と打合せをするためだった。この件には、親友のペトリツキーと、最近入隊したばかりの、友人として資格十分の好漢、若いケドロフ公爵《こうしゃく》が関係していたが、なによりも重大なのは、それが連隊の利害に関する問題だったことである。

ふたりともヴロンスキーの中隊に属していた。九等官の官吏ヴェンデンは連隊長のもとへ、自分の女房を侮辱した将校に対する苦情を訴えに来たのである。ヴェンデンの話によると、その若い細君は――まだ結婚して半年にしかならなかった――母親といっしょに教会へ行ったが、急に身重のために気分が悪くなり、もう立っていられなくなったので、おりから通りかかった辻馬車に乗って家路についた。ところが、あとから将校たちが追いかけて来たので、女房はびっくりしてしまい、気分はますます悪くなって、わが家の階段を駆けのぼった始末である。当のヴェンデンは役所から帰ってみると、ベルの音とだれやら人の声がするので、玄関へ顔を出した。すると、酔っぱらった将校が手紙を持って立っているので、すぐ外へ突き出してしまった。彼は改めて厳重に処罰してくれと訴えたのである。

「いや、きみがなんといってもだね」連隊長は、ヴロンスキーを自分のもとへ呼んで、いった。「ペトリツキーはもう手におえんね。一週間だって、事件を起さずにすんだためしがない。あの官吏も事件をこのままにはしないだろう、どこまでもやる気だよ」

ヴロンスキーは、この事件があまりかんばしくないことを見てとったが、決闘ざたにはなりっこないから、なんとかその九等官をなだめて、事件をもみ消すために、万全の策を講じなければならぬと考えた。連隊長がヴロンスキーを呼んだのは、当人が高潔で聡明《そうめい》な人間であり、しかもなによりも、連隊の名誉を重んずる人間であることを、承知していたからである。ふたりはいろいろ相談したあげく、ペトリツキーとケドロフが、ヴロンスキーといっしょに、その九等官のところへ謝罪に行くことをきめた。連隊長もヴロンスキーもともに、ヴロンスキーという名前と、侍従武官の徽章《きしょう》は、九等官をなだめるのに、大いに役立つだろうと心得ていた。そして、案の定、この二つの武器はある程度、効を奏した。しかし、仲裁の結果は、さきにヴロンスキーも話したとおり、まだあいまいなものであった。

フランス劇場へ着くと、ヴロンスキーは連隊長と連れだって、廊下へ行き、自分の成功とも失敗ともつかぬ行為を報告した。連隊長はいっさいの事情を考慮したうえ、この事件を未解決のまま放っておくことにきめた。しかし、そのあとでおもしろ半分に、会見の模様をヴロンスキーに根掘り葉掘りきき、いったんおさまった九等官が、ふと、事件のいきさつを思いだして、急にかっとなったことや、ヴロンスキーがついに、いいかげんな仲裁の言葉を述べながら、相手の鋒先《ほこさき》をかわし、ペトリツキーを前に押し出して、退却して来たことを聞くと、長いこと腹をかかえて笑った。

「こりゃ、みっともない話だが、まったく笑わせるね！　いや、ケドロフにしても、まさかその先生と決闘するわけにゃいかんし！　それじゃ、相手はかんかんになったってわけだね？」連隊長は笑いながらききかえした。「それにしても、今夜のクレールはすごいだろう？　まさに奇蹟《きせき》だよ！」新米のフランス女優のことをいった。「何度見ても、毎日新しい感じなんだからな。いや、こいつは、フランス人じゃなくちゃできんよ」

6

ベッチイ公爵夫人は最後の幕の終りを待たずに、劇場を出た。ボリシャーヤ・モルスカヤ街にある、夫人の宏壮《こうそう》な邸宅に、次から次へと馬車が乗りつけて来たとき、夫人は化粧室へはいって、その青ざめた面長《おもなが》な顔に白粉《おしろい》をはたき、それをさっとのばし、髪の形をなおして、大きいほうの客間へやっとお茶を出すように命じたところだった。客たちが広々とした車寄せにおり立つと、毎朝、通行人にお説教するために、ガラス戸の中で新聞を読んでいる太った玄関番が、その大きなドアを、音もなくあけて来客を通すのであった。

きれいに髪を整え、生きいきした顔つきの女主人が、一方の戸口から客間へはいるのと、客がもう一つの戸口からやって来るのと、ほとんど同時であった。その大きな客間はくすんだ壁にかこまれ、毛の柔らかいじゅうたんを敷きつめ、あかあかと照らされたテーブルには、純白のテーブル・クロス、銀のサモワール、透きとおるような陶器の茶器などが、たくさんのろうそくの光に照りはえていた。

女主人はサモワールの前にすわって、手袋を脱いだ。一同は、目立たぬように動く召使たちの手をかりて、いすを動かしながら、ふた組に別れて席についた――ひと組はサモワールの前の女主人のまわりに、もうひと組は客間の反対側の端にいる、黒い眉《まゆ》をはっきりかいて、黒いビロードの服に身をつつんだ美しい公使夫人をかこんで。どちらの組の話題も、初めは例によって、人びとのあいさつや、お茶をすすめる言葉などにさまたげられて、なんにしたらいいか迷ってでもいるように、なかなかきまらなかった。

「あれは女優として、とびぬけてすばらしいですね。ひと目で、カウルバッハ（訳注 一八〇五―一八七四。ドイツの画家）を研究したことが、わかりますよ」公使夫人の組にいるひとりの外交官がいった。

「あの倒れ方にお気づきになりました?……」

「ねえ、お願いですから、ニルソンのお話はしないことにいたしましょうよ！　その女優《ひと》については、もうなんにも新しいことはいえませんもの」赤ら顔に眉を剃《そ》りおとし、ブロンドの髪に入れ毛も使わず、古びた絹の服をまとっている太った婦人がいった。それは、態度がざっくばらんで、ぶしつけなので有名な、enfant terrible（訳注　恐るべき子供）と呼ばれていた、ミャフキー公爵夫人だった。ミャフキー公爵夫人は、二つの組のまん中にすわっていたので、かわるがわる耳を傾けては、どちらの話にも口をはさんでいた。

「きょうは三人の方から、カウルバッハのことで、今と同じ文句を聞かされましたよ、まるで申し合せたみたいに。どうやら、その文句がひどくその方たちには気に入ったのね」

会話はこの皮肉のために中断されたので、また新しい話題を考えださなければならなかった。

「どうぞ、なにかおもしろい話をしてくださいな、ただ、毒のないのをね」英語で small talk といわれている気のきいた小話の名人である公使夫人が、同じく今なにを話したらいいかわからないでいる外交官に向って、いった。

「いや、それがとてもむずかしいんですよ、毒のある話にかぎっておもしろいっていいますからね」彼は微笑を浮べながらいった。「でも、まあ、やってみましょう。なにかテーマを出してください。なにごともテーマにかかっていますからね。テーマさえ出れば、それを料理していくのは、たいしてむずかしくありませんよ。私はよく思うんですが、前世紀の有名な話術家も、今では気のきいた話をするのに困るでしょうね。なにしろ、気のきいた話はみんな鼻についてしまいましたから……」

「その文句もとっくの昔にいい古されてしまいましたね……」公使夫人は笑いながら、相手をさえぎった。

会話は優しい調子ではじまったが、あまり優しすぎたために、またもやいきづまってしまった。そこで、ついに、けっして失敗のない確実な方法、つまり、毒舌に頼るよりほかしかたがなかった。

「ねえ、みなさん、トゥシュケーヴィチには、どこかルイ十五世に似たところがありますでしょう?」彼は、テーブルのそばに立っているブロンドの美青年をかえりみながら、いった。

「まあ、ほんと！　あの方はこの客間と同じ趣味なのね。だから、よくここへいらっしゃるんでしょう」

この話は一同の支持を受けた。というのは、それがほかならぬこの客間で話題にできないこと、つまり、女主人とトゥシュケーヴィチとの関係を、暗にさしていたからであった。

一方、サモワールと女主人をとりかこんでの会話も、やはり同じように三つの問題——最近の社会的なニュースと、芝居と、知人のうわさのあいだを、しばらく行ったり来たりしていたが、ついに最後の手段たる毒舌に移って、やはりそこに落ち着いた。

「ねえ、お聞きになって、マリチーシチェヴァさんも——お嬢さんのほうじゃなくてお母さまのほうが、diable rose（訳注 血紅色）のお召し物をこしらえてらっしゃるんですって」

「まさか！　でも、さぞすてきでございましょうね！」

「ほんとに、びっくりいたしましたわ。だってあんなに賢い方がねえ——それに、けっしてものわからない方じゃありませんのにね——ご自分がどんなにこっけいに見えるかってこと、おわかりにならないんですかしら」

みんなはひとりびとり、不幸なマリチーシチェヴァを非難したり、笑ったりする種をもっていたので、会話は燃えさかったたき火のように、さも楽しそうに、ぱちぱちと音をたてんばかりであった。

ベッチイ公爵夫人の夫は、人の良い、肥大漢で、熱心な版画の収集家であったが、妻のところに客が来ていると聞いて、クラブへ行く前に客間へはいって来た。彼は柔らかいじゅうたんの上を足音をしのばせて、ミャフキー公爵夫人のそばへ近づいた。

「ニルソンはお気に召しましたか？」彼はたずねた。

「まあ、そんなに足音をしのばせて近づくなんて、こちらがびっくりするじゃありませんか！」夫人は答えた。「どうか、あたしにオペラの話なんか、しないでください、あなたはまるっきり音楽なんか、おわかりにならないんですもの。そんなことより、あたしはあなたのところまで程度を下げて、マジョリカ焼きや版画のお話をいたしますよ。ねえ、このあいだの市《いち》で、どんな掘出しをなさいまして？」

「なんなら、お見せしましょうか？　でも、あなたは見る目がないから」

「いいえ、見せてくださいな。あたし、あの、ええと、なんといいましたっけ……あの銀行家に教えてもらいましたのよ……すばらしい版画をお持ちでいらっしゃいますのね。見せてくださいましたけど」

「それじゃ、シュツブルグさんのところへいらっしゃいましたの？」女主人が、サモワールのそばからたずねた。

「まいりましたのよ、ma chère（訳注　あなた）。宅といっしょに晩餐《ばんさん》に呼ばれましたの。ところが、その晩餐に使ったソースが千ルーブルもしたって、おっしゃるじゃありませんか」ミャフキー公爵夫人は、みんなが耳をすましているのを感じながら、そう大きな声でいった。「でも、それがとてもいやなソースなんですのよ、なんだか緑色をしてて。それで、今度はこちらでお呼びしなくちゃならないので、あたし、八十五コペイカでソースを作りましたの、みんなとても喜んでくださいましてね。あたしはとても千ルーブルのソースなんか作れませんからね」

「あの方はちょっと変っていらっしゃいますね！」女主人はいった。

「いや、たいしたもんですよ！」だれかがいった。

ミャフキー公爵夫人の話がもたらす効果は、いつも同じようなものであった。夫人がそうした効果をつくりだす秘訣《ひけつ》は、今の場合と同様、あまりその場に適切なものではなかったが、なにか意味のある単純な話をするところにあった。夫人の住んでいる社会では、そうした言葉が、もっと機知をおびたしゃれと同じ働きをするのであった。ミャフキー公爵夫人は、なぜそんなふうになるのか、自分ではわからなかったけれども、そういう働きをすることだけは心得ていて、いつもそれを利用するのであった。

ミャフキー公爵夫人がおしゃべりをしているあいだ、みんなはその話に耳をかしていたので、公使夫人の話はとぎれてしまった。そこで、女主人は一座を一つにまとめようと思って、公使夫人に話しかけた。

「まあ、どうしてもお茶を召しあがりませんの？　こちらのほうへお移りになりませんか？」

「いいえ、ほんとに、こちらでけっこうですの」公使夫人は笑顔で答えて、しかけた話をつづけた。

その話はとりわけ愉快なものだった。みんなはカレーニン夫妻をあれこれと非難していたのである。

「アンナはモスクワへ行ってから、すっかり変ってしまいましたのよ。なんだかおかしなふうになって」アンナの女友だちがいった。

「その変ったいちばんのところは、アレクセイ・ヴロンスキーの影を連れてらしたことですわね」公使夫人が口をはさんだ。

「それがどうしまして？　グリムには影のない男、影をなくした男なんておとぎ話がございますよ。それはなにかの罰でそうなったんですが、いったい、なんの罰なのやら、あたしにはどうしてもわかりませんでしたわ。でも、女の身として影がないってことは、きっと、いやなものでしょうね」

「そうね、でも、影をもった女は、たいてい、終りがよくありませんわ」アンナの女友だちはいった。

「まあ、そんなひどいことをおっしゃって」今の言葉を聞きつけて、ミャフキー公爵《こうしゃく》夫人はいった。「カレーニン夫人はりっぱなご婦人ですよ。あたし、ご主人は好きじゃないけど、あの方のほうは好き」

「まあ、なぜご主人のほうはお好きじゃないの？　あんなごりっぱな方じゃございませんか」公使夫人はいった。

「宅の主人なども、ああいう政治家はヨーロッパにもそうざらにはいないって申しておりますわ」

「うちの人もそういってますけど、あたし、本気にしてません」ミャフキー公爵夫人は答えた。「あたしどもの主人がいろんなことをいわなかったら、あたしどもだってもっと、ものごとをありのままに見たでしょうにねえ。カレーニンなんか、あたしにいわせれば、ただのおばかさんですよ。ま、これは小さな声でいっておきますがね……ね、すると、なにもかもはっきりしてくるでしょう、え？　以前、あの人は賢い人物だといわれたときには、いくら一生懸命に捜しても、あの人の賢さがわからなくって、自分のほうがばかなのだと思いましたがね。でも今度、あ、あの人はばか、だとつぶやいてみたら、なにもかもじつにはっきりしてきましたの、ね、そうじゃございませんか？」

「まあ、きょうはひどくお口が悪いのね！」

「いいえ、ちっとも。だって、ほかに考えようがないんですもの。ふたりのうちどちらかがおばかさんなんですからね。ねえ、おわかりになるでしょう、まさか、自分のことをおばかさんといえないじゃありませんか」

「なんぴともおのが富には満足せざれども、おのが知恵には満足するものなり」外交官がフランスの詩句を口ずさんだ。

「そう、そう、それですよ」ミャフキー公爵夫人は、急いでそちらへ振り向いた。「でも、とにかく、あたしはアンナを、あなた方の手にはお渡ししませんよ。あれはじつにりっぱなかわいい人ですものね。みんながあの人に恋して、影のようにあとをつけまわすからといって、あの人になにができますの？」

「いいえ、だから、あたくしも、あの方を非難しようなんて、思ってはおりませんわ」アンナの女友だちは弁解した。

「自分たちのあとから、だれも影のようについて歩かないからって、なにも、あたしたちが人を非難する権利をもってる証拠にはなりませんからね」

そういって、アンナの女友だちをたしなめてから、ミャフキー公爵夫人は立ちあがり、公使夫人といっしょに別のテーブルへ行った。そこでは、みんながプロシャ王の話をしていた。

「毒舌をおふるいになってたのはなんのお話？」ベッチイがたずねた。

「カレーニン夫妻のことよ。公爵夫人がカレーニンさんの性格解剖をなさいましてね」公使夫人は微笑を浮べて、テーブルに腰をおろしながら答えた。

「拝聴できなくて残念でしたわ」女主人は、入口のドアをじっと見ながらいった。

「あら、やっといらしたのね！」はいって来たヴロンスキーに笑顔でそう声をかけた。

ヴロンスキーは、一同と知合いだったばかりでなく、毎回のようにそこに居あわす人びとに会っていたので、たった今出て行ったばかりの部屋へもどって来たような、すっかり落ち着きはらった態度ではいって来た。

「どこから来たかですって？」彼は公使夫人の問いに答えて、いった。「いや、いたしかたありません、白状しますが、じつは、喜劇座《ブッフ》からなんですよ。たしか、もう百ぺんも見たんですが、いつも新しい満足を覚えますがね。すばらしいことですよ！そりゃ、恥ずかしいことだってことは承知してますがね。オペラじゃ居眠りしますが、喜劇となると、最後の一分まで、じっとすわっていられますからね、しかも愉快にね。きょうは……」

彼はフランスの女優の名前をいって、なにかそれについて話そうとしたが、公使夫人はわざとふざけて恐怖の色を浮べると、さえぎった。

「ね、お願いですから、そんな恐ろしいことをお話しにならないで」

「じゃ、やめましょう。それに、もうみなさん、その恐ろしいことをご存じなんですからね」

「あれがオペラと同じように、あたしどもの見られるものになっていたら、さぞみなさん押しかけて行くでしょうよ」ミャフキー公爵夫人が引き取った。

7

入口のドアのところに人の足音が聞えた。ベッチイ公爵夫人は、それがカレーニナだとわかったので、ちらとヴロンスキーのほうを見た。彼は戸口をながめたが、その顔はついぞ見かけぬ奇妙な表情を浮べていた。彼はさもうれしそうに、目をこらして、そのくせ臆病《おくびょう》そうに、はいって来る彼女を見つめながら、ゆっくりと腰を上げた。客間へアンナがはいって来た。例によって、ぐっと背筋をのばし、ほかの社交界の婦人たちとは違う、しっかりした軽い速足で、そのまなざしをそらさずに、まっすぐ女主人と自分を隔てている数歩の距離を歩くと、ベッチイの手を握り、にっこり笑って、笑顔のまま、ヴロンスキーのほうを振り向いた。ヴロンスキーは低くおじぎをして、アンナのためにいすを押した。

アンナは、ちょっと頭を下げただけでうなずき、頬《ほお》を赤らめ、眉《まゆ》をひそめた。が、すぐに知人たちに会釈《えしゃく》し、さしだされた手を握りながら、女主人に話しかけた。

「今リジヤ伯爵夫人のとこへ行ってまいりましたの。もっと早く伺うつもりでしたけれど、ついあちらが長くなってしまって。ジョン卿《きょう》がお見えになっていらっしゃいましたよ。とてもおもしろい方ですのね」

「ああ、あの宣教師ですね？」

「ええ、インド生活のお話をとてもおもしろくなさいましたわ」

アンナが来たのでいったんとぎれた会話が、あおりを食ったランプの灯のように、またゆらゆらと燃えあがった。

「ジョン卿ですって！　まあ、ジョン卿ですの。お会いしましたわ。とてもお話がおじょうずでね。ヴラーシエヴァさんは、あの方にすっかり夢中になっておしまいになりましたわ」

「ときに、ヴラーシエヴァさんの下のお嬢さんが、トポフさんと結婚なさるって、ほんとうですの？」

「ええ、あれはもうすっかりきまった、といわれておりますよ」

「ご両親の気が知れませんわ。だって、恋愛結婚だそうじゃありませんの」

「恋愛結婚ですって？　まあ、なんて旧式な考えをもってらっしゃるのでしょう！　いまどき恋愛なんてことをいう人がございまして？」公使夫人がいった。

「しかたがありませんね。このばかげた古めかしい流行は、いまもってすたれないいんですから」ヴロンスキーはいった。

「そんならなおさら、あんな流行を守っている人はお気の毒ね。だいたい、しあわせな結婚って、理性によって結ばれたものばかりじゃないかしら」

「ええ、でもそのかわり理性による結婚の幸福も、よく一瞬にして吹っとんでしまうじゃありませんか。以前には認めなかった恋というやつが頭をもちあげて」ヴロンスキーはいった。

「ですけど、理性による結婚っていうのは、もう両方とも遊びつかれたあとの結婚なんですのよ。それは猩紅熱《しょうこうねつ》みたいなもので、だれでも一度はそこを通らなくちゃなりませんわ」

「とすると、恋愛も種痘と同じに、人工的に植えつける必要がありますな」

「若いころ、あたし、寺男に夢中になったことがありますけど」ミャフキー公爵夫人が口をはさんだ。「それがためになったかどうか知りませんねえ」

「でも冗談はぬきにして、恋を知るには、やはり、一度はまちがいを犯して、悔い改めるにかぎりますわ」ベッチイ公爵夫人がいった。

「まあ、結婚したあとでも？」公使夫人がふざけた調子できいた。

「悔い改めるには、遅すぎることはありませんからね」外交官はイギリスのことわざを引用した。

「ええ、そのとおりですよ」ベッチイはその言葉を受けていった。「いったん、まちがいを犯してから、悔い改めなくちゃ。ねえ、この点どうお思いになりまして？」ベッチイはアンナのほうへ振り向いていった。アンナは、こわばった微笑をかすかに浮べて、この会話を聞いていた。

「そうね」アンナは、脱いだ手袋をおもちゃにしながら答えた。「そうね……もし頭の数だけ人の考えも違うというんでしたら、人の心の数だけ、愛情の種類も違うのじゃないかしら」

ヴロンスキーはアンナを見つめて、相手のいうことを、胸のしびれるような思いで待っていた。アンナがこれだけのことをいってしまうと、彼はまるで危険の過ぎたあとのように、ほっと溜息《ためいき》をついた。

アンナはふと、彼のほうへ振り向いた。

「あたくし、モスクワから手紙を受け取りましたが、キチイの容態が、とても悪いそうでございますよ」

「ほんとですか？」ヴロンスキーは眉をひそめていった。

アンナはきびしく彼を見すえた。

「こんなお話、興味ございません？」

「いや、とても。いったい、どんなふうに書いてあったんです、もしおさしつかえなかったら」彼はたずねた。

アンナは立ちあがって、ベッチイのそばへ行った。

「お茶を一杯いただけません？」アンナは相手のいすのうしろに立ち止りながら、いった。ベッチイ公爵夫人がお茶を注《つ》いでいるあいだに、ヴロンスキーはアンナに近づいた。

「いったい、どんなふうに書いてあったんです？」彼はそう繰り返した。

「あたくし、よく思うんですけど、男の方って、卑劣ということがなんだかおわかりにならないくせに、よくそれを口になさいますのね」アンナは、彼の問いには答えないでいった。「前から、あたくし、あなたに申しあげたいことがありましたの」アンナはそうつけ加え、五、六歩歩いてから、アルバムをのせたすみのテーブルのそばに腰をおろした。

「ぼくにはお言葉の意味がはっきりわからないんですが」ヴロンスキーはアンナにお茶をさしだしながら、いった。

アンナがそばの長いすをちらと見たので、彼もすぐそれに腰をおろした。

「ええ、あたくし、前から、あなたに申しあげたいことがありましたの」アンナは相手を見ないでいった。「あなたのなすったことは、いけないことですわ、とてもいけないことですわ」

「それをぼくが自分で知らないとでも思っていらっしゃるんですか？　でも、ぼくがあんなふうにふるまったのは、だれのためでしょう？」

「まあ、なぜそんなことをこのあたしにおっしゃるんですの？」アンナはきっと相手を見すえながら、いった。

「そのわけはご存じのはずですがね」ヴロンスキーはアンナの視線をじっと受け止め、それから目を放さず、思いきって、うれしそうにそう答えた。

どぎまぎしたのは、彼でなくて彼女のほうだった。

「それはただ、あなたに心ってものがないことを証明するだけですわ」アンナはいった。ところが、そのひとみはかえって、あなたに心があることは知っています、それだからこそあなたを恐れているのです、と語っていた。

「今おっしゃったことは、ただの過ちであって、恋じゃありませんよ」

「今口にされた、忌《いま》わしい言葉はもう使わないよう、あたくしが口止めしたのを、覚えていらっしゃいます？」アンナは身を震わせていった。ところが、それと同時に、この口止めというひと言で、彼に対する一種の権利を自認したことになり、そのためにかえってアンナは、彼に恋を語ることをけしかけたように自分で直感した。「これは前々から、あなたに申しあげようと思ってたことなんですの」アンナは思いきって相手の目をみつめ、まっ赤になった頬を火のようにほてらせながら、言葉をつづけた。「きょうはあなたにお会いできると思って、わざわざこちらへまいりましたの。それは、もうこんなことはおしまいにしなければならないってことを、申しあげるためですわ。あたくし、今まで、人の前で顔を赤くしたことなんかございませんのに、あなたとごいっしょだと、なにかしら自分が悪いことをしているような気になってくるんですもの」

ヴロンスキーはアンナをながめながら、その顔に表われた新しい精神的な美しさに打たれた。

「じゃ、ぼくにどうしろとおっしゃるんです?」彼は率直に、しかも、まじめな調子でたずねた。

「モスクワへ行って、キチイにあやまっていただきたいのです」アンナはいった。

「そんなこと、あなたは望んでいらっしゃいませんよ」彼は答えた。

ヴロンスキーは、アンナが自分のいいたいことでなく、むりしていわねばならぬことをいったにすぎない、と見てとったのである。

「もしおっしゃるように、ほんとにあたくしを愛してくださるのなら」アンナはささやいた。「どうぞ、あたくしの気持が安らかになるようにしてくださいまし」

彼の顔はさっと輝いた。

「ぼくにとってあなたが生活のすべてだということを、まさか、ご存じないわけはないでしょう。だいたい、安らぎだなんて、ぼくは知りませんし、さしあげるわけにもいきませんよ。でも、ぼくの全部、ぼくの愛なら、喜んで。もうぼくはあなたと自分を、別々に考えることはできないんです。ぼくにとって、あなたとぼくは一つのものなんですから。もうこれから先、あなたにもぼくにも、安らぎなんてありうるとは思いませんね。ただ考えられるのは、絶望か不幸か……さもなければ、幸福ということですが、その幸福といっても……いや、いったい、そんなことはありえないことなんでしょうか？」彼は唇《くちびる》の先だけでつぶやいたが、それもアンナの耳にはいった。

アンナは一心に理性の力を緊張させて、いわねばならぬことをいおうとしたが、かえって、愛情に満ちたまなざしをじっと相手にそそいで、なにひとつ答えられなかった。

《ああ、これだ！》彼は有頂天になって考えた。《もう絶望だ、これではとてもものになりそうもないと、思ったとたん――これだ！　この人はぼくを愛している。自分でそれを白状しているんだ》

「じゃ、あたくしのために、これだけはお約束して。あんなことだけは、おっしゃらないってことを。仲のいいお友だちになりましょうね」アンナは言葉でそういったが、そのひとみはまるで別のことを語っていた。

「いや、友だちなんかになることはできませんよ、そんなこと、ご自分でもおわかりでしょう。この世の中でいちばん幸福な人間になるか、それとも、いちばん不幸な人間になるか、そのどちらもあなたしだいなんです」

アンナはなにかいおうとしたが、相手はそれをさえぎった。

「ぼくがお願いしているのは、たった一つのことだけじゃありませんか。今のように希望をかけながら、苦しむ権利をもちたいのです、でも、それさえだめだとしたら、消えてなくなれと命じてください。ぼくは消えてなくなりますよ。ぼくの存在があなたを苦しめるようでしたら、もう二度とあなたの前には現われませんよ」

「あたくし、どこへもあなたを追いやりたくありませんわ」

「ただ、なにも変えないでください。なにもかも現在のままにしておいてください」彼はふるえる声でいった。「あ、ご主人がお見えです」

実際、その瞬間、カレーニンが例の落ち着きはらった、不格好な足どりで、客間へはいって来た。

彼は妻とヴロンスキーのほうをちらと見て、女主人に近づいた。そして、茶碗《ちゃわん》を前に腰を落ち着けて、持ち前の悠然《ゆうぜん》とした、よくとおる声でしゃべりはじめたが、それは例のごとくだれかをからかうような、ふざけた調子だった。

「やあ、これはランブイエ（訳注　ランブイエ侯爵夫人。パリの自宅に文学サロンをひらき多くの才媛文人をあつめた。転じて、才女のことをいう）の勢ぞろいですな」彼は一座を見まわしながらいった。「美の神々に、芸術の神々ですか」

ところが、ベッチイ公爵夫人は今も相手のこうした、夫人にいわせればsneering（訳注　嘲弄）に我慢がならなかったので、すぐさま相手に、国民皆兵制度というまじめな話をしかけた。カレーニンはすぐこの話題に熱中して、この新しい法令をもう真剣に弁護しはじめた。ベッチイ公爵夫人はその反対派であった。

ヴロンスキーとアンナは、やはり小さなテーブルのそばにすわっていた。

「ああなると、すこしぶしつけになってきますね」ひとりの婦人は、アンナとヴロンスキーとアンナの夫を目でさしながら、ささやいた。

「ね、あたくしのいったとおりでございましょう」アンナの女友だちは答えた。

ところが、これらの婦人たちばかりでなく、客間にいたほとんどすべての人びとが、ミャフキー公爵夫人や当のベッチイまでが、一座から離れてすわっているふたりのほうを、まるで目ざわりだといわんばかりに、何度もじろじろと振り返ってながめた。ただカレーニンだけは一度もそちらを見ないで、いったんはじめた興味ある話題から、注意をそらさなかった。

ベッチイ公爵夫人はみんなが不愉快な気分を味わっているのに気づくと、自分のかわりにほかの人をカレーニンの聞き役にして、アンナのほうへ近づいた。

「ほんとに、お宅のご主人のお話ときたら、いつも明快で正確なのに驚いてしまいますわ」ベッチイはいった。「あの方がお話しになりますと、どんな高遠な思想でも、ちゃんとのみこめるんですものね」

「ええ、そうですのよ！」アンナは、幸福の微笑に顔を輝かせながら、ベッチイのいったことは、ひと言もわからぬまま、そう答えた。アンナは大きなテーブルのほうへ移って、一座の会話の仲間入りをした。
カレーニンは三十分ばかりいて、妻に近づき、いっしょに帰ろうといった。が、アンナは夫の顔を見ないで、あたしは夜食に残りますといった。カレーニンはみなに会釈して、出て行った。

アンナの御者の太った老タタール人は、ぴかぴか光る毛皮外套《がいとう》を着て、凍えきってあばれまわる灰色の左側のわき馬を、車寄せのところでかろうじておさえていた。召使は馬車のドアをあけて控えていた。玄関番は表のドアをおさえたまま、立っていた。アンナは小さいすばしこい手で、毛皮外套のホックにひっかかった袖口《そでぐち》のレースをはずしながら、うつむいたまま、自分を送って来るヴロンスキーの言葉に聞きほれていた。

「まあ、あなたがなにもおっしゃらなかったものとして、ぼくもなにひとつむりはいいませんから」彼はいった。「ただ、ご自分でもおわかりでしょうが、ぼくに必要なのは友情じゃありません。この世でぼくを幸福にするただ一つのものは、そう、あなたの大きらいなあのひと言……ええ、恋です……」

「恋……」アンナは口の中でゆっくりと、それを鸚鵡《おうむ》返しにいった。が、不意に、レースをはずしながら、こうつけ足した。「あたしがこの言葉をきらいなのは、それが自分にあまりに深い意味をもっているからなんですの。ええ、あなたのお察しになれるよりずっと深い意味をね」そういって、彼女は相手の顔をちらっとながめた。「では、いずれまた！」

アンナは彼に手をさしのべると、はずみのついた速い足どりで、玄関番のそばを通りぬけ、馬車の中に、姿を消した。

彼女のまなざしとその手の感触は、ヴロンスキーを燃えたたせた。彼はアンナのさわった自分の掌《てのひら》の上に接吻《せっぷん》して、家路についたが、今晩は最近の二カ月間以上に、ずっと目的達成に近づいたと自覚して、幸福を感じていた。

8

カレーニンは、妻がヴロンスキーと別のテーブルにすわって、なにか熱心に話しているのを、とくに変ったこととも、ぶしつけなこととも思わなかった。ところが、客間に居あわせたほかの人たちの目には、それがなにかとくに変った、ぶしつけなことのように映ったのに気づいて、自分でもなにかとくに変った、ぶしつけなことのように思われてきた。彼は、そのことを妻にいわなければならぬと心にきめた。

カレーニンはわが家へ帰ると、いつものとおり書斎へはいって、肘掛《ひじか》けいすに腰をおろし、ペーパー・ナイフをはさんでおいた法王論のページをあけて、いつものとおり一時まで読んだ。ただときどき、なにかをはらいのけようとするかのように、そのひいでた額をこすったり、頭を振ったりした。いつもの時刻に、立ちあがると、夜の身じまいを整えた。アンナはまだ帰って来なかった。彼は本をわきの下にかかえて、二階へあがった。しかし、今夜に限って、彼の頭の中は、いつもの役所の仕事に関する考えや配慮の代りに、妻のことや、妻の身に生じたなにかしら不愉快なことで、いっぱいになっていた。彼はいつもの習慣に反して、床にはいらないで、両手を背中に組み合せ、方々の部屋をあちこち歩きまわりはじめた。なによりもまず、新しい事態についてよく考えてみなければならないと思うと、とても寝る気にはなれなかった。

カレーニンは、妻とよく話し合ってみなければならないと、心の中できめたとき、そんなことはいともたやすい簡単なことのように思われた。ところが今、この新しい事態を、よく吟味してみると、それがひじょうにこみいった、むずかしいものであるような気がした。

カレーニンは嫉妬《しっと》ぶかいほうではなかった。嫉妬は、彼の確信によれば、妻を侮辱するものであり、妻に対しては信頼の念をもたねばならないとしていた。なぜ信頼の念をもたねばならぬか、つまり、なぜ彼の若い妻がつねに自分を愛しているという確信をもたねばならないか、ということについては、自分自身に問いただしてみたことはなかった。ただ、彼は妻に対して、不信の念をいだいたことがないから、したがって、信頼の念をいだいているのであり、自分自身に対しても、そうあらねばならないといいきかせていた。ところがいまや、嫉妬は恥ずべき感情であるから、信頼の念をもたねばならぬ、という確信はくずれさっていなかったにもかかわらず、彼はなにか非論理的なわけのわからぬものに直面して、自分がどうしたらいいのかわからないでいるのを感じた。カレーニンはほかならぬ人生に直面したのであった。いや、彼の妻が自分以外のだれかを愛するかもしれぬという事態に直面したのであった。これは彼にとってまったくわけのわからぬ不可解なものに思われた。なぜなら、それは人生そのものだったからである。カレーニンはこれまでの生涯《しょうがい》を、生活の反映としかつながっていない官界でおくり、そこで働いてきた。そして、人生そのものにぶつかるたびに、それから身をかわすようにしてきた。しかし、今彼の感じた気持は、深淵《しんえん》にかかった橋の上を悠々と渡っていた人が、不意に、その橋がこわれており、目の前に深淵を見いだしたときの気持に似ていた。その深淵は人生そのものであり、その橋はカレーニンの生きてきた人為的な人生であった。自分の妻がだれかを愛するかもしれぬという疑問がはじめて頭に浮んだので、彼はその思いに思わず身ぶるいしたのであった。

彼は着替えもせずに、一つのランプに照らされた食堂の嵌木床《はめきゆか》の上を、例の規則正しい足どりで、こつこつと音をたてて歩いたり、客間の柔らかいじゅうたんを踏みしめたりしていたが、長いすの上の、最近できた彼の大きな肖像画には、そこだけぼんやりと光が反射していた。彼はまた、アンナの肉親や女友だちの肖像画や、テーブルに飾ってある前からなじみぶかい品々が、二本のろうそくに照らされている妻の居間を通りぬけたり、そこから寝室の入口まで行って、また引き返したりした。

こうした散歩を繰り返すたびに、それもたいていは明るい食堂の嵌木床の上で立ち止りながら、彼は、こうひとり言をいうのだった。《そうだ、これはきっぱりやめさせるよう、この件に関する自分の見解と、決意を伝えなければならない》それから彼はあとへ引き返した。《しかし、いったい、なにを伝えるのだ？　どんな決意を伝えるのだ？》彼は客間でそうつぶやいたが、答えは見いだされなかった。《それに、つまるところ》妻の居間へ曲る前に、彼は自問した。《いったい、なにごとが起ったというのか？　なにもありゃしない。あれはあの男と長いこと話をしていた。だが、それがどうしたというのだ？　社交界の婦人が男の人と話をするのは、なにも珍しいことじゃない。それに、だいたい、嫉妬するなんて、自分の妻をも卑《いや》しめることじゃないか》彼は妻の居間へはいりながら、そうひとり言をいった。ところが、前はかなりの重みをもっていたこの判断も、今ではなんの重みも意味ももたなかった。そこで、彼は寝室の入口の前から、また玄関のほうへ引き返した。が、うす暗い客間へはいりかけたとたん、だれかの声が『それは違う、ほかの人たちがあれに気づいた以上、つまり、そこにはなにかがあるのだ』と、ささやいた。そこで彼はまたもや食堂の中でつぶやいた。《そうだ、これはきっぱりやめさせるよう、自分の見解を伝えなければならない……》それからまた、客間で向きを変える前に、いったい、どうきめたらいいのか、と自問した。それから、いったい、なにごとが起ったというのか、と自問し、なんにも起りゃしない、と答え、嫉妬は妻を卑しめる感情であることを思い起した。ところが、またもや客間で、たしかに、なにか起ったと確信するようになった。彼の思いはその肉体と同様、なにひとつ新しいものにぶつかることなしに、ぐるぐると円を描くのだった。彼もそれに気づいて、顔をなで、妻の居間に腰をおろした。

そこで、孔雀石色《くじゃくせき》の吸取紙ばさみや、書きかけの手紙をのせた妻のテーブルをながめているうちに、彼の思いは急にがらりと変った。彼は妻のことをあれこれ考え、妻がなにを考え、なにを感じているのかと考えはじめた。彼ははじめて、妻の私的な生活、妻の思想、妻の希望を、まざまざと思い浮べた。すると、妻にも自分自身の生活がありうる、いや、あるのが当然だという考えが、あまりにも恐ろしいもののように思われ、彼はあわててその考えを追いはらおうとした。それこそ、彼がのぞきこむのを恐れていたあの深淵であった。思想と感情によって他人の内部に立ち入ることは、カレーニンには縁遠い精神活動であった。彼はこの精神活動を有害かつ危険な妄想《もうそう》と見なしていたからである。

《いや、なによりも恐ろしいのは》彼は心の中で考えた。《もうおれの仕事が大詰めに来て(彼は、今通過させようとしている法案のことを考えていたのである)、心の安らぎと精力がとくに必要なこのときになって、こんな無意味な心配事が降りかかったことだ。しかし、いまさらどうしようもない。だって、おれは不安や心配事をじっと我慢して、まともにそれとぶつかっていく気力に欠けた人間とは違うからな》

「おれはとっくり考えて、決意をかため、くだらぬことははねとばしてしまわなけりゃならん」彼はそう声を出していった。

《あれの感情や、あれの心の中が、どういうふうになっているか、いや、どんなふうになる可能性があるか、といった問題は、あれの良心の問題であって、宗教の縄張り《なわば》なんだ》彼はそうつぶやいて、こんどの事態を担当する適当な部門が発見されたことに、思わず、ほっとする思いであった。

《さて、そこで》カレーニンはつぶやいた。《あれの感情その他の問題は、あれの良心の問題であるから、このおれにはなんの関係もありえないわけだ。ところで、おれの義務はもうわかりきっている。一家の長として、あれを指導すべき人間だから、おれも多少は責任のある人間だ。おれは目にふれる危険を指摘して、それを予防し、時には権力さえも使わねばならん。そうだ、あれになにもかもいってしまおう》

すると、カレーニンの頭の中には、これから妻にいおうとすることが、もうはっきりと組み立てられた。自分のいうべきことをあれこれ考えながらも、彼はこうした家庭的の事がらに、貴重な時間や能力を知らぬまに浪費しなければならないのを残念に思った。しかし、それにもかかわらず、彼の頭の中には、これからしようとする話の形式や順序が、まるで報告演説のように、明瞭《めいりょう》かつ正確に組み立てられていった。《おれは次のことをいわねばならん、きっぱりと伝えなけりゃならん。まず第一に、世間一般の考えと礼節の意義を説明することだ。第二に、結婚の意味を宗教的に説明することだ。第三に、場合によっては、むすこに不幸が起るかもしれぬ点を指摘することだ。第四に、あれ自身の不幸を指摘することだ》それからカレーニンは、両手の指を組み合せ、掌《たなごころ》を下に向けて、ぐっと上にそらした。と、指の関節がぽきぽきと鳴った。

このしぐさ、両手を組み合せて指をぽきぽき鳴らす、みっともないこの癖は、いつも彼を落ち着かせて、しっかりした気持にしてくれた。それは今の彼にとってなによりも必要なことであった。車寄せに馬車を乗りつける音が聞えた。カレーニンは広間のまん中で立ち止った。

階段をのぼる女の足音が聞えて来た。これからひと演説しようと身がまえたカレーニンは、組み合せた指をぐっと締め、まだどこか鳴らないかと心待ちしながら、突っ立っていた。一つの関節がぽきっと鳴った。

彼は、階段をのぼる軽い足音で、妻の近づいて来るのを感じた。そして、自分の演説には自信があったにもかかわらず、目前に控えた妻との話合いが恐ろしくなってきた。

9

アンナはうつむいて、外套の頭巾《フード》の紐《ひも》をいじりながら、はいって来た。その顔は明るい光輝に照り映えていた。もっともその光輝は晴れやかなものではなく、闇夜《やみよ》に燃える恐ろしい火事の炎を思わせた。夫の姿を見ると、アンナは顔を上げて、ふと目をさましたように、にっこりとほほえんだ。

「まだおやすみになりませんでしたの？　まあ、お珍しいこと！」彼女はいって、頭巾を脱ぎ、立ち止りもしないで、そのまま、奥の化粧室へ通った。「もうお時間ですよ、あなた」アンナはドアの向うから声をかけた。

「アンナ、ちょっと、おまえと話をしなければならんことがあるんだ」

「あたくしと？」アンナはびっくりしたようにいって、ドアの陰から現われると、夫の顔をじっと見つめた。「いったい、なんのことですの？　なんのお話？」すわりながらたずねた。「じゃ、お話しいたしましょう、そんなに必要なことでしたら。ほんとは、やすんだほうがいいんですけど」

アンナは口から出まかせのことをいったが、自分のいっていることを聞きながら、われながらうそをつくことがじょうずなのにびっくりした。彼女の言葉は、まったくさりげなく自然だったし、今はただ眠いばかりだというのは、いかにもほんとうらしく聞えた！　アンナは、自分が堅牢《けんろう》なうその鎧《よろい》につつまれているような気がした。なにか目に見えぬ力が自分を助け、ささえてくれるような気がした。

「アンナ、わしはおまえに警告しなけりゃならんのだ」夫はいった。

「まあ、警告ですって？」アンナはいった。「どんなことで？」

彼女はまったくさりげなく、楽しそうに、夫の顔を見つめていたので、夫ほど彼女を知りつくしていないものには、彼女の言葉の響きにもその意味の中にも、なにひとつ不自然なところを認めることはできなかったにちがいない。ところが、妻を知りぬいている夫にとっては、つまり、自分がたった五分遅く床についてもすぐ気がついて、その理由をたずねる妻を知っている夫にとっては、今彼女が夫の気持に気づこうともせず、また自分のことはひと言も話そうとしないのを見るのは、なかなか意味ぶかいことであった。彼は今までいつも自分に対して開放されていた妻の心の奥底が、堅く閉ざされているのを見てとった。いや、そればかりか、彼は妻の言葉の調子から、妻がそのことに平然として、かえって逆に、「ええ、そうよ、あたしは心を閉ざしました、これはそうしなければならないからで、これから先もそうですよ」と、いってでもいるような様子を見てとった。いまや、彼は、わが家へ帰って、戸がしまっているのに気づいたときに味わうような気分におそわれた。《だが、ひょっとすると、まだ鍵《かぎ》は見つかるかもしれん》カレーニンは考えた。

「わしがおまえに警告したいのはね」彼は静かに口を開いた。「おまえは自分の不注意と軽はずみのために、世間から陰口をきかれる種子《たね》を蒔《ま》くかもしれん、ということだ。今夜、おまえがヴロンスキー伯爵《はくしゃく》と（彼はこの名前をはっきりと、ひとつづりずつ句切るように発音した）、あまり熱心に話しこんでいるものだから、だいぶみんなの注意を集めたようだからな」

彼はそれだけいって、妻の目を見た。その目は笑みを含んでいたものの、今はもう他人を寄せつけぬきびしさが感じられ、彼もはっとするほどだった。彼は話しながらも、自分の言葉の無意味さやばかばかしさを、痛感していた。

「あなたはいつもそうなんですわ」アンナは相手のいうことがまるっきりわからない、といった調子で、ただ夫のいった言葉の中で最後の一句だけを、心に留めながら、こう答えた。「あたしがふさいでいるのがおいやかと思えば、朗らかにしているのもおいやなんですのね。今晩はふさいでなんかおりませんでしたわ。それがお気にさわりましたの？」

カレーニンは身を震わせ、指を鳴らそうとして、手をそらした。

「あ、お願いですから、ぽきぽき鳴らさないで。あたし、それ、大きらいなんです」アンナはいった。

「アンナ、おまえは正気かね？……」カレーニンはぐっと自分をおししずめて、手の運動を止めながら、静かにいった。

「まあ、それがどうしたんですの？」アンナはわざとまじめくさった、おどけた驚きの表情できき返した。「いったい、このあたしに、どうしろとおっしゃるんですの？」カレーニンは口をつぐんで、片手でその額と目をこすった。彼は自分がしようと思ったこと、つまり、世間の目から見た過ちについて、妻に警告するかわりに、妻の良心に関する問題で思わず興奮し、自分ででっちあげた一種の壁と戦っている自分に気づいた。

「いや、わしはこういいたかったのだ」彼は冷やかに、落ち着きはらって、言葉をつづけた。「ひとつ、わしの話をちゃんと聞いてもらいたい。いいかね、おまえも知ってのとおり、わしにいわせれば、嫉妬は恥ずかしい、卑しむべき感情なのだから、わしはけっして、そんな感情にうごかされるようなまねはしないつもりだ。だが、世間には一定の礼儀上の掟《おきて》があって、罰を受けずにそれを踏み越えることはできないのだ。今夜、わしは自分でそれに気づいたのじゃないが、一座の人が受けた印象から察して、おまえの態度があまり望ましいものじゃないことを、みんなが認めたのだ」

「まるっきり、なんの話やらわかりませんわ」アンナは、肩をすくめながら、いった。《この人にはどうだってかまわないんだわ》彼女は考えた。《ただみんなに気づかれたものだから、それで気をもんでるんだわ》「あなた、おかげんが悪いのね」アンナはそういいそえ、立ちあがって、戸口のほうへ行こうとした。が、夫は妻を引き止めようとでもするかのごとく、その先にまわった。

夫の顔は、アンナがついぞ見たことのないほど醜く、暗かった。アンナは足を止めて、頭をうしろや横へ傾けながら、持ち前のすばしこい手つきで、ヘアピンを抜きはじめた。

「さあ、おっしゃって。それからどうなんですの」アンナは落ち着いて、あざけるような調子で繰り返した。「あたくし、こんなに興味をもって拝聴してるんですのよ。だって、なんのお話か納得したいんですもの」

アンナはそういいながらも、自分の少しもわざとらしくない、落ち着いた、ちゃんとした口調と、自分が口にした言葉の選択に、われながら驚いていた。

「わしもおまえの感情を細かい点にまで、いちいち干渉する権利は持ってないし、まだだいたい、そんなことは少しもためになることじゃない。いや、むしろ、有害なことだと考えているさ」カレーニンはいいだした。「自分の心の中をほじくりまわしていると、よくそっとそのままにしておいたらいいと思うようなものを、掘り起すことがあるものだ。そりゃ、おまえの感情は、おまえの良心の問題だ。ただ、わしは、なにがおまえの義務かはっきりさせることを、おまえに対しても、自分に対しても、神に対しても、自分の義務と心得ている。わたしたちの生活は人間ではなく、神によって結ばれているのだ。この関係を破りうるものは、ただ犯罪だけでしかも、その種の犯罪はかならず恐ろしい罰をともなうものなのだ」

「なんにもわかりませんわ。ああ、ほんとに、今夜はあいにく、なんて眠たいんでしょう！」

アンナは片手で素早く髪をさぐって、残ったヘアピンを捜しながら、いった。

「アンナ、後生だから、そんな口のきき方はよしておくれ」彼はおだやかにいった。「ひょっとすると、わしの思い違いかもしれんが、しかし、わしのいうことを信じておくれ。わしがこんなことをいうのは、おまえのためでもあるが、それは自分のためでもあるんだからね。わしはおまえの夫で、おまえを愛しているんだから」

その瞬間、アンナは顔をふせ、そのひとみの中のあざけるような火花も消えた。が、《愛している》というひと言は、また彼女の気持を混乱させた。彼女は考えた。《まあ、愛しているだって？　この人に愛することなんかできるのかしら？　愛なんてものがあることを人から聞かなかったら、この人はけっしてこんな言葉を口にしなかったでしょうに。愛がどんなものか、わかっていないんですもの》

「あなた、ほんとに、あたくしには、わかりませんわ」アンナはいった。「もっとはっきりいってくださいな、あなたのごらんになったことを……」

「まあ、もう少しいわせておくれ。わしはおまえを愛している。しかし、わしはなにも自分のことばかりいってるのじゃない。この場合の主役は、わしらのむすことおまえ自身だよ。何度もいうが、わしの話は、ひょっとするとおまえの目にはまったく無用な、的はずれのものに思われるかもしれない。もしかしたら、それはわしの迷いから出たものかもしれん。いや、もしそうだったら、どうか、許しておくれ。しかし、おまえが自分でほんの少しでも、わしのいうことにそれなりの根拠があると感じたら、ひとつ、よく考えてもらいたいのだ。そして、もしおまえの心がわしに打ち明けたいというのなら……」

カレーニンは自分でも気づかないうちに、用意していたのとはまったく別のことをいってしまった。

「なんにも申しあげることはありませんわ。それに……」アンナは、やっとのことで微笑をおさえながら、いきなり、早口でいった。「ほんとに、もう寝る時間ですわ」

カレーニンは溜息《ためいき》をついた。そして、もうなにもいわずに、寝室へ足を向けた。

アンナが寝室へはいったとき、彼はもう横になっていた。その唇《くちびる》はきっと結ばれ、目は妻のほうを見ていなかった。アンナは自分のベッドにはいると、夫がまた自分に話しかけるのを、今か今かと待っていた。アンナは夫から口をきかれるのを恐れてもいたが、またそれを望んでもいた。しかし、彼は黙っていた。彼女は長いこと、身動きもせずに待っていたが、そのうち夫のことを忘れてしまった。彼女は別の人のことを考え、その姿を見ていた。そして、その人のことを考えると、心の中が興奮と罪ぶかい喜びでいっぱいになるのを感じた。不意に、規則正しい、落ち着いたいびきが聞えた。はじめカレーニンは自分のいびきに驚いたようで、すぐにやめたが、ふた息もするうちに、いびきはさらに落ち着いた規則正しい調子で響きはじめた。

「手おくれだわ、もう手おくれだわ」アンナは微笑を浮べながら、つぶやいた。彼女は目をあけたまま、長いこと、じっと身動きもせずに横たわっていたが、その目の輝きは自分でも闇の中に見えるような思いであった。

10

この晩から、カレーニンとその妻にとっては、新しい生活がはじまった。しかし、なにも特別変ったことが起ったわけではなかった。アンナは相変らず社交界へ出入りして、とくにベッチイ公爵夫人のもとへ出かけ、いたるところでヴロンスキーに会っていた。カレーニンはそれを知っていたが、どうすることもできなかった。彼がそれについてまじめに話し合おうといろいろ努力してみても、アンナはなにか楽しそうな、けげんそうな表情の壁をつくって、相手を一歩も寄せつけなかった。一見、ふたりの関係は前と同じようでありながら、その内容はがらりと変ってしまった。政治家としてはあれほど力の強いカレーニンも、ここではまったくおのれの無力を感じるのだった。彼はまるで雄牛のように、おとなしく首をたれて、自分の頭上に振り上げられたように思われる斧《おの》を、待っていた。彼はこの問題を考えはじめるたびに、なんとかもう一度やってみなくてはならない、今ならまだ、誠意と優しさと信念の力で、妻を救い出し、反省させる望みがあると感じて、毎日のように、それをいいだそうと考えていた。ところが、彼はいつも妻と話しはじめるたびに、彼女をとらえている悪と偽りの霊が、自分をも支配するのを感じた。そして、彼は自分が思っていたのとまるで違ったことを、違った調子で話しだすのであった。彼は思わずいつもの癖で、そんなことを話す人間をからかうような調子で話しだすのだった。しかし、そんな調子では、妻にいわなければならぬことを話すわけにはいかなかった。

……………………………………

11

ヴロンスキーにとっては、ほとんどまる一年とさえ思われたあいだ、それまでのいっさいの欲望に代って、その生活のただひとつの希望となっていたもの、また、アンナにとっては、とても考えられない、恐ろしいものながら、それだけに、いっそう魅惑的な幸福の空想であったところのもの——それがいまや達成されたのであった。彼はまっ青な顔をして、下顎《したあご》を震わせながら、彼女の前に突っ立ったまま、自分でもなにをどうしていいかわからないで、彼女に気をしずめてくれと頼むのであった。

「アンナ、アンナ！」彼は震える声でいった。「アンナ、お願いだから……」

ところが、彼が声高《こわだか》に話せば話すほど、前は誇らしく快活だったのに、今はただ恥ずかしいばかりで、アンナはその頭をいよいよ低くたらすのだった。そして、彼女はからだを二つに折り曲げ、腰かけていた長いすから、床の上の彼の足もとへ倒れてしまった。いや、もし彼がささえてやらなかったら、そのままじゅうたんの上へつっぷしてしまったであろう。

「ああ、神さま！　あたくしをお許しくださいまし」アンナはすすり泣きながら、彼の手を自分の胸へおしつけたまま、つぶやくのだった。

アンナは自分を過ちを犯した、罪ぶかいものと思いこみ、もうこのうえはわが身を卑下して、許しを請《こ》うよりほかになすすべはないような気がした。しかも、今は彼女にとってこの世の中に、彼よりほかにはだれもいなかったので、彼女はこの許しを請う祈りを、彼にも向けてしまった。アンナは彼を見ていると、肉体的に自分の堕落を感じて、もうそれ以上なにもいえなかった。一方、彼のほうは、殺人者が自分で殺した死体を見たときのような気持を味わっていた。彼がその生命を奪ったこの死骸《しがい》こそ、ふたりの恋であり、その恋の最初の段階であった。この羞恥《しゅうち》という恐ろしい犠牲をはらって得たところのものを思い起すと、そこにはなにかしら恐ろしく忌《いま》わしいものがあった。彼女は自分の精神的な裸体に対する羞恥の念に圧倒され、それは彼にも伝わった。しかし、殺人者は自分が殺した死骸に対して、どんなに激しい恐怖を感じても、その死体を隠すためには、それをずたずたに切り刻まなければならないし、殺人によって手に入れたものを、あくまで利用しなければならないのだ。

そこで、殺人者はまるで欲情ともいうべき憤怒《ふんぬ》にもえながら、その死体に飛びかかって、引きずりまわしたり、切り刻んだりするのだ。ちょうどそれと同じように、彼もアンナの顔や肩に、接吻《せっぷん》を浴びせるのであった。彼女は男の手を握ったまま、身じろぎもしなかった。ああ、この接吻――これこそふたりの羞恥によってあがなわれたものであった。ああ、この手も、永久に自分のものになるだろうこの手も――わが共犯者の手なのだ。彼女はその手を持ちあげて、それに接吻した。彼はひざまずいて、彼女の顔を見ようとした。しかし、彼女は顔を隠して、ひと言も口をきかなかった。ようやく、彼女は自分に打ち勝とうとするかのように、ふと身を起すと、彼をおしのけた。彼女の顔は相変らず美しかったが、しかしそれだけに、ひとしおみじめであった。

「もうなにもかもおしまいだわ」アンナはいった。「あたしには、もうあなたのほかに、なにひとつないんですもの。それを覚えててね」

「覚えてないという法がありませんよ。だってそれがぼくの生命なんですから。この幸福の一瞬のために……」

「まあ、幸福だなんて！」アンナは嫌悪《けんお》と恐怖のいりまじった調子でいった。と、その恐怖は無意識のうちに彼にも伝わった。「後生ですから、もうなんにも、なんにもおっしゃらないで」

アンナは素早く立ちあがると、彼のそばから離れた。

「もうなんにもおっしゃらないで」アンナは繰り返した。そして、彼の目には奇妙に思われた冷やかな絶望の表情を顔に浮べながら、別れて行った。彼女は、新しい生活へ飛びこむにあたって感じた羞恥と、恐怖と、喜びを、その瞬間、言葉で表わすことはできないと感じていたし、またそれを口にして、この感情を不正確な言葉で俗っぽいものにしたくなかったのである。ところが、その後も、翌日になっても翌々日になっても、こうした感情の複雑さを十分に表現するに足る言葉を、見いだすことができなかったばかりか、自分の心の中に生じたいっさいのことを、自分自身でおしはかるだけの考えすら、見いだすことができなかったのである。

アンナは心につぶやいた。《いいえ、今はこんなことを考えることはできないわ。あとで、もっと気持が落ち着いてからにしよう》しかし、そうした考え事に必要な落ち着きは、けっしてやって来なかった。彼女は、自分はなにをしたのだろう、自分はこれからどうなるのだろう、自分はどうしなければならないのか、といった考えが心に浮んでくるたびに、恐怖の念におそわれ、あわてて、そうした考えを追いはらっていた。

「あとにしましょう、あとに」アンナはいった。「もっと気持が落ち着いてから」

そのかわり、アンナが自分の考えをおさえる力のない夢の中では、彼女の状態も、醜い赤裸々な姿で現われるのであった。アンナはある一つの夢を、ほとんど毎晩のように見た。その夢の中では、ふたりがともに自分の夫であり、ふたりは自分に愛撫《あいぶ》のかぎりをつくすのだった。カレーニンは、彼女の手に接吻して泣きながら、ああ、なんてすてきなんだろう！　とつぶやくのだった。すると、アレクセイ・ヴロンスキーもやはりそこにいて、彼も自分の夫なのであった。そしてアンナも、自分が今までそれを不可能のように思っていたのをふしぎがって、笑顔をつくりながら、ふたりに、このほうがずっと簡単で、あなた方ふたりとも今は満ちたりて、幸福でいるではないかと、説明するのであった。ところが、この夢は悪霊《あくりょう》のようにアンナの胸を締めつけ、彼女は慄然《りつぜん》として、目をさますのであった。

12

モスクワから帰ったばかりのころは、リョーヴィンも拒絶されたときの屈辱を思いだすたびに、思わず身を震わせ、顔を赤らめて、こうつぶやくのだった。《おれは物理で一点を取って、二年級にとどまったとき、やはり、こんなふうに赤い顔をして身を震わせ、おれはもうだめなんだと思ったものだ。それから、姉さんに頼まれた事件をしくじったあとも、やっぱり、これはもうだめだと思ったものだ。でも、どうだろう？　今何年かたって、思いだしてみると、あんなことでなぜ気をおとしたのか、自分でもふしぎに思うくらいだ。今度の苦しみだって、それと同じことだろう。しばらく時がたてば、おれも平気になれるだろう》

ところが、三カ月すぎても、彼は平気になれなかった。いや、初めのころと同じように、それを思いだすと苦しかった。彼はどうにも気持を落ち着けることができなかった。というのは、彼はあれほど長いあいだ結婚生活を夢み、自分がそのために十分成熟していると感じていたのに、相変らず妻帯しないでいるばかりか、昔よりもさらに結婚の可能性から遠ざかっているからであった。彼くらいの年配の男がひとりでいるのはよくないと、周囲のものが感じていたのと同様、彼自身もそのことを病的なほど痛感していた。彼はこんなことを覚えていた。それは彼がモスクワへ出かけて行く前のことで、彼がいつも好んで話をする家畜番のニコライという素朴《そぼく》な百姓に、「おい、ニコライ！　おれは結婚したいんだがね」といったところ、相手はまったくあたりまえといった調子で、「もうとうにその時期でございますとも、だんなさま」と、たちどころに答えたものであった。しかし、その結婚も今となっては、前よりもさらに遠のいてしまったのである。妻の座はもうふさがっていて、彼がいくら想像の中で、知合いの娘のだれかをそこへ据《す》えてみても、とてもそんなことはだめだという気がするのだった。しかも、彼は、結婚の申し込みを拒絶されたときのことや、そのとき自分が演じた役まわりのことを考えると、羞恥の念に悩まされた。あの場合自分はどこも悪いことはなかったのだ、と、いくら自分にいいきかせてみても、この記憶はその他の同種の恥ずべき記憶と並んで、彼の身を震わせ、顔を赤くさせるのだった。彼の過去にも、すべての人と同じく、みずから認めている悪行の数々があって、そのために彼は良心の呵責《かしゃく》に苦しめられねばならぬはずであった。ところが、それらの悪行に関する記憶は、前述の、とるに足らぬ、といっても、恥ずべき追憶ほどには、彼を苦しめなかった。この傷口は、いつまでたっても癒《い》えなかった。そして、これらの思い出と並んで、今はまたキチイの拒絶と、あの晩ほかの人たちの目に映ったにちがいない自分のみじめな立場が、思いだされるのであった。しかし、時の力と仕事が当然の働きをした。

痛ましい思い出はしだいに、目には見えなくとも、重大な意義を有する農村生活の出来事に隠れていった。一週過ぎるごとに、キチイを思いだすこともだんだん少なくなっていった。彼は、キチイがもう結婚したとか、あるいは、近く嫁に行くとかいう便りを、今か今かと待ちこがれていた。彼はそうしたニュースが、ちょうどひと思いに虫歯を抜くように、すっかり自分の病を癒《いや》してくれるものと、ひそかに期待していたのである。

そのうちに春が訪れた。それはこの季節にありがちな気をもませたり、がっかりさせることのない、すばらしい、好意に満ちた春で、植物も、動物も、人間もいっしょになって喜べる数少ない春の一つだった。このすばらしい春が、さらにリョーヴィンを奮いたたせ、過去のいっさいを捨て去って、自分の独身生活を、堅固に、独自性をもって築きあげようと決意させた。もっとも、彼が村へ持ち帰ったプランの多くは、まだ実現されてはいなかったけれども、いちばん大切なこと、つまり、生活の清潔という点だけは、ちゃんと守られていた。彼はこれまで堕落したあとにきまって悩まされたあの羞恥の念を味わうことなく、まっすぐ人の顔を正視することができるようになった。まだ二月中に、マーシャから手紙を受け取り、兄ニコライの健康は悪化しているにもかかわらず、彼は治療しようとしないことを知った。この手紙の結果、リョーヴィンはモスクワの兄のところへ行き、医師の診察を受けたうえで、外国の温泉へ行くように説きふせることができた。彼はうまいぐあいに兄を説きふせて、相手をおこらせることなく旅費を貸すことができたので、彼は自分でもその点満足していた。春には特別の注意を要する農事や読書のほかに、リョーヴィンは冬のうちから農村経営に関する著述をはじめていた。その腹案は、農村経営においては労働者の性質もその気候や土壌《どじょう》と同じように、絶対的資料である、というのであった。したがって、すべての農村経営に関する学説は、単に気候風土の資料のみでなく、土壌、気候および労働者の一定不変の性質という、三つの要素から吟味しなければならぬ、というのである。そういったわけで、彼の生活は孤独だったにもかかわらず、あるいは孤独だったために、かえってひじょうに充実していた。ただほんの時たま、彼は頭に浮ぶ思想を、だれかアガーフィヤ以外の人に伝えたいという満たされざる欲求を覚えるばかりであった。もっとも、彼はかなりしばしばこの老婆《ろうば》を相手に、物理学や、農村経営の理論や、とりわけ哲学について論じたものである。哲学はアガーフィヤの大好きな話題だったから。

春は長いこと、その本性を現わさなかった。大斎期の終りの一、二週間は、晴れた凍《い》てついた天気がつづいた。昼間は日光で溶けるものの、夜ともなれば、零下七度まで下がった。一度溶けて凍った雪の表面は、道のないところでも、荷橇《にぞり》が通れるほどであった。復活祭にはまだ雪があった。そのあと急に、聖週（訳注　復活祭（日曜）からの一週間をいう）の二日めに、暖かい風が吹いて来て、雨雲がわきおこり、三日三晩も、あらしのような春雨が降りつづいた。木曜日になると風は静まり、まるで、自然の中に生じた変化の秘密を隠そうとでもするように、灰色の濃い霧がたちこめた。その霧の中で川の水はあふれ、氷のかたまりが割れて流れだし、濁って泡《あわ》だった流れは、前よりいっそう激しく奔流した。そして、次の月曜日には、夕方から霧が晴れだし、雨雲も綿雲のように散りぢりになって、すっかり、空は晴れわたった。本物の春が顔を出したのである。翌朝になると、さしのぼった明るい太陽は、水面をおおっていた薄氷をまたたくうちに溶かし、生暖かい大気はよみがえった大地から立ちのぼる水蒸気にふれて、震えていた。古い草も、針のような芽をふいた若草も、一様に緑に染まって、灌木《かんぼく》、すぐり、ねばっこいアルコールのようなにおいの白樺《しらかば》の芽もふくらんだ。さらに、金色の花をふりかけたような柳の木の上では、巣から出された蜜蜂《みつばち》がうなり声をあげて飛びまわっていた。緑のビロードのような冬蒔《ふゆま》き畑や、氷でおおわれた耕地の上では、姿の見えぬひばりがさえずっていたし、まだ茶色の水がたまっている窪地《くぼち》や沼の上では、たげりが鳴き声をあげ、高い空では鶴《つる》や雁《がん》が、があがあと春らしい鳴き声をたてながら、舞っていた。牧場では、抜けた毛がまだところどころ生え変らずにいる家畜たちがうなり声をあげ、まだ足の曲っている子羊は、めえめえと鳴きたてる毛をつみとられた母親のまわりを、はねまわっていた。すばしっこい子供たちは、はだしの足跡をつけてかわきかかっている小道を駆けまわり、池のまわりからは布をさらす女たちの楽しそうなおしゃべりが聞え、庭先では犂《すき》や耙《まぐわ》を繕う百姓たちの斧《おの》の音が響きはじめた。

本物の春が訪れたのである。

13

リョーヴィンは大きな長靴《ながぐつ》をはき、はじめて毛皮外套《シューバ》でなくラシャの外套を着て、日光を反射して目にちかちかする小川を渡ったり、氷の上や、ねばねばした泥《どろ》の上を踏みしめたりしながら、農場の見まわりに出かけた。

春は計画と予想の季節である。リョーヴィンは外へ出かけたものの、そのふくらんだ蕾《つぼみ》の中に閉ざされている若い芽や枝をどこへどう伸ばしていいか、まだわからずにいる春先の樹木のように、自分の好きな農村経営の仕事においても、これから先どんな計画に手をつけたらいいのか、自分でもよくわからなかった。しかし、彼は自分がこのうえもなくりっぱな計画や予想をいっぱいかかえていることだけは感じていた。まず第一に、彼は家畜小屋へ足を向けた。雌牛どもは柵《さく》の中に放たれ、抜け変ったなめらかな毛を光らせながら、ひなたぼっこをして、野原へ出してくれとせがんで鳴いていた。リョーヴィンは細かいところまですっかり知りつくしている牛どもにしばらく見とれた後、それらを野原へ放してやって、子牛どもを柵の中へ入れるように命じた。牧夫は陽気そうに野原へ行くしたくに駆けだして行った。家畜番の女たちは裾《すそ》をからげ、枯れ枝を手にして、まだ日焼けしていない白い素足で、ぬかるみをぴちゃぴちゃいわせながら、春の来たうれしさに、ただもう夢中になって鳴きわめく子牛どもを、庭へ追いたてようとして、駆けずりまわっていた。

例年になくすばらしかった今年生れの子牛に、しばらく見とれてから（早生れの子牛は、百姓の持っている雌牛くらいあったし、三カ月になるパーヴァの娘は、もう一歳半ほどの大きさだった）、リョーヴィンはこれらの子牛どものために飼秣槽《かいばおけ》を外へ持ち出して、干し草を柵越しにやるように命じた。ところが、冬じゅう使わなかった囲いの中では、秋につくった柵が少々こわれていた。彼は、自分の命令で打穀機を作るはずになっていた大工を迎えにやった。すると、その大工はもう謝肉祭にはできていなければならない耙を今やっと修繕しているところだった。それにはリョーヴィンも腹を立てた。彼は長年のあいだ全力をあげて戦って来たのに、こうした経営上のふしだらな状態がいつまでも繰り返されていることに腹を立てたのであった。彼にわかったところによると、冬のあいだ不要なこの柵は、駄馬《だば》を入れる小屋へ運ばれたのだが、もともと子牛のためにざつに造られたものなので、すぐこわれてしまったというわけであった。いや、それればかりか、この一件からまた、冬のあいだに調べて修繕しておくようにいいつけ、わざわざ三人の大工まで雇っておいた耙と農具類が、まだなおしてないことが判明した。ただ耙だけは、土を耕さなければならぬ時期になって、やっと修理ができた。リョーヴィンはいったん支配人を呼びにやったが、すぐ自分から捜しに行くことにした。支配人は、この日のすべてのものと同様、にこにこと顔を輝かせながら、羊皮で縁とりした毛皮外套をきて、藁《わら》を両手でぽきぽき折りながら、打穀場のほうから歩いて来た。

「なぜあの大工は打穀機にかかっていないんだね？」

「いや、じつは、きのう申しあげるところでしたが、耙のほうを修理しなくちゃなりませんので。なにしろ、もう畑を起さねばなりませんので」

「じゃ、冬のあいだはなにをしていたんだね？」

「で、なにか大工にご用でもおありで？」

「子牛を入れる庭の柵はどこだね？」

「元のところへもどしておくようにいいつけておいたんですが。あの連中にはなにをいいつけても、どうにもなりませんので！」支配人は片手を振りながら、答えた。

「どうにもならんのはあの連中じゃなくて、おまえのような支配人だよ！」リョーヴィンはかっとなっていった。「なあ、いったい、きみのようなやつを雇ってるのはなんのためだと思うね？」彼はどなった。しかし、そんなことをいってみても、なんの足しにもならないと気づいて、途中で言葉を切り、ただ大きく溜息《ためいき》をついた。「で、どうかね、もう播《ま》きつけのほうはできるのかね？」彼はしばらく口をつぐんでから、たずねた。

「トゥルキンの先は、あすかあさってなら大丈夫でしょう」

「クローバーは？」

「ワシーリイとミーシュカをやりました。播いておりますよ。ただ、うまく出るかどうかわかりませんが、なにしろ、土地がひどくぬかっておりますので」

「幾ヘクタールだね？」

「六ヘクタールでございます」

「なぜ全部の土地に播かないんだ？」リョーヴィンは大声をたてた。

クローバーを二十ヘクタールでなく、六ヘクタールしか播かなかったことに、リョーヴィンはますます腹を立てた。クローバーの播きつけは、理論からいっても、彼自身の経験からいっても、できるだけ早く、まだ雪のあるうちからやって、はじめて好成績がえられるはずだった。しかも、リョーヴィンはなんとしても、それを達成することができなかったからである。

「人手がありませんで。あんな連中を相手になにができましょう？　三人も仕事に出てまいりませんでしたし、それに、セミョーンも……」

「そんなら、藁の仕事をやめさせたらいいじゃないか」

「ええ、ちゃんとやめさせておきました」

「じゃ、連中はどこにいるんだ？」

「五人はコンポート（訳注　果物の砂糖煮）をこしらえておりますし（本人は堆肥《コンポスト》のつもりでいったのである）、四人は燕麦《えんばく》を移しかえております。いたんではたいへんですので、だんなさま」

　リョーヴィンには、すぐのみこめたが、この「いたんではたいへんですので」という言葉は、種子《たね》とりのイギリス種の燕麦がもうだめになったことをいっているのだった。つまり、またもや彼が命じたことを実行しなかったのである。

「だから、あれほど大斎期のころからいってたじゃないか、通風筒をちゃんとしろと……」彼は叫んだ。

「いや、ご心配なく、万事ちゃんと間にあわせるようにいたしますから」

　リョーヴィンは腹立たしげに片手を振って、燕麦を見に穀倉へ行ったが、すぐ厩《うまや》へ引き返した。燕麦はまだ腐ってはいなかった。しかし、作男たちはじかに階下《した》へ落せばよいものを、わざわざシャベルで移しかえていた。リョーヴィンはそのさしずをして、ふたりの作男をそこからクローバーの播きつけにまわしてからやっと、支配人に対する腹立たしさをしずめることができた。それに、天気があまりよかったので、とても腹など立てていられなかったのである。

「おい、イグナート！」彼は、井戸のそばで腕まくりして幌馬車《ほろばしゃ》を洗っていた御者に、大きな声で呼びかけた。「鞍《くら》をつけてくれ……」

「馬はどれにいたしましょう？」

「そうだな、コルピックでもいいや」

「かしこまりました」

馬に鞍をつけているあいだ、リョーヴィンは目の前をうろうろしている支配人をもう一度呼んで仲直りのつもりで、さし迫っている春の仕事や、経営上の計画などについて話しはじめた。

肥料の運搬は、草刈りのはじまるまでに、全部片づけてしまうよう早めに着手すること。また、遠く離れている畑も犂で耕して、閑田としてとっておくこと。草刈りも現物折半でなく、人手を頼んで全部始末すること。

支配人は注意ぶかく耳を傾けていたが、どうやら、主人の計画に賛意を表するのに骨を折っているらしかった。しかし、その顔は、リョーヴィンが前々から知りぬいていて、いつもいらいらさせられている、例のがっかりしたような、元気のない表情をしていた。その表情は、『それはなにもかもけっこうでございますが、なにごとも神さまのみ心で』と語っていた。

こうした調子ほどリョーヴィンをがっかりさせるものはなかった。しかし、この調子は、彼が幾度人を取りかえてみても、すべての支配人に共通した調子《もの》だった。だれもかれも、彼の計画に対して同じ態度をとるので、今ではもう彼も腹を立てずに、ただがっかりするばかりだった。そして、彼はこのなにか原始的な力ともいうべきものと戦うために、いよいよ奮いたってくる自分を感じるのだった。その力は、『なにごとも神さまのみ心で』としか名づけようのないもので、いつのときも彼に反抗してくるのであった。

「まあ、なんとかできますでしょう、だんなさま」支配人はいった。

「できないことがあるものか」

「人夫をもう十五人ばかり雇わなけりゃなりませんな。いや、それがなかなか集まりませんので。きょうも来るには来ましたが、ひと夏に七十ルーブルもくれと、申しますんで」

リョーヴィンは口をつぐんだ。またもや例の力が反抗して来たのである。彼は、自分たちがどんなにがんばってみても、現在の賃金では、三十七、八人から四十人以上の働き手を雇うことができないのを、承知していた。四十人までは集まったことがあるが、それ以上はなかった。しかし、それにしても、彼はなんとしても戦わずにはいられなかった。

「集まらんようだったら、スールイやチェフィローフカへ人をやるんだな。とにかく、捜さなくちゃ」

「やるにはやりましたが」ワシーリイは、元気のない声でいった。「今度は、その馬のほうが弱りましてな」

「買いたせばいいさ。なあに、ぼくにはちゃんとわかってるさ」リョーヴィンは笑いながらつけ足した。「きみたちはなんでもできるだけ少なく、できるだけ悪いものを作る主義のようだが、もう今年はきみたちに自分勝手のまねはさせないよ。なんでも自分でやるからな」

「いや、今までだって、そんなに大目に見てはいらっしゃいませんとも。私どもとしても、ご主人の目の前で働くほうが愉快でございますよ……」

「じゃ、白樺谷の向うでクローバーを播いてるんだな？　ひとつ、行ってみて来よう」彼は御者の引いて来た小さい濃褐色《のうかっしょく》のコルピックにまたがりながら、いった。

「小川は渡れねえですよ、だんなさま」御者は叫んだ。

「じゃ、森づたいに行くさ」

こうして、リョーヴィンは水たまりへかかるたびに、鼻を鳴らしながら手綱《たづな》を引っぱる、長いこと厩に閉じこもっていたので勇みたっている馬に、軽快な跑《だく》を踏ませながら、内庭のぬかるみを抜けて、門から野原のほうへ出て行った。

リョーヴィンは、牛小屋や穀物置場にいるときも愉快だったが、野原へ出るにおよんで、いっそう愉快になった。彼は、質《たち》のいい馬の跑に規則正しく揺られ、暖かいなかにもすがすがしい雪と空気のにおいを吸いこみながら、かすかに人の足跡をとどめて、点々と見えるもろい残雪を踏んで、森の道を進んで行くとき、樹皮の苔《こけ》がよみがえって、芽をふいている自分の木の一本一本に、喜びを感ずるのだった。森を抜けると、目の前には、一点の禿《は》げ地も湿地もない緑の秋蒔き畑が、平らなビロードのじゅうたんのように広々とひろがっていた。ただところどころの窪地に、溶けかかった残雪が、点々とついているばかりだった。彼は、この緑の畑を踏み荒している百姓馬や一歳駒《ごま》を見ても(彼は出会った百姓にそれらを追っぱらうようにいいつけた)、向うからやって来た百姓のイパートが人をばかにしたような、間ぬけた返事をしても、腹が立たなかった。彼がこの百姓に、「どうだ、イパート、もうそろそろ播きつけたな？」とたずねたのに対して、イパートは「なに、その前に耕さにゃなりませんとも、だんなさま」と答える始末だったのである。

馬を先へ進めるにつれて、彼はますます楽しくなり、経営のことについても、次々と、すばらしい計画が浮んできた。どの畑にも南側の境界線に沿って柵をめぐらし、その下に雪が長く残らないようにすること。畑を区分けして、六枚は肥料を施し、三枚は牧草を播いて予備の畑にしておくこと。畑のいちばん向うの端に家畜小屋をつくり、池を掘ること、施肥のために家畜用の移動柵をつくること。そうすれば、三百ヘクタールは小麦、百ヘクタールはじゃがいも、百五十ヘクタールはクローバーにあてて、やせた土地は一ヘクタールもなくなるわけだ。

こんな空想を描いて、自分の畑を踏まないように、注意ぶかく馬を畦道《あぜみち》づたいに進めながら、彼はクローバーを播いている作男たちのほうへ近づいて行った。種子を積んだ荷車は、畦でなく耕地においてあったので、冬蒔きの麦は車輪のために掘りくずされ、馬に踏みにじられていた。ふたりの作男が畦道にすわりこんでいたが、きっと、一本のパイプを共同で吸っていたのだろう。種子に混ぜてある車の中の土は、よくもみほぐしてなく、ごろごろとかたまりだったり、凍ったりしていた。主人の姿を見ると、作男のワシーリイは車のところへ近づき、ミーシュカは播きつけにかかった。これはおもしろくないことだったが、リョーヴィンは作男に対してはめったにおこらなかった。ワシーリイがそばへ来たとき、リョーヴィンは馬を畦道へ引っぱって行くようにいいつけた。

「なあに、だんなさま、ひとりでになおりますよ」ワシーリイは答えた。

「頼むから、理屈はやめてくれ」リョーヴィンはいった。「いわれたとおり、すればいいんだ」

「かしこまりやした」ワシーリイは答えて、馬の首に手をかけた。「ところで、だんなさま、この種播きは」相手は取入るような調子でいった。「一級品でございますよ。ただ歩くのが大儀でしてね！　まるで草鞋《わらじ》に一プード（訳注　約十六キログラム）ぐれえのおもりでもつけて、引きずってるようなもんですよ」

「それにしても、おまえたちはなぜ土をふるわなかったんだ？」リョーヴィンはきいた。

「ほれ、わしがもみほぐしてるですよ」ワシーリイは種子をひとつかみ取って、てのひらで土をもみほぐしながら、答えた。

よくふるっていない土を渡されたからといっても、それはワシーリイの罪ではなかった。しかし、なんとしても腹の立つことだった。

リョーヴィンはじっと腹の虫をおさえて、これまで一度ならずためしてみて成功している、すべておもしろくないことを、再びいいほうへ変える方法を今も用いてみた。彼は、ミーシュカが両足にへばりつく大きな土のかたまりを引きずりながら歩く様子をしばらくながめていたが、やがて馬からおりて、ワシーリイから種播き用の肩籠《かたかご》をとりあげ、自分で播きはじめた。

「おまえはどこまでやった？」

ワシーリイは、足で印をつけた場所を指さした。そこで、リョーヴィンは力いっぱい、種子のまじった土を播いていった。歩いて行くのは、まるで泥沼《どろぬま》の中のように、むずかしかった。リョーヴィンは一畝《ひとうね》まくと、汗をかいて、立ちどまり、種播き肩籠を返した。

「ねえ、だんなさま、夏になってから、この一畝のために、わしに小言をいわんでくだせえよ」ワシーリイはいった。

「え、なぜだい？」リョーヴィンはためした方法が、早くもききめを現わしてきたのを感じながら、愉快そうにいった。

「まあ、夏になったら、よく見ておくんなさい。この一畝だけ違ってまさあね。去年の春わしの播いたとこをごらんにいれてえぐれえですよ。その生えぐあいのいいったら！　だって、だんなさま、わしはこれでも生みの親につくすと同じつもりで、働いてるんでごぜえますよ。悪いことは自分でもするのがきれえだし、人にもさせねえですよ。そうすりゃ、だんなさまにもええし、わしらにもええでな。まあ、ひとつ、あれを見てごらんくだせえ」ワシーリイは畑を指さしながらいった。「気が晴ればれしますだよ」

「春はいいなあ、ワシーリイ！」

「いや、まったく、こんないい春は年寄りどもも覚えがねえといっとりますよ。このあいだも、わしが家へ帰ったとき、うちの年寄りがやっぱり、小麦を三百リットルほど播いとりましたが、裸麦と見分けがつかねえほどになるだろうっていっとりましたよ」

「おまえたちは、もうずっと前から小麦を播いてるのかい？」

「なに、だんなさま、おめえさまがおととし教えてくれたでねえですか。このわしに二プードめぐんでくだせえましたで、四分の一は売りやして、残りの三百リットルを播いたようなわけでして」

「おい、いいか、よく土のかたまりをほごすんだぞ」リョーヴィンは馬のそばへ行きながら、いった。「それから、ミーシュカのことも気をつけてな。いい芽が出たら、一ヘクタールに五十コペイカずつやるからな」

「そりゃ、どうもありがとうごぜえます。そうでなくっても、わしらはだんなさまのことじゃ、なにひとつぐちをこぼしたことはねえんで」

リョーヴィンは馬にまたがって、去年のクローバーのある畑へ行き、それから春播き小麦の用意に犂《すき》で耕している畑へまわった。

刈り跡に出たクローバーの新芽は、すばらしかった。それはもうすっかり生えそろって、去年の折れた小麦の茎の下から、生きいきとした緑にもえていた。馬は足をくるぶしの辺まで泥に埋めて、ひと足ごとに溶けかけた泥の中から引き抜く足が、ずずぶと音をたてた。犂で耕したところは、とても馬を進めることができなかった。ただ、薄氷の張っているところだけは大丈夫だったが、溶けた畦ではくるぶしの上まで埋まってしまった。犂の入れ方は申し分なかった。もう二日もしたら耙《まぐわ》をかけて、播きつけができそうだった。なにもかも上々で、なにもかも楽しかった。帰りは、もう水が引いたろうと考えて、リョーヴィンは小川を渡って行くことにした。そして、実際、無事に渡って、二羽の鴨《かも》を追いたてた。《きっと、鴫《しぎ》もいるにちがいない》彼はそう考えたが、ちょうど家へ曲るところで、森番に出会った。その男も、鴫がいるにちがいないという彼の予想の正しさを認めてくれた。

リョーヴィンは駆け足で帰途についた。一刻も早く食事をすませて、夕方までに銃の用意をしておこうというわけであった。

14

リョーヴィンはすごく上きげんで、家の近くまで馬を走らせて来たとき、表玄関の車寄せのほうに、鈴の音を聞きつけた。

《ああ、あれは駅から来たんだな》彼は考えた。《ちょうどモスクワから汽車が着いた時刻だ……いったい、だれだろう？　ひょっとすると、兄貴のニコライかな？　だって兄貴は、気がむけば温泉に行くかもしれんし、また、おまえのところへおしかけるかもしれんし、といってたからな》彼はその瞬間、兄ニコライの出現が、今の幸福な春めいた気分を台なしにしないかと、恐ろしくも不愉快な気分になった。しかし、彼はすぐ自分のこうした気持を恥ずかしく思い、まるで心の中で抱擁の腕をひろげたように、感激に満ちた喜びの気持につつまれ、今はどうか兄ニコライであってくれと、心の底から願うのであった。彼は馬をうながして、アカシヤの木陰から出ると、こちらへ近づいて来る停車場の三頭立ての橇《そり》と、毛皮外套《がいとう》の紳士の姿を見た。それは兄ではなかった。《ああ、だれかいい話し相手になれる、気持のいい人間ならいいが》彼は考えた。

「おおい！」リョーヴィンは両手をさしあげて、うれしそうに叫んだ。「こりゃ、珍客だな！　ほんとに、うれしいよ！」彼はオブロンスキーの顔を見分けて、叫んだ。《あの人がもう結婚したか、それとも、いつ結婚するか、はっきりしたことがきかれるだろう》彼は心に思った。

こんなうららかな春の日には、彼女についての思い出も、まったく苦にならないのを感じた。

「思いがけなかったろう、え？」オブロンスキーは橇からおりながら、いった。彼の鼻柱にも、頰《ほお》にも、眉《まゆ》にも、泥のかたまりをつけていたが、その顔は快活な気分と健康に輝いていた。「きみに会いたくてやって来たのさ――これが第一」彼は相手を抱いて接吻《せっぷん》しながらいった。「狩りをやる――これが第二で、それからエルグショーヴォの森を売る――これが第三だ」

「大いにけっこう！　それにしても、すばらしい春じゃないか！　でも、よく橇でこられたねえ！」

「馬車だと、もっとひどうございますよ、リョーヴィンのだんなさま」顔見知りの御者がいった。

「とにかく、きみが来てくれて、じつに、うれしいよ」リョーヴィンは心の底から子供のような喜びの微笑を浮べながら、いった。

リョーヴィンは友人を来客用の部屋へ案内した。そこへオブロンスキーの荷物も、つまり、大きな袋、ケースにはいった猟銃、葉巻の箱なども運びこまれた。そして彼は友人が顔を洗ったり、着替えをしたりするあいだ、自分は畑おこしやクローバーのことをいいに、事務所まで出かけた。アガーフィヤはいつも家の格式ということをひどく気にしていたので、晩餐《ばんさん》のことをききに、彼を玄関へ出迎えた。

「おまえのいいようにしておくれ、ただなるべく早くな」彼はいって、支配人のところへ行った。

彼がもどって来ると、オブロンスキーは顔を洗って、髪をとかし、顔いっぱいに微笑をたたえながら、部屋の戸口から出て来た。そして、ふたりはいっしょに二階へあがった。

「いや、やっときみのところへ来られて、まったくうれしいよ！　今度こそきみがここでせっせと築いてる秘密の正体がなにかってことも、わかるだろうよ。しかし、いや、まったくのところ、ぼくはきみがうらやましいね。いい家だな、それに、なにもかもすばらしい！　明るくて、楽しそうで」オブロンスキーは、なにも一年じゅう春で、いつもきょうのような晴れた日ばかりでないことを忘れて、そういった。「それから、きみの婆《ばあ》やもほんとにいい人だね！　さらに欲をいえば、エプロンをかけたかわいい小間使がいるといいんだが。でも、きみの坊主《ぼうず》くさい、厳粛な生活では、これがいちばん適しているわけだな」

オブロンスキーは、いろいろとおもしろいニュースを伝えたが、とくにリョーヴィンの興味をひいたのは、兄のコズヌイシェフがこの夏、彼の村へくるつもりだというニュースだった。

オブロンスキーは、キチイのことも、一般にシチェルバツキー家のことは、なにひとついわなかった。ただ妻からよろしくといったばかりであった。リョーヴィンは相手の細やかな心づかいを感謝し、この客の来訪を心から喜んだ。いつものことながら、リョーヴィンは孤独の暮しのうちに、まわりの者に伝えることのできぬ、数えきれないほどたくさんの思想や感情がたまっていたので、彼の詩的な春の喜びも、経営の上の失敗や今後の計画も、頭の中の考えも、読んだ本の感想も、ことごとくオブロンスキーにぶちまけてしまった。とくに、自分では気づかないでいたが、従来の農村経営上のいっさいの労作に対する批判を根底にした自分の著述についても弁じたてた。オブロンスキーはいつもちょっと暗示されただけですぐなにもかものみこむ、勘のいいほうだったが、今度の旅行にもとても気分をよくしていた。そのため、リョーヴィンは彼の中に今まで知らなかった自分にとってうれしい事実を発見した。それは自分に対する尊敬の気持と、なにか思いやりのある優しさみたいなものであった。

晩餐を特別すばらしいものにしようと、アガーフィヤと料理人は骨を折ったものの、いざ食事をはじめてみると、ただ空腹をかかえたふたりの友が、前菜の前にすわりこんで、バターつきのパンと、鳥の燻製《くんせい》と、塩づけの茸《きのこ》をたらふく食べたのと、料理人がお客をびっくりさせようと、ピロシキ（訳注 肉まんじゅう）ぬきのスープを、リョーヴィンのいいつけで出しただけのことであった。ところが、オブロンスキーは、いつもは段違いの食事に慣れていたにもかかわらず、薬草の浸し酒も、パンも、バターも、ことに鳥の燻製も、茸も、刺草《いらくさ》のスープも、白ソースをかけたチキンも、クリミアの白ぶどう酒も、すばらしいとほめた。なにもかもすばらしく、上出来であった。

「いや、すばらしい、じつにすばらしい！」彼は焼き肉のあとで太い巻たばこをふかしながら、いった。「ぼくはきみのとこへ来て、まるで騒々しく揺れている汽船から、静かな岸辺へおりたような気分だよ。それじゃ、きみの説によれば、労働者の要素そのものが研究されて、農村経営の方法にもそれが加味されなければならないというんだね。ところで、ぼくはこうした問題ではまったく無知だからね。しかし、理論とその応用という点では、労働者にも影響があるだろう、とは思われるがね」

「そうさ、しかし、ちょっと、待ってくれ。ぼくは経済学の話をしてるんじゃなくて、農村経営学のことをいってるんだからね。それは他の自然科学と同じように、与えられた現象と労働者を、経済学の面からも、民族学の面からも観察しなくちゃならないんだよ……」

そのとき、アガーフィヤがジャムを持ってはいって来た。

「やあ、アガーフィヤ」オブロンスキーは、自分のふっくらした指先を吸いながら、いった。「いや、まったく、お宅の鳥の燻製はすばらしいですな、薬草入りの浸し酒も！……さて、どうだい、コスチャ、もうそろそろ時間だろう？」彼はつけ加えた。

リョーヴィンは、葉を落した森の梢《こずえ》に沈みかかった太陽を、窓越しにちらっとながめた。

「ああ、もう時間だ、時間だ」彼はいった。「クジマー、馬のしたくをしてくれ！」

そういって、彼は階下《した》へ駆けおりた。

オブロンスキーは下へおりると、自分で漆塗りの箱からズック製のケースをていねいにとって、その蓋《ふた》をあけ、新式の高価な猟銃を取り出した。クジマーは、こりゃたいした酒手《さかて》にありつけるぞとはやくも嗅《か》ぎつけて、もうオブロンスキーのそばを離れず、靴下《くつした》や靴をはかせにかかったが、彼のほうもすすんでなすがままにさせていた。

「コスチャ、もし商人のリャビーニンが来たら――きょうここへ来るようにいっといたんだが――屋敷へあげて、待たしておくように、いいつけておいてくれよ……」

「それじゃ、リャビーニンに森を売るつもりかね？」

「ああ、きみもあの男を知ってるのかい？」

「もちろん、知ってるとも。ぼくはあの男と『積極的かつ決定的に』取引をしたことがあるんだ」

オブロンスキーは笑いだした。『積極的かつ決定的に』というのは、この商人の好んで使う言葉だったからである。

「まったく、あいつの話しぶりときたら、あきれるほどこっけいだよ。ほほう、こいつはもうご主人さまがどこへ行くか感づいたな！」彼は犬のラスカを片手でたたきながら、こうつけ足した。犬はくんくん鳴きながら、リョーヴィンのまわりにからみついて、その手や、長靴や、猟銃をなめまわしていた。

ふたりが外へ出たとき、車体の長い田舎馬車がもう入口の階段の下で待っていた。

「たいして遠くはないんだが、一応、馬車の用意をさせといたよ。でも、歩いて行くかい?」

「いや、車のほうがいいね」オブロンスキーは、馬車に近づきながらいった。彼は腰をおろすと、両足を虎《とら》の皮の膝掛《ひざか》けでくるみ、葉巻をふかしはじめた。「きみがたばこをすわないのはどういうわけかね?! 葉巻ってやつは、単に楽しみというばかりじゃなくって、その楽しみの頂上であり、象徴でさえあるんだぜ。これこそまさに人生だよ! すばらしいねえ! これこそぼくの望んでる生活だよ!」

「じゃ、いったい、だれがそのじゃまをしてるんだい?」リョーヴィンは微笑を浮べながらいった。

「いや、きみは幸福な人間だよ。自分の好きなものはみんな持ってるんだからね。馬が好きなら馬もあれば、犬もあり、猟もできれば、農村経営の仕事もある」

「たぶん、それはぼくが自分にあるものに満足して、ないものについては、くよくよしないからだろうよ」リョーヴィンはキチイのことを思いだしていった。

オブロンスキーはすぐその意を悟ったが、ちらっと相手の顔を見ただけで、なんともいわなかった。

リョーヴィンはオブロンスキーがいつもの勘で、自分がシチェルバツキー家の話を恐れているのに気づいて、わざとその話にふれなかったことに対して、ひそかに感謝していた。しかし、今は、もう、自分をあれほど苦しめていたことについて知りたくなっていた。ただ、彼は自分からそれをいいだす勇気はなかった。

「ときに、きみのほうはどうかね？」リョーヴィンは自分のことばかり考えるのはよくないと考えて、そうたずねた。

オブロンスキーの目は楽しそうに輝きだした。

「きみはきっと、ちゃんとした食糧があるのに、丸パンをほしがっていいなんては、絶対に認めないだろうね。だって、きみにいわせれば、それは犯罪なんだ流でも、ぼくは恋愛のない人生なんて認めないね」彼はリョーヴィンの質問ふうにでに解釈しながら答えた。「どうにもならんさ、ぼくという人間は、そほめったになきてるんだから。それに、まったくの話が、それで他人を傷つけるいんだし、こちらはとても楽しい思いなんだから……」

「おい、どうしたんだ、また、なにか新しいのができたのかい？」リョーヴィンはたずねた。

「そうなんだよ、きみ！　ねえ、きみもオシアン（訳注　三世紀ころの古代ケルト族（アイルランド）の詩人）の描く女のタイプを知ってるだろう……夢に見るようなやつをさ……ところが、そういった女が現実にも存在してるんだぜ……そういう女はこわいところがあるがね。だいたい、女ってやつはいくら研究しても、そのたびにまったく新しい面を表わすもんでね」

「そんなら、いっそ研究なんかしないほうがいいじゃないか」

「いや、そりゃ違う。ある数学者がいってるじゃないか、研究の楽しみは真理の発見にあるのじゃなくて、その探究にあるとね」

リョーヴィンは黙って聞いていたが、自分でいくら努力してみても、友人の立場に立って、そうした感情を解し、そういう女を研究する喜びを理解することは、なんとしてもできなかった。

15

猟場は、ささやかなやまならしの林を流れる小川のほとりで、そう遠くはなかった。林のそばへ乗りつけると、リョーヴィンは馬車をおり、もう雪が溶けて、苔《こけ》むした泥《どろ》ぶかい空地の一隅《いちぐう》へ、オブロンスキーを案内した。そして自分は、別の片すみにある二叉《ふたまた》の白樺《しらかば》のそばへもどって、低い枯れ枝の叉へ銃を立てかけ、長い上着《カフタン》を脱ぎ、帯を締めなおして、両手が自由に動くかどうかためしてみた。

ふたりのあとをついて来た灰色の老犬ラスカは、主人と向いあって用心ぶかくうずくまり、さっと、耳をそばだてた。太陽は大きな森の陰に沈みかけていた。そして、やまならしのあいだに点々としている白樺が、今にもはちきれそうな芽をつけた垂れ下がった枝を、夕映えの光の中にくっきりと描きだしていた。

まだ雪の残っているこんもりした森の中からは、曲りくねって細々と流れている水が、かすかな音をたてていた。小鳥たちはさえずりながら、時おり、木から木へ飛び移っていた。

しんとした静けさの合間をぬって、凍《い》てついた土が溶けたり、草が伸びたりするために、少しずつ動く去年の朽ち葉の、かさこそと鳴る音が聞えた。

《こりゃ、驚いた！　草が伸びるのが、耳に聞えたり、目に見えたりするなんて！》リョーヴィンは若草の針のような芽のそばで、石筆色の湿ったやまならしの朽ち葉がぴくりと動いたのを見つけて、そうつぶやいた。彼は立ったまま耳を澄まして、足もとのじめじめと苔むした地面や、耳をそばだてているラスカや、目の前に低く山のふもとまで海のようにひろがっている冬枯れのあらわな森の梢や、ところどころ白い雲の条《すじ》をひいている夕暮れの空などを、かわるがわるながめるのだった。一羽の禿鷹《はげたか》がゆったりと羽ばたきながら、遠い森の空たかく飛んで行った。と、もう一羽が、やはり同じように、同じ方角へ飛んで行って、姿を消した。小鳥たちはいよいよ声高《こわだか》く、気ぜわしそうに、茂みの奥でさえずった。あまり遠くないところで、みみずくがほうほうと鳴きだした。と、ラスカはぶるっと身を震わせ、用心ぶかく二、三歩踏みだし、首を横にかしげて、じっと耳を澄ましはじめた。小川の向うからは、ほととぎすの鳴き声が聞えた。ほととぎすは二度ばかり普通の鳴き声をたてたが、じき声がかすれて、せかせかしてしまい、すっかり調子がめちゃめちゃにもつれてしまった。

「どうだい！　ほととぎすが鳴いてるじゃないか！」オブロンスキーは、灌木《かんぼく》の茂みから現われながらいった。

「ああ、ぼくも聞いたよ」リョーヴィンはわれながら不愉快な自分の声で、森の静けさを乱しながら、答えた。「もうじきだよ」

オブロンスキーの姿は、また灌木の茂みの陰に隠れた。やがて、リョーヴィンに見えたものは、ただぱっと燃えあがったマッチの炎と、すぐそれに代ったたばこの赤い火と、青い煙ばかりだった。

かちっ！　かちっ！　オブロンスキーが撃鉄を起す音が聞えた。

「ありゃ、なにが鳴いているんだい？」オブロンスキーは、子馬がふざけて細い声でいないいているような、長く尾をひいた鳴き声に、リョーヴィンの注意をうながしなながら、たずねた。

「なに、あれを知らないのかい？ あれは雄兎《おうさぎ》だよ。でも、もうしゃべっちゃいられないよ。ほら、飛んで来るぜ！」リョーヴィンは撃鉄を起しながら、ほとんど叫ぶようにしていった。

遠くに、かぼそい笛のような音が聞えたかと思うと、狩猟家にはおなじみの二秒間という一定の間をおいて、第二、第三の声がつづいた。そして、第三声のあとでは、もうのどを鳴らすような音が聞えて来た。

リョーヴィンはすばやく左右に目をくばった。と、目の前の黒みがかったコバルト色の空に、やまならしの梢の若枝がぼうっと一つに溶けこんだ上方を、飛んで行く一羽の鳥の姿が見えた。その鳥はまっすぐに彼のほうへ飛んで来た。その厚地の布を裂くようなのどの奥で鳴く声が、耳のすぐ上で響いた。もう鳥の長いくちばしと首が見分けられた。リョーヴィンがねらいをつけた瞬間、オブロンスキーが立っていた灌木の茂みから、赤い稲妻のようなものがぱっとひらめき、鳥は矢のように落ちて来たが、再び空へ舞いあがった。と、再び稲妻がひらめいて、銃声がとどろいた。と、鳥はまるで宙に身をささえようとするかのように、翼をばたばたさせながら、一瞬、ひところに止まっていたかと思うと、たちまち、泥ぶかい土の上へどさっと落ちて来た。

「しくじったかな」オブロンスキーは、煙のためによく見えなかったので、そう叫んだ。「ほら、そこへ持って来たじゃないか！」リョーヴィンはラスカを指さしながらいった。犬は片方の耳をたて、ふさふさとしたしっぽの先を高々と振りながら、このうれしさを少しでも長びかせたいといった格好で、微笑でも浮べているような顔つきをしながら、静かに歩みよると、殺された鳥を主人に運んで来た。

「いや、きみがしとめてくれてうれしいよ」リョーヴィンはいったが、それと同時に、鴫《しぎ》をしとめたのが自分でなかったことに、はやくも羨望《せんぼう》の念を覚えた。

「ちぇっ、右側の銃身が射《う》ち損じやがった！」オブロンスキーは答えた。「しっ……飛んで来たぞ」

はたして、耳をつんざくような鋭い鳴き声が、矢つぎばやに次から次へと聞えた。二羽の鴫が戯《たわむ》れながら、互いに追いかけあい、例ののどの奥で鳴く声は出さずに、かぼそい笛のような鳴き声ばかりたてて、ふたりの猟人の頭の上へ飛んで来た。四発の銃声が鳴りわたったと思うと、鴫は燕《つばめ》のようにひらりと身をかわして、たちまち、視界から消えてしまった。

……………………………………

……………………………………

猟の成績はすばらしかった。オブロンスキーはさらにもう二羽しとめ、リョーヴィンも二羽しとめたものの、そのうちの一羽は見つからなかった。やがて暗くなってきた。明るい銀色をした宵《よい》の明星は、西の空低く、白樺の陰にその優しい輝きを見せ、東の高い空には、陰気くさい牛飼い座の第一星が、赤い光を放ってまたたきはじめた。リョーヴィンは頭の上に、大熊座《おおくまざ》の星を見つけたり、見失ったりした。鴫はもう飛ぶのをやめてしまった。しかし、リョーヴィンは、今は白樺の枝の下のほうに見えている宵の明星が、その上のほうへ昇って、大熊座がどこからでもはっきりと見えるようになるまで、待ってみようと心にきめた。明星はもう白樺の枝の上にまわり、轅《ながえ》をつけた車のような大熊座は、もう暗青色の空にはっきりとその姿を現わしてきたが、彼はなおもじっと待っていた。

「もう帰る時間だろう？」オブロンスキーは声をかけた。

森の中はもうすっかり静まりかえって、一羽の鳥もこそとも音をたてなかった。

「もうちょっと待ってみよう」リョーヴィンは答えた。

「まあ、きみのいいように」

ふたりはそのとき、十五歩ばかり離れて立っていた。

「スチーヴァ！」いきなり、思いがけなくリョーヴィンが声をかけた。「なぜきみは話してくれないんだい、義妹《いもうと》さんは結婚したのか、それとも、いつ結婚するんだい？」

リョーヴィンは、自分がしっかり落ち着いており、どんな答えにも興奮などしないように思われた。ところが、オブロンスキーの答えは、夢にも予期していなかったことだった。

「あれは嫁に行くなんて考えてもいなかったし、今も考えてはいないよ。なにしろ、からだがひどく悪くてね、医者にいわれて、外国へ転地したよ。生命の危険を心配してるくらいだからね！」

「ほんとかい！」リョーヴィンは思わず大声をあげた。「からだがひどく悪いって？　いったい、どうしたんだ？　どうしてあの人は……」

ふたりがそんな話をしているとき、ラスカは耳をそばだてて、空を高く見上げたり、責めるようにふたりを振り返ったりしていた。

《よりによって、とんでもないときに、話をはじめたもんだ》ラスカは考えた。《あいつが飛んで来ているのに……ほらほら、やっぱり、そうじゃないか。あ、逃げて行ってしまうじゃないか……》ラスカは考えつづけた。

ところが、ちょうどその瞬間、ふたりとも耳をつんざくような鋭い鳴き声を聞いた。

ふたりはさっと銃に手をかけた。と、二条の稲妻がひらめいて、まったく同時に、二発の銃声がとどろいた。空高く飛んでいた鴫は、たちまち、翼をおさめて、細いひこばえをへし曲げながら、茂みの中へ落ちて来た。

「こいつはすばらしい！　相撃ちだ！」リョーヴィンは叫んで、鴫をさがしにラスカといっしょに、茂みの中へ駆けだして行った。《ええと、あれはなんだったかな、今いやな気持がしたのは？》彼は思いだした。《そうだ、キチイが病気なんだ……でも、どうにもしかたがない。ほんとに、かわいそうだけれど》彼は考えた。

「あっ、見つけたな、感心感心！」彼はラスカの口からまだ暖かい鳥をとって、もうほとんどいっぱいになっている獲物袋へ入れながら、いった。「スチーヴァ！　見つかったぜ！」彼は叫んだ。

16

わが家へ帰る途中、リョーヴィンはキチイの病気と、シチェルバツキー家の計画についていちいち細かいことまで、すっかりききただした。彼はそんなことを認めるのは、われながら恥ずかしかったが、正直にいって、それを聞いて気持がよかった。気持がよかったというのは、それでまた希望が生れたからでもあるが、さらに、自分にあれほどつらい思いをさせた彼女が、今度は自分でそのつらい思いをしているからでもあった。しかし、オブロンスキーがキチイの病気の原因について話しはじめて、ヴロンスキーの名をあげたとき、リョーヴィンは相手をさえぎった。

「ぼくはね、よその家庭の事情を細かくせんさくする権利なんか、もってないよ。いや、正直なところ、そんな興味はぜんぜんないのさ」

オブロンスキーは、リョーヴィンの顔に表われた、前からなじみの深い急激な変化を、はやくも見てとって、かすかに微笑をもらした。一分ほど前まであれほど明るかった友人の顔が、今度は逆にすっかり陰鬱《いんうつ》になってしまったからである。

「森の件については、もうリャビーニンとすっかり話がついているのかね？」リョーヴィンはたずねた。

「ああ、すんだよ、えらく高値でね。三万八千ルーブルだった。八千は前払いで、残りは六年年賦《ねんぷ》だ。この件じゃ、ずいぶん、手間をかけたよ。だれもそれ以上で買ってくれるやつはいなかったからね」

「それじゃ、きみはただで森をやったようなものだよ」リョーヴィンは顔をくもらせていった。

「というと、なぜただなんだね？」オブロンスキーは人の良さそうな微笑を浮べながらいった。彼は、いまやリョーヴィンの目から見れば、なにもかもおもしろくないということが、ちゃんと前もってわかっていたからである。

「なぜって、あの森はすくなくとも、一ヘクタールあたり五百ルーブルはするからね」リョーヴィンは答えた。

「いやはや、こんな農村経営者にかかったら、たまらんね！」オブロンスキーはふざけた調子でいった。「きみはすぐわれわれ都会人をそうやって見下げるくせがあるね！……ところが、いざ仕事をする段になると、われわれのほうがいつもずっとうまいんだからね。とにかく、ぼくはすっかり計算ずくのうえで」彼はいった。「あの森が高値で売れたと思ってる。いや、それだから、先方で破約にでもしやしないかと、恐れるくらいだよ。なにしろ、あれは木材用の森じゃなくって」オブロンスキーはこの木材用というひと言で、リョーヴィンの疑いがまちがっていることを証明しようと思って、いった。「どっちかというと、薪《たきぎ》とりの森なんだからね。しかも、一ヘクタールから三十サージェン（訳注　約六十立方メートル）以上はとれないんだからね。それなのに、やっこさんは二百ルーブルの割で払うんだから」

リョーヴィンは、相手をばかにしたように、にやりと笑った。《わかってるさ》彼は考えた。《こういう都会人のやり口は。これはなにもこの友人ひとりのことじゃなくて、みんなそうなんだから。十年に二度も田舎へやって来て、二つか三つ田舎言葉を覚えると、もうなにもかもすっかりわかったような気になって、それがその場にぴったりしようとしまいと、やたらにそいつを振りまわすんだ。木材用だとか、三十サージェンとか。自分でしゃべっていても、本人はなんのことか、さっぱりわかっちゃいないんだ》

「そりゃぼくだって、きみが現にお役所で書いていることについちゃ、きみに教えようなんて思わないよ」彼はいった。「必要があれば、ききに行くよ。ところが、きみはそんなことで森のいろはぐらいはわかってるつもりなんだね。いや、どうして森というやつはむずかしいものなんだよ。だいたい、立木の数は勘定したのかい？」

「どうやって立木の数なんか勘定できるんだい？」オブロンスキーは、なおも友人のふきげんをなおそうとして、笑いながらいった。「いや、知者ならずして、いかで数えん、浜の真砂《まさご》を、星の光を、だよ……」

「そうとも。ところが、リャビーニンの偉大なる頭脳なら、できるんだからね。どんな商人だって、勘定しないで買うやつは、ひとりもいやしないよ。そりゃ、きみのように、ただでくれてやるなら別だがね。きみの森はぼくも知ってるさ。毎年あすこへ猟に行くからね。で、きみの森は一ヘクタール、現金で五百ルーブルの値打ちはあるね。ところが、やっこさんは年賦で二百ルーブルってわけだ。つまり、きみは三万ルーブルばかり、ただでくれてやったわけさ」

「いや、そう勝手に熱をあげるのはよしてくれ」オブロンスキーは哀れっぽくいった。

「それじゃ、なぜだれもそんな値をつけなかったんだい？」

「だって、やっこさんは商人どもとぐるになってるからさ。手を引かせるために、みんなに金をまいたのさ。ぼくもあの連中とはみんな取引したことがあるから、よく承知しているよ。なにしろ、あの連中ときたら、商人じゃなくて、ブローカーみたいなもんだからな。やつは一割や、一割五分の仕事には手を出さないんだ。すくなくとも二十コペイカで一ルーブルのものを買う機会をねらってるんでね」

「いや、もうたくさんだ！　きみは今虫の居所が悪いんだろ」

「とんでもない」リョーヴィンは顔をくもらせて答えた。もうそのときふたりは屋敷のそばに乗りつけていた。

入口の階段のところには、鉄と皮で頑丈《がんじょう》にかためた田舎馬車が、太った馬を幅の広い綱でしっかりつけて、もう乗りつけていた。車の中には、リャビーニンのために御者がわりを勤めている、血の気の多そうな番頭が、帯をきつく締めて腰かけていた。

リャビーニン自身はもう屋敷の中へはいっていて、ふたりの友人を玄関に出迎えた。リャビーニンは背の高いやせぎすの中年の男で、鼻下にひげをたくわえ、突き出た下《した》顎《あご》はきれいに剃《そ》って、飛びでたような、どんよりした目をしていた。彼は尻《しり》の下までボタンのついた、裾《すそ》の長い、青いフロックコートを着こんで、くるぶしのところにしわがよって、ふくらはぎの辺がまっすぐのびた長めの長靴《ながぐつ》をはき、さらにその上に大きなオーヴァシューズまではいていた。彼は顔をぐるっと丸くハンカチでふいてから、それでなくともきちんとしているフロックコートの前を合せ、まるでなにかをつかもうとするようなしぐさで、オブロンスキーに手をさしのべながら、ふたりを笑顔で迎えた。

「やあ、ちゃんと来てくれたね」オブロンスキーは、相手に手をさしのべながらいった。「ちょうどよかった」

「道はまったくひどいもんでしたが、閣下のご命令にそむくわけにはいきませんので。来る途中、ずっと歩いてまいりましたが、とにかく時間までに間にあいました。リョーヴィンのだんなさま、お久しぶりで」彼はリョーヴィンのほうを向いて、その手を捕えようとした。一方、リョーヴィンは顔をしかめて、相手の手に気のつかないようなふりをしながら、袋から鴫《しぎ》を取り出していた。「猟のお楽しみでいらっしゃいましたか？　この鳥は、つまり、なんというのでございますかな？」リャビーニンはばかにしたように、鴫を見やりながら、つけ加えた。「つまり、その、風味がございますんですな」そういって、彼は納得いかぬふうに首を振ったが、その様子はまるで、そんなことは骨折り損のくたびれもうけだといわんばかりであった。

「書斎にするかね？」リョーヴィンは暗い顔に眉《まゆ》をひそめて、フランス語でオブロンスキーにいった。「書斎へ行って、あそこで相談したらいいだろう」

「いや、もうどこでもいっこうにさしつかえありませんですよ」リャビーニンは、人を食ったような尊大な調子でいったが、それは、ほかのものなら、場所と相手によっては困るかもしれないが、自分はどんな場合でもけっして困ったりしない、ということを思い知らせるためらしかった。

書斎へはいると、リャビーニンは習慣から、聖像はどこかと、すぐあたりを見まわしたが、それを見つけても、べつに十字は切らなかった。彼は本を並べた戸棚《とだな》や棚をじろりと見たが、鴫の場合と同じようなけげんそうな表情を浮べ、人を食ったように、にやりと笑って、これこそ骨折り損のくたびれもうけ以外のなにものでもないといわんばかりに、納得のいかぬ様子で首を振った。

「どうした、金は持って来たかい？」オブロンスキーはたずねた。「まあ、かけろよ」

「わしどもはお金のことでしたら、けっしてご心配はかけませんよ、ちょっとお目にかかって、ご相談しようと思ってまいりましたので」

「いったい、相談とはなんだね？　まあ、かけたらどうだね」

「はあ、それはどうも」リャビーニンはいって、さも窮屈そうな格好で、肘掛《ひじか》けいすの背に肘をつきながら、腰をおろした。「もう少しまけてくださらなくちゃ。公爵《こうしゃく》、罪でございますよ。いや、お金のほうはもうすっかり用意しております、一コペイカまで。お金の遅れることはけっしてございません」

リョーヴィンはそのあいだ、銃を戸棚にしまい終って、もう戸口から出ようとしていたが、商人のこの言葉を耳にすると、足を止めた。

「そうでなくても、きみはあの森をただも同然で手に入れたんじゃないか」彼はいった。「この男の来方が遅かったから、しかたがないが、でなければ、ぼくが値をつけてやったのに」

リャビーニンは席を立って、黙ったまま、にやにやしながら、リョーヴィンを頭の上から爪先《つまさき》まで見おろしていた。

「こりゃ、えらくけちくさいことをおっしゃいますな、リョーヴィンのだんなさま」彼はオブロンスキーに笑いかけながらいった。「こちらからはもうこんりんざいなにもいただけませんよ。小麦を買いつけましたが、ずいぶんいい値段でございましてね」

「ぼくが自分のものをきみにただでやるわけがあるかね。ぼくだって、なにも地面に落ちてるものを拾ったんでも、盗んだのでもないからね」

「そりゃ、とんでもございません。このごろじゃ、盗みなんか、こんりんざいできませんとも。なにしろ、このごろじゃ、なにもかも、決定的に公開裁判ということになっておりますから、今じゃ万事が公明正大でございますよ。盗みなんてとんでもございません。わしどもは正直にご相談したんですが、どうもあの森の値段は、高すぎましてな。とてもそろばんが合いませんので、なんとか、少しでもまけていただきたいもんで」

「じゃ、きみたちの取引はすんでるのか、それとも、すんでないのか？　もしすんでるのなら、いまさら相談する必要はないね。でも、もしすんでないのなら」リョーヴインはいった。「あの森はぼくが買うよ」

と、リャビーニンの顔からは、とつぜん、微笑が消えた。隼《はやぶさ》のように貪欲《どんよく》で残忍な表情が、その顔をおおってしまった。彼は骨ばった指をすばやく動かして、フロックコートのボタンをはずし、シャツやチョッキの真鍮《しんちゅう》ボタンや、時計の鎖を見せながら、そそくさと、古びた厚ぼったい紙入れを取り出した。

「さ、どうぞ。森は手前どものもので」彼はすばやく十字を切って、手をさしのべながら、いった。「さ、お金を受け取ってください。もうわしの森ですからな。これがリャビーニンの取引というもんで、端金《はしたがね》なんざとやかく申しませんよ」彼は顔をしかめ、紙入れを振りまわしながら、いった。

「ぼくがきみの立場だったら、そうあわてて売らないんだがなあ」リョーヴィンはいった。

「とんでもない」オブロンスキーはあきれたようにいった。「だって、こちらはもう約束してしまったんだから」

リョーヴィンは、ドアをぱたんとたたきつけて、部屋から出て行った。リャビーニンはそのドアをながめながら、にやにやして、首を振った。

「まったくお若いことで、まるっきりお坊っちゃん育ちですな。いや、わしが買ったのは、正直のところ、こりゃ信用していただきたいんですが、その、ただもう名誉のためなんでして。つまり、オブロンスキー家の森を買ったのは、ほかならぬリャビーニンだ、といわれたいためなんで。まあ、そろばんが合うかどうかは神さまのおぼしめしで。ほんとでございますとも。では、どうぞ、契約書にご署名を……」

一時間後に、商人はきちょうめんに下着の前をあわせ、フロックコートのボタンをかけ、契約書をポケットに入れて、頑丈に鉄を張りめぐらした馬車に乗って、帰って行った。

「いやはや、どうにもならんな、ああいうだんな方ときたら？」彼は番頭に話しかけた。「どいつもこいつも同じ穴のむじなさ」

「そりゃ、まったくおおせのとおりで」番頭は手綱《たづな》を渡して、皮の膝掛《ひざか》けのボタンをかけながら、答えた。「でも、いいお買い物でしたな、だんな？」

「ああ、まあね……」

17

オブロンスキーは、商人から受け取った三カ月前払いの約束手形で、ポケットをふくらませて、二階へのぼった。森の一件も片がつき、ふところには金がはいっているうえに、猟も上首尾だったので、オブロンスキーはすこぶる上きげんであった。そのため、彼はなおさら、なんとかリョーヴィンのふきげんを追いはらおうとやっきになった。彼は夜食のあいだじゅう、きょうという日を、その始まりと同様、気持よく終らせたいと望んでいた。

　実際、リョーヴィンはきげんが悪かった。彼は愛すべき珍客を愛想《あいそ》よく親切にもてなそうと、一生懸命努めたにもかかわらず、なんとしても自分に打ち勝つことができなかった。キチイが嫁《とつ》いでないというニュースは、酒の酔いのように、少しずつ彼のからだをまわりはじめていた。

　キチイは嫁に行かないで、病気をしている。しかも、その病気は彼女をふった男への恋患《こいわずら》いである。この侮辱は、まるで彼自身に加えられたような感じだった。ヴロンスキーは彼女をふったが、彼女はリョーヴィンをふったのだ。したがって、ヴロンスキーはリョーヴィンを軽蔑《けいべつ》する権利があり、それゆえに彼の敵である。ところが、リョーヴィンはこうしたことをすっかり考えてみなかった。彼はただ、そこになにか自分にとって侮辱的なものがあると、ぼんやり感じただけであった。現に今も、自分をすっかり混乱させた事がらに腹を立てずに、ただ目にふれるすべてのものに、八つ当りする始末だった。ばかげた森の売買、オブロンスキーのひっかかった欺瞞《ぎまん》、しかも、それが自分の家で行われたということが、彼の心をいらいらさせたのであった。

「やあ、すんだかね？」彼は二階で、オブロンスキーを迎えながら、いった。「夜食をするかね？」

「ああ、けっこうだね。田舎へ来たら、えらく食欲が出るね、こりゃ。奇蹟《きせき》だよ！　でも、なぜきみはリャビーニンに、食事を出そうとしなかったんだい？」

「ふん、あんな悪党はごめんだよ！」

「それにしても、きみはあの男をひどくあしらったものだね！」オブロンスキーはいった。「手もさしださないんだからなあ。なにも握手していかんという法もないだろう？」

「なに、下男と握手しないのと同じことさ。でも、下男のほうがあいつより百倍もましだがね」

「それにしても、きみは相当な保守主義者だね！　じゃ、階級の融和なんてことはどうかね？」オブロンスキーはいった。

「融和したいやつは、どうぞ、ご勝手に。でも、ぼくはいやだね」

「どうやら、きみは純然たる保守主義者だよ」

「正直にいって、自分がなにものかなんてことは、今まで一度だって考えたことはないね。ぼくはコンスタンチン・リョーヴィンだ、ただそれだけのことさ」

「それも、大いにふきげんなコンスタンチン・リョーヴィンだろう」オブロンスキーは笑いながら、いった。

「ああ、ふきげんだとも、なぜだかわかるかい？　それはね、失礼だが、きみのばかげた取引のせいなんだぜ……」

オブロンスキーは、なにも罪がないのに、侮辱されて、気分をこわした人のように、人の良さそうな表情で顔をしかめた。

「いや、もうたくさんだよ！」彼はいった。「だれかがなにかを売った場合、そのすぐあとで、『あれはもっとずっと高いものだったのに』といわれるのは毎度のことだからね。しかも、売ろうとしているときには、だれひとりそんな値をつけちゃくれないのさ……いや、どうやら、きみはあの哀れなリャビーニンになにか恨みがあるらしいね」

「そう、あるかもしれないね。でも、それがなんのためかわかるかい？　きみはまたぼくのことを保守主義者とか、あるいは、もっと恐ろしい言葉で呼ぶかもしれんが、それでも、とにかくぼくは、自分もその一員である貴族階級があらゆる面で貧困化していくのを見るのが、いまいましく、残念なんだ。そりゃ、階級の融和ということもいわれているけれど、ぼくはやはり貴族に属してることを大いに喜んでいるからね……しかも、その貧困化はぜいたくの結果じゃないのさ。もしそうなら、なにもいうことはない。だんな暮しは貴族の特権で、それができるのはただ貴族だけだからね。近ごろは、この辺の百姓も土地を買い集めているが、それにはぼくも腹が立たない。だんなはなにもしないのに、百姓は働いているんだから、怠け者がおしのけられるのは、あたりまえの話だよ。ぼくも百姓のために大いに喜んでいるさ。ところが、ぼくはあの、なんと呼んだらいいか知らないが、ある種の無邪気さのために起る貧困化を見ると、どうにも腹が立ってしようがないんだ。こちらでは、小作人のポーランド人が、ニースで暮しているある奥さんから、すばらしい領地を半値で買うかと思えば、あちらでは一ヘクタール十ルーブルはする土地を、一ルーブルで商人に貸してしまったりする。現に今もきみは、なんの理由もないのに、あんないかさま野郎に三万ルーブルもくれてやったんだからなあ」

「それじゃ、どうすればいいんだね？　立木を一本一本数えるのかい？」

「絶対に数えなくちゃいけないね。いや、きみは数えなかったが、リャビーニンのほうは数えたんだよ。まあ、リャビーニンの子供たちには生活費も、教育費も残っていくけど、きみの子供たちには、きっと、そうはならないだろうね！」

「いや、失敬だが、そんな勘定をするなんて、なんだかけちくさくていやだね。われわれにはわれわれの仕事があり、あの連中にはまたあの連中の仕事があるのさ。それに、連中にはもうけが必要なのさ。まあ、しかし、もう取引はすんで、けりがついちまったんだ。や、目玉焼きじゃないか、ぼくは玉子焼きの中でこれがいちばん好きでね。それから、アガーフィヤが、またあのすばらしい薬草入の浸し酒を出してくれるだろうね……」

オブロンスキーは食卓につくと、アガーフィヤと冗談話をはじめ、こんな昼食や夜食はもう長いこと食べたことがない、といいはるのだった。

「あなたさまはそういってほめてくださいますがね」アガーフィヤはいった。「うちのだんなさまときたら、なにをさしあげても、ええ、パンの皮でも、黙って召しあがって、すぐ行っておしまいになるんでございますよ」

リョーヴィンはどんなに自分をおさえようと努めてみても、どうしても気分が沈んで、黙りがちであった。彼はオブロンスキーに、ある質問をしたかったが、どうにも決意がつかぬばかりか、その質問の形式も見つからず、いつ、どんなふうにそれを持ちだしたらいいかも見当がつかなかった。オブロンスキーは、もう階下《した》の自分の部屋へおり、服を脱ぎ、もう一度顔を洗って、ひだのはいった寝間着を着こんで、横になっていた。一方、リョーヴィンはいろんなむだ話をしながら、いつまでも彼の部屋にぐずぐずしていたが、自分のききたいことを思いきってたずねることができなかった。

「まったく、石鹸《せっけん》のつくり方もびっくりするほどじょうずになったもんだなあ」彼はかおりのいい石鹸の包み紙をといて、ながめまわしながらいった。それは、アガーフイヤがお客さんのために用意したものだが、オブロンスキーはそれを使わなかった。「まあ、これを見たまえ、まさに一個の芸術品だね」

「ああ、今じゃ、あらゆるものに改良の手がおよんでいるからな」オブロンスキーはうるみ声で、天下泰平なあくびをしながら、いった。「たとえば、芝居だって、それから、あの娯楽場だって……あ、あ、あー！」彼はあくびをした。「どこもかしこも電燈《でんとう》がついてるし……あ、あー！」

「ああ、電燈がね」リョーヴィンはいった。「なるほど。それはそうと、ヴロンスキーは今どこにいるかね？」彼は不意に石鹸をおいて、たずねた。

「ヴロンスキーだって？」オブロンスキーは、ふと、あくびをやめていった。「ペテルブルグだよ。きみが発《た》ってからじきに行っちまったきり、もう一度もモスクワへやって来ないんだよ。ねえ、コスチャ、きみにほんとうのことをいうがね」彼はテーブルに肘をつき、美しいばら色の顔を片手にのせて、言葉をつづけた。その顔には、とろんとした、人の良い眠そうな目が、星のように光っていた。「あれはきみ自身が悪かったんだぜ。きみが競争者を恐れたからさ。ところで、ぼくとしては、あのときもいったとおり、どっちのほうにチャンスがあったかは、自分でもわからないね。なぜきみはどこまでもおさなかったんだい？　あのときもきみにいったとおり、つまり……」彼は口を大きくあけないで、あごだけであくびをした。

《こいつは、おれが結婚の申し込みをしたことを知ってるのか、それとも、知らないのか？》リョーヴィンは相手の顔を見つめながら、ちょっと考えた。《うむ、こいつの顔には、なにかずるい、外交官的なところがあるな》彼は自分が赤くなっていくのを感じながら、無言のまま、オブロンスキーの目をまともに見すえた。

「たとえあのとき彼女の側になにかあったとしても、それはただ外面的なことに迷わされたのさ」オブロンスキーは言葉をつづけた。「それは、つまり、完全な貴族主義と、将来の社会的地位が、彼女でなくて、母親のほうに作用したってわけさ」

リョーヴィンは顔をしかめた。彼が味わわされたあの拒絶という侮辱感が、まるでたった今受けたなまなましい傷のように、彼の心を焼いた。彼はわが家にいたので、四方の壁がささえとなった。

「あ、ちょっと、待ってくれ」彼はオブロンスキーをさえぎりながら、しゃべりだした。「きみは貴族主義といったね、じゃ、ひとつ、きみにききたいが、ヴロンスキーにしろ、だれにしろ、その貴族主義というやつは、いったいどういうものなんだね？

つまり、ぼくを軽蔑してもかまわんという貴族主義なるものは？　きみはヴロンスキーを貴族と見なしているが、ぼくはそうは思わんね。親父《おやじ》のほうはつまらん身分からただうまいとこ世の中を泳ぎまわって成りあがった男だし、母親ときたら、どんな男とでも関係したと思われるような女だし……いや、失敬だが、ぼくはぼく自身や、ぼくと同じような人間を貴族と考えてるね。つまり、過去にさかのぼっても、三、四代もつづいた名誉ある家族や、最高の教養を身につけた人びとの名前をあげることができるのさ（そりゃ、天与の才とか頭脳とかは別の話だよ）。こういう人たちはぼくの父親や祖父のして来たように、どんな人の前でも、一度として卑屈な振る舞いもせず、だれの保護も必要としなかった人たちだからね。しかも、ぼくはそういう人たちを大勢知っているんだ。きみは、ぼくが立木を数えることをけちくさいといって、リャビーニンに三万ルーブルの金をくれてやっている。そりゃ、きみには地代とか、なにやかや、よくは知らんが、いろんな収入があるんだろうが、ぼくにはそんなものはない。だから、先祖伝来のもの、労働から得たものを尊ぶのさ……われわれこそ貴族であって、この世の権力のお情けだけで生きている連中や、二十コペイカくらいの端金《はしたがね》で買収されるような連中は貴族じゃないよ」

「きみはだれのことをいってるんだね？　とにかく、ぼくはきみの説に賛成だがね」

オブロンスキーは、心から楽しそうにいった。もっとも、彼はリョーヴィンが二十コペイカで買収される連中と名づけた中に、自分も含まれていることを直感したが、しかし、リョーヴィンの生きいきした態度が、すっかり気に入ってしまった。「きみはだれのことをいってるんだね？　そりゃ、きみがヴロンスキーについていったことは、まちがってる点も少なくないが、ぼくがいおうとしてるのはそんなことじゃない。ぼくははっきりいうけれど、もしぼくがきみの立場だったら、これからいっしょにモスクワへ出かけるところだがね……」

「いや、きみが知ってるかどうかは知らんが、ぼくはもうどうだっていいんだ。じつをいえば、ぼくは結婚の申し込みをして、断わられたんだよ。だから、キチイは、もうぼくにとって痛ましい、恥ずべき思い出なのさ」

「なぜだい？　それこそ、くだらん話じゃないか！」

「しかし、もうこの話はやめよう。もしぼくが、今きみに失敬なことをいったなら、どうか、堪忍《かんにん》してくれたまえ」リョーヴィンはいった。いまや彼はなにもかもいってしまったので、また朝と同じような気分になった。「スチーヴァ、まさかぼくに腹を立てちゃいないだろうね？　どうか、腹を立てんでくれよ」彼はいって、笑いながら友の手をとった。

「なあに、ちっとも。第一、なにもおこるわけがないじゃないか。それより、すっかり話ができてほんとにうれしいよ。それはそうと、朝の猟もなかなかいいものだぜ。出かけようじゃないか？　ぼくはこのまま眠らなくたって平気だし、猟場からまっすぐ駅へ行けばいいんだから」

「いや、大いにけっこう」

18

ヴロンスキーの内面生活は、すべてあの情熱によって満たされていたにもかかわらず、その外面生活は社交界と連隊の、さまざまな関係や利害から成り立った昔ながらの、きまりきった軌道にのって、相変らず、のっぴきならぬ状態で流れていた。連隊の利害は、ヴロンスキーの生活でも、重大な位置を占めていた。それは、彼が連隊を愛していたからでもあるが、それよりもさらに、彼が連隊のみなから好かれていたからでもあった。連隊では、だれもがヴロンスキーを愛していたばかりでなく、彼を尊敬し、また誇りとしていた。彼が莫大《ばくだい》な財産を持ち、すばらしい教養と才能を備え、名誉心と虚栄心を満たすことのできるあらゆる成功への大道が開けているにもかかわらず、これらのいっさいを軽視して、生活のあらゆる利害の中で、連隊と、友人たちの利害をなによりも大切に考えていたので、だれもが彼を誇りに思っていたわけである。ヴロンスキーも、自分に対する同僚のこうした見方を自覚していたので、単にこうした生活を愛していたばかりでなく、自分に対するそうした見方を保つことを、自分の義務と感じていた。

あたりまえのことながら、彼は仲間のだれにも自分の恋については話さなかった。どんな羽目をはずした酒席でも、けっして口をすべらすようなことはしなかったし（もっとも、彼は自制力を失うほど酔っぱらったことは、一度もなかったが）、彼の情事をにおわせようとする軽率な仲間には、ちゃんと口を割らないように手を打っていた。しかし、カレーニン夫人との関係については誰しも多少なりとも感づいていたので、彼の恋は全市に知れわたってしまったにもかかわらず、若い連中の大多数は、彼の恋でもっとも苦しい点、つまりカレーニンの地位が高いために、ふたりの恋が社交界ですぐ目につくことをうらやんでいた。

前々からアンナをうらやみながら、彼女が操の正しい婦人といわれているのに、もう長いことといやけがさしていた若い婦人の多くは、自分たちの予想が当ったのを喜んで、世論の変化が決定的になるのを待って、ありとあらゆる侮辱を、一気に彼女に浴びせかけようと手ぐすねひいていた。この人たちは機会が到来したとき、アンナに投げるべき非難の泥《どろ》のかたまりを、もうそれぞれに用意しているありさまであった。年配の人びとの多くや地位の高い人びとは、こうして着々準備されていく社交界のスキャンダルを、苦々しく思っていた。

ヴロンスキーの母親は、むすこの情事を知ると、はじめのうちは満足していた。というのは、夫人の意見によると、上流社会の情事ほど、輝かしい未来をもつ青年に、最後の磨《みが》きをかけてくれるものはないからであったし、さらにまた、あれほどわが子の話ばかりして、夫人に好感を与えたカレーニン夫人も、ヴロンスキー伯爵《はくしゃく》夫人の見解によれば、やっぱり、すべての美しい、れっきとした婦人たちと少しも変らなかったからでもあった。ところが、最近になって、むすこが将来の栄達のために重要な意義をもつ地位を勧められたのにもかかわらず、カレーニン夫人に会える今の連隊にとどまりたいばかりに、その申し出《いで》を断わったために、上司の人びとの不興を買ったという話を聞いて、夫人も自分の意見を改めた。さらに、この情事について夫人が聞きおよんだあらゆる情報から判断すると、それは夫人が認めているような、華やかな、優雅な、社交界の情事ではなくて、なにかしらあのウェルテル式の激しい恋で、人の話によれば、むすこはとんだばかげた羽目に落ちこまぬともかぎらない、といわれていることも、夫人の気に入らなかった。夫人は、むすこが急にモスクワを発ってしまって以来、会っていなかったので、長男を通して一度帰って来るようにいいつけた。

この兄も弟の一件には快く思っていなかった。兄は弟の情事がどんなものか、すばらしいものか、けちなものか、熱烈なものか、それほどでもないものか、罪ぶかいものか、そうでないものか、そんなことにはまったく頓着《とんちゃく》なかった（彼自身も子供があるくせに、あるバレエの踊り子を世話していたくらいだから、こうした点では寛大だったのである）。しかし、この情事が、気に入ってもらわねばならぬ人たちに気に入られないことを知っていたので、その点で弟の行状を是認できなかったのである。

勤務と社交という仕事のほかに、ヴロンスキーにはもう一つの仕事――馬があった。馬のことになると、彼はまったく夢中だった。

ちょうど今年は、将校たちの障害物競馬が行われることになっていた。ヴロンスキーはこの競走に参加する登録をすませ、血統のいいイギリス種の雌馬を買った。そして、一方では恋にうつつを抜かしながらも、目前に迫った競馬に、多少控えめなところもあったが、内心では夢中になっていた。

この二つの情熱は、互いに妨げとはならなかった。いや、かえって彼にとっては、自分の恋と関係のない仕事なり、道楽なりが必要であった。彼はそうしたものによって、あまり自分の気持を興奮させる印象から、ひと息ついて、すがすがしい気分になりたかったのである。

19

クラースノエ・セロー競馬の当日、ヴロンスキーはいつもより早めに、将校集会所の食堂へ、ビフテキを食べに行った。彼の体重はちょうど所定の四プード半（訳注 約七三・七キロ）に達していたので、そう厳重に節制する必要はなかった。しかし、もうこれ以上太ってはまずいので、澱粉質《でんぷんしつ》と甘いものを避けるようにしていた。彼はフロックコートのボタンをはずして、白いチョッキをのぞかせ、両手でテーブルに肘《ひじ》をついて、注文したビフテキを待ちながら、皿の上にのっていたフランスの小説本を見ていた。彼がその本を見ていたのは、出たりはいったりする将校連と口をききたくないためであり、彼は考え事をしているのであった。

彼は、アンナがきょう競馬のあとで会おうと約束したことを、考えていた。ところが、彼はもう三日も彼女に会っていないうえ、夫が外国から帰って来たので、はたしてきょう会えるかどうかも、見当がつかず、それをどうやってたしかめたものかも、わからなかった。彼が最後にアンナに会ったのは、ベッチイ公爵夫人の別荘であった。当のカレーニン家の別荘へは、なるべく行かないようにしていたが、きょうはぜひともそこへ行きたくなったので、どうしたらいいかと、その問題で頭を悩ましていたのである。

《もちろん、おれは、ベッチイから、あなたが競馬に行くかどうか、きいて来てくれといわれたといおう。とにかく、行かなくちゃ》彼は本から顔を上げながら、こう決心した。そして、彼女に会えるという幸福を、まざまざと心に描いて、彼の顔はぱっと明るく輝いた。

「おれの家へ使いをやって、大急ぎで、三頭立ての幌馬車《ほろばしゃ》を用意するようにいってくれ」彼は熱い銀の皿にビフテキをのせて持って来たボーイに、そういいつけてから、皿を引き寄せ、食事をはじめた。

隣の玉突き部屋では、玉のあたる音や、人の話し声や笑い声が聞えていた。入口のドアからふたりの将校が現われた。ひとりは最近幼年学校を終えて、連隊へはいって来た、弱々しい細おもての若い将校で、もうひとりは手に腕輪をはめた、小さなはれぼったい目の、太った年寄りの将校であった。

ヴロンスキーはふたりの姿をちらと見て、まるで気づかないようなふりで、本を横目でにらみながら、同時に食べたり、読んだりしはじめた。

「やあ、勝負の前に腹ごしらえしてるってわけかね？」太った将校は、彼のそばに腰をかけながらいった。

「ごらんのとおりさ」ヴロンスキーはしかめ面《つら》をしながら、口をふきふき、相手のほうを見ないで、答えた。

「じゃ、きみは太るのが気にならんのかね？」相手は若い将校のためにいすをまわしてやりながら、きいた。

「なんだって？」ヴロンスキーは、嫌悪《けんお》の情を表わして、例のきれいな歯並みを見せながら、おこったように、問い返した。

「きみは太るのがこわくはないんだね？」

「おーい、シェリー酒！」ヴロンスキーは返事もせずにそう叫ぶと、本を反対側へ置きなおして、そのまま読みつづけた。

太った将校は、酒のメニューを取りあげると、若い将校に話しかけた。

「きみ、自分できめてくれよ、酒はなんにするか」彼はメニューを渡して、相手の顔を見つめながら、いった。

「じゃ、ラインワインでも」若い将校はヴロンスキーのほうをおずおずと見やり、やっとはえかけた口ひげを、指先でつまもうと苦心しながら、いった。が、ヴロンスキーがこちらへ向かないのを見ると、若い将校は立ちあがった。

「玉突きへ行きましょう」彼はいった。

太った将校は、おとなしく立ちあがると、ふたりは戸口のほうへ歩きだした。

そのとき、部屋の中へ、すらりと背の高い、ヤーシュヴィン大尉《たいい》がはいって来た。そして、ふたりの将校のほうへ、軽蔑《けいべつ》するようにうなずいてから、ヴロンスキーに近づいた。

「なんだ、ここにいたのか！」彼は叫んで、大きな手で強く相手の肩章をたたいた。ヴロンスキーはおこったようにすぐ振り返ったが、たちまち、その顔は持ち前の落ち着いた、しっかりした優しい表情に輝いた。

「こりゃ、うまい考えだ、アリョーシャ」大尉は声高なバリトンでいった。「今のうちに食べて、一杯飲むとするか」

「どうも、ぼくはあんまり食欲がないんでね」

「ほら、おしどりみたいな野郎が行くぞ」ヤーシュヴィンは、そのとき部屋から出て行くふたりの将校を軽蔑するように見やりながら、そうつけ加えた。そして、いすの高さの割にはあまりに長すぎる、細い乗馬ズボンをはいた腿《もも》と脛《はぎ》を鋭角に曲げて、彼はヴロンスキーのそばに腰をおろした。「きのうはなぜクラースノエの劇場へ来なかったんだい？　ヌメロヴァはなかなかよかったぜ。どこへ行ってたんだい？」

「トヴェルスコイ夫人のところで腰をすえちまったのさ」ヴロンスキーはいった。

「なるほど！」ヤーシュヴィンは答えた。

ヤーシュヴィンは、トランプ遊びの道楽者で、単にいっさいの規範をもたないどころか、かえって不道徳の規範を信奉する男であった。ところが、ほかならぬこのヤーシュヴィンが連隊じゅうで、ヴロンスキーのいちばんの親友であった。ヴロンスキーが彼を愛したのは、なによりもまず第一に、彼が並みはずれた体力の持ち主であったからである。彼は酒樽《さかだる》のように飲んだり、徹夜してもいつもと少しも変らぬ態度でいられることで、その体力を証明していた。また、第二は彼の偉大なる精神力のためであった。彼は上官や同僚に相対したとき、相手に恐怖と尊敬を呼びおこさせたり、勝負にあたってはいつも何万という金を賭《か》け、いくら酒を飲んでも細心で確実であり、イギリス・クラブでも第一級のトランプ師と見なされていることなどで、それを証明していた。しかし、ヴロンスキーがとくに彼を尊敬し、愛情をいだいたのは、ヤーシュヴィンが彼をその名声や富のためでなく、彼の人がらそのものを愛したからである。多くの人たちの中で、ヴロンスキーが自分の恋を語ってもいいと思ったのは、彼ひとりだけであった。ヴロンスキーは、ヤーシュヴィンだけは、一見、あらゆる愛情を軽蔑しているらしく思われたにもかかわらず、今自分の全生活を満たしているあの激しい情熱を、理解してくれるただひとりの人間だと直感していた。いや、それだけでなく、彼はヤーシュヴィンにかぎって、陰口やスキャンダルには興味を示さず、この感情を正しく理解してくれるにちがいない、つまり、恋愛は冗談事でもなければ、慰みでもなく、なにかしらもっとまじめな、もっと重大なものであることを承知し、それを信じているのだ、と確信していたからである。

ヴロンスキーは、自分の恋について彼と話し合ったことはなかったけれども、彼がそのすべてを知り、すべてを正しく理解しているのを承知していたので、そのことを相手の目つきの中に読みとるのが快かった。

「なんだ、そうだったのか！」彼はヴロンスキーがトヴェルスコイ夫人のところにいたと答えたのに対して、そういった。そしてその黒い目をぎらりと光らせて、左の口ひげをつまみ、いつもの悪い癖でそれを口の中へ入れはじめた。

「それじゃ、きみのほうはきのうはどうだった？　勝ったかい？」ヴロンスキーはきいた。

「八千ルーブルさ。そのうち三千はだめだな、よこしそうもない」

「なるほど、それじゃ、ぼくの分は負けても平気だな」ヴロンスキーは笑いながらいった（ヤーシュヴィンは今度の競馬で、ヴロンスキーに大きく賭けていたからである）。

「絶対に、負けはしないよ。あぶないのはマホーチンひとりだけだよ」

それから、話題はきょうの競馬の予想に移った。ヴロンスキーは今、このことよりほかに考えられなかった。

「さ、行こう、ぼくはすんだから」ヴロンスキーはいって、立ちあがり、戸口に向って歩きだした。ヤーシュヴィンも、その大きな足と長い背中をのばして、立ちあがった。

「食事をするにはまだ早すぎるけれど、とにかく、一杯やらなくちゃ。今すぐ行くよ。おーい、酒だ！」彼は号令にかけては有名な、窓ガラスをふるわせるほど厚みのある声でどなった。

「いや、いらん！」彼はすぐまた叫んだ。「きみはうちへ帰るのかい、じゃ、おれもいっしょに行くよ」

そういって、彼はヴロンスキーと連れだって出かけて行った。

20

ヴロンスキーは、二つに仕切られた、こぎれいなフィンランド風の田舎家に泊っていた。ペトリツキーはこの野営でも、彼といっしょに寝起きしていた。ヴロンスキーとヤーシュヴィンが家へはいって行ったとき、ペトリツキーはまだ眠っていた。

「おい、起きろ、もう寝るのはたくさんだ」ヤーシュヴィンは、仕切りの向うへはいって、鼻をまくらに突っこんで、髪をふり乱して眠っているペトリツキーの肩をゆすぶりながら、いった。

ペトリツキーはいきなり膝《ひざ》をついて起きあがると、あたりをきょろきょろ見まわした。

「きみの兄貴がここへやって来たぜ」彼はヴロンスキーにいった。「おれを起しやがって、畜生、また来るといってたぜ」彼はそういって、また毛布をひっかぶりながら、まくらの上に身を投げた。「おい、ほっといてくれ、ヤーシュヴィン」彼は自分の毛布をはがそうとするヤーシュヴィンに腹を立てながら、いった。「ほっといてくれ！」彼はひとつ寝返りをうって、目をあけた。

「それよりきみ、なにを飲んだらいいか教えてくれよ、口の中がいやあな気持なんだ、まったく……」

「ウォツカがいちばんだね」ヤーシュヴィンは低音《バス》でいった。「おい、テレシチェンコ！　このだんなにウォツカと、きゅうりを！」彼はそう叫んだが、どうやら、自分の声を聞くのがうれしいらしかった。

「ウォツカがいいんだって？　え？」ペトリツキーは顔をしかめ、目をこすりながらいった。「じゃ、きみもやるかい？　いっしょなら、飲むよ！　ヴロンスキー、きみもやるね？」ペトリツキーは起きあがり、腕から下を縞《しま》模様の毛布にくるまりながら、いった。

彼は仕切りの戸口へ出て、両手をさしあげると、フランス語で歌いだした。「『トゥルにひとりの王さまがいて……』ヴロンスキー、きみも飲むかね？」

「うるさいぞ」ヴロンスキーは召使のさしだした上着を着ながら、いった。

「おや、どこへ行くんだい？」ヤーシュヴィンはたずねた。「や、三頭立て《トロイカ》も来たぜ」

彼は近づいて来る幌馬車に目をとめて、つけ加えた。

「厩《うまや》へ行くのさ。それから、馬のことでブリャンスキーのとこへも、行かなくちゃならないんだ」ヴロンスキーはいった。

ヴロンスキーは、事実ペテルゴフから十露里（訳注 一露里は約一〇六六メートル）離れたところにいるブリャンスキーに、馬の代金を届ける約束をしていたので、そこへもなんとか寄りたいと思っていた。しかし、ふたりの友人は、彼の行く先はそこばかりでないことを、感づいてしまった。

ペトリツキーは、なおも歌いつづけながら、片目でちょっとウインクして、唇《くちびる》を突き出したが、その様子はまるで、それがどんなブリャンスキーか、ちゃんと承知してると、いわんばかりであった。

「ただ遅れないようにしろよ！」ヤーシュヴィンはそれだけいって、すぐ話題を変えるために、「どうだい、おれの葦毛《あしげ》は、よくやってるかね？」彼は窓の外を見ながら、自分の譲った三頭立ての中馬のことをたずねた。

「ま、待ってくれ！」ペトリツキーはもう出て行こうとするヴロンスキーに叫んだ。「きみの兄貴が手紙と走り書きを置いてったよ。待ってくれ、あれはどこへやったかな？」

ヴロンスキーは足を止めた。

「さあ、それはどこにあるんだ？」

「それはどこにあるかって？　いや、そいつが問題だよ！」ペトリツキーは人差し指を鼻の前で上向《うわむ》きに立てながら、もったいぶった調子でいった。

「おい、早くいえよ、ばかばかしい！」ヴロンスキーは、笑いながら、いった。

「ストーブはたかなかったし。たしか、どこかこの辺に」

「さあ、くだらんおしゃべりはたくさんだ！　手紙はいったいどこにあるんだ？」

「いや、ほんとに、忘れたんだよ。それとも、あれは夢だったかな？　待てよ、いや、待てよ！　まあ、そうおこることはないだろう！　かりにきみがきのうぼくのように、ひとりあたり四本の酒を飲んでみろ、自分がどこに寝ているのかも忘れてしまうから。待てよ、今、思いだすから！」

ペトリツキーは仕切りの向うへ行って、自分の寝台に横になった。

「待てよ！　おれがこうして寝ていると、彼はこんなふうに立っていたな。そう、そう、そうだ……ほら、ここだよ！」そういって、ペトリツキーは藁《わら》ぶとんの下から、一通の手紙を取り出した。

ヴロンスキーは手紙と、兄の走り書きを受け取った。それはまさに彼の予期していたもの、つまり、彼が来ないのを責めた母の手紙であった。兄の走り書きには、なにか話したいことがあると書いてあった。ヴロンスキーには、それが相変らず例の件だということがわかっていた。《あの人たちにはまったく関係のないことなのに！》ヴロンスキーはちらと考え、手紙を乱暴にたたむと、上着のボタンのあいだへ突っこんだが、それは途中でゆっくりと読むつもりだったからである。小屋の入口で、彼はふたりの将校にばったり出会った。ひとりは同じ連隊、もうひとりはほかの連隊の将校だった。

ヴロンスキーの宿は、いつもあらゆる将校の巣になっていたのである。

「どこへ?」

「用事で、ペテルゴフまで」

「あの馬はツァールスコエから来たかい?」

「来たよ、ぼくはまだ見ていないがね」

「うわさだが、マホーチンのグラジアートルが、脚をひきずりだしたそうだよ」

「そんなばかな! それより、きみはこのぬかるみをどうやって駆けるつもりだい?」もうひとりのほうがいった。

「やあ、おれたちの救い主が来たぞ!」ペトリツキーははいって来たふたりを見て、叫んだ。彼のまえには、ウォツカと塩づけきゅうりを盆にのせた従卒が立っていた。

「いや、じつはヤーシュヴィンがね、気分なおしに一杯やれというんでね」

「まったく、ゆうべはきみのおかげでひどい目にあったよ」はいって来たうちのひとりがいった。「ひと晩じゅう、寝かしてくれないんだからねえ」

「いや、そんなことより、お開きのときがすごかったよ」ペトリツキーは話しだした。「ヴォルコフときたら、屋根へはいのぼって、おれは寂しいよっていうじゃないか。そこでおれが、音楽をやれ、葬送曲だ！　とやったのさ。すると、やっこさんそのまま屋根の上で、葬送曲を聞きながら、眠ってしまったってわけさ」

「さあ、飲むんだ、絶対に、ウォツカを飲むんだ。それから、レモンをうんと入れたソーダ水をな」ヤーシュヴィンはまるで子供に薬を飲ませる母親よろしく、ペトリツキーのそばに立って、いった。「最後に、シャンパンをほんの少し。まあ、小瓶《こびん》だな」

「うん、こりゃ、いい考えだ。待てよ、ヴロンスキー、まあ、一杯やろうじゃないか」

「いや、諸君、じゃまた。きょうは飲まないから」

「どうしたんだ、からだがつらくなるからかい？　じゃ、おれたちだけでやろう。ソーダ水とレモンを持って来い」

「おい、ヴロンスキー！」彼がもう入口へ出たとき、だれかが叫んだ。

「なんだい？」

「髪を刈ったらどうだい、でないと、見た目が重っくるしいよ、ことに、そのはげたところが」

ヴロンスキーは、実際、年の割に、はやくも頭が薄くなりかかっていた。彼はきれいな歯並みを見せて、愉快そうに大声で笑い、はげたところへ軍帽をずらせて、外へ出ると、幌馬車《ほろばしゃ》に乗った。

「厩へ！」彼はいって、もう一度読み返そうと先ほどの手紙を出しかけたが、すぐまた、馬の点検をすますまでは、気を散らしてはいけないと思いなおした。《そうだ、あとにしよう！……》

21

臨時の厩である木造のバラックは、競馬場のすぐそばに建てられており、そこへきのうのうちに、彼の馬が運ばれているはずであった。彼はまだ馬を見ていなかった。ここ数日、彼は自分では乗ってみないで、調教師に任せきりだったので、自分の馬がどんな状態で着き、今どんなぐあいでいるか、ぜんぜん、知らなかった。彼が幌馬車をおりると、ふつう『グルーム』と呼ばれる少年の馬丁が、たちまち遠くのほうから彼の馬車を認めて、調教師を呼び出した。と、やせぎすのイギリス人が深い長靴《ながぐつ》をはき、短いフロックコートを着、下顎《したあご》だけひげを剃《そ》り残して、騎手特有の無器用な足どりで、両肘《ひじ》を張り、からだをゆすりながら、迎えにやって来た。

「どうだい、フル・フルの調子は？」ヴロンスキーは英語でたずねた。

「All right, sir.（訳注　万事オーケーですよ、だんなさま）」イギリス人の声はどこかのどの奥で響いた。「いらっしゃらないほうがよろしいですよ」彼は帽子を持ちあげながら、つけ加えた。「口籠《くつこ》をかけましたので。なにしろ、馬は気がたっておりましてね。いらっしゃらないほうがよろしいですよ。馬を興奮させるばかりですから」

「いや、やっぱり行ってみよう。ひと目、見たいんだよ」

「じゃ、まいりましょう」相変らず口を開かないで、眉《まゆ》をしかめたまま、イギリス人はそういうと、両肘を振りまわしながら、例のねじのゆるんだような足どりで、先に立って歩きだした。

ふたりはバラックの前の小さな内庭へはいった。こざっぱりしたジャケットを着た、おしゃれな、すばしこそうな、当番の少年が、ほうきを手に持ったまま、はいって来たふたりを出迎え、そのあとからついて来た。バラックの中には五頭の馬が、それぞれの仕切りの中につながれていた。ヴロンスキーはその中に、同じくきょう、連れて来られたはずの、自分のいちばんの競争相手である、一メートル六四もあるグラジアートルという、マホーチンの栗毛《くりげ》がいることも知っていた。ヴロンスキーは自分の馬よりも、まだ見たことのないグラジアートルのほうがもっと見たかった。しかし、競馬界の礼節ある掟《おきて》として、他人の馬を見ることはおろか、それについてあれこれきくことすら礼を失するものであることを、ヴロンスキーも心得ていた。彼が通路を抜けて行くうちに、少年が左側二番めの仕切りのドアをあけた。と、栗毛の大きな馬と白い足が、ヴロンスキーの目にはいった。彼は、それがグラジアートルであることを知っていたが、開かれた他人の手紙から顔をそむける人の気持で、すぐわきを向いて、自分のフル・フルの仕切りに近づいた。

「ここにいる馬が、あのマーク……マク……どうもあの名前がいえませんな」イギリス人はきたない爪《つめ》をした親指で、肩越しにグラジアートルの仕切りを指さしながら、いった。

「マホーチンのかね？　ああ、あれはぼくにとって、手ごわい競争相手のひとりだよ」ヴロンスキーはいった。

「だんなさまがあれにお乗りになるんだったら」イギリス人はいった。「私もだんなさまに賭《か》けるんですがね」

「そりゃ、フル・フルはすこし神経質だし、あっちのほうが力はずっとあるよ」ヴロンスキーは自分の乗馬術をほめられたので、にこにこしながら、いった。

「障害物では、問題はただ、乗馬術とpluckだけですよ」イギリス人はいった。

pluckすなわち、精力と大胆さにかけては、ヴロンスキーも十二分の自信があったばかりでなく、世界広しといえどもこのpluckにかけて自分に勝《まさ》っているものはひとりもない、と確信していた。

「きみはたしか知ってたね、これ以上汗をかかせる必要はないってことを?」

「ええ、その必要はありませんよ」イギリス人は答えた。「どうか、大きな声をなさらないで。馬がすぐ興奮しますから」ふたりの前のドアのしまった仕切りを、あごでしゃくって見せながら、彼はそうつけ足した。その中では、藁の上で足を踏みかえる音が聞えていた。

彼はドアをあけた。そして、ヴロンスキーは、一つの小さな窓からぼんやり照らされている仕切りへはいった。仕切りの中では、新しい藁の上で足を踏みかえながら、口籠をかけられた黒栗毛の馬が立っていた。仕切りの中の薄明りでざっと見まわしてみて、ヴロンスキーはまたしても、無意識のうちに愛馬のあらゆる点を、ひと目で見てとってしまった。フル・フルは中背の馬で、体格は非の打ちどころがないとはいえなかった。からだつき全体が骨細で、胸はぐっと前へ張りだしていたが、胸部は狭かった。尻《しり》はやや下がり気味で、足は前もそうだが、ことに後ろのほうが内側に曲っていた。前後の足の筋肉は、あまり発達しているほうではなかった。しかし、そのかわり、腹帯をつけてみると、並みはずれて大きく、特に今は調教中で腹が引きしまっているので、おどろくほどそれが目だっていた。ひざから下の足の骨は、前から見ると、指くらいの太さしかなかったが、そのかわり、横から見ると、並みはずれて大きかった。この馬は、全体的にみて、肋骨《ろっこつ》を除いては、両側から圧《お》しつぶされて、縦に伸びたような感じだった。しかしながら、この馬には、こうしたすべての欠点を忘れさせるほどの特質が十分にあった。その特質とは血統であった。つまり、イギリス式にいえば、ひとりでに表われる血統であった。薄くて敏感で、繻子《しゅす》のようになめらかな皮膚におおわれ、網目のような血管の下からきわだって盛りあがっている筋肉は、骨かと思われるぐらい堅そうに見えた。楽しそうに輝く目玉の飛び出している、細おもての顔は、内側の薄皮に血のみなぎったような鼻孔のところで、思いきり大きくひろがっていた。その姿態全体に、とくにその顔には、ある種の、精力的な、と同時に、優しい表情がただよっていた。それは、ただ口の構造が許さないばかりに物をいわない動物の一つのように思われた。

すくなくともヴロンスキーには、今自分が馬をながめながら感じているいっさいのことを、相手の馬もわかってくれているような気がした。

ヴロンスキーが近づくやいなや、馬は深く息を吸いこんで、飛び出した目玉を、白目が充血するほどやぶにらみして、はいって来たふたりを、反対側からながめながら、口籠を振りまわし、ばね仕掛けのように、足をばたばた踏みならした。

「そら、ごらんなさい、ひどく興奮してますよ」イギリス人はいった。

「おお、よしよし！」ヴロンスキーは馬のそばへ近づき、なだめながら、いった。

ところが、彼がそばへ寄れば寄るほど、馬はますます興奮した。彼がやっと顔のそばへ寄ったとき、馬は不意におとなしくなって、薄いきゃしゃな毛並みの下で、筋肉がぶるぶるると震えだした。ヴロンスキーはそのがっちりした首をなで、とがったうなじのところのたてがみが反対側へねているのを、なおしてやってから、蝙蝠《こうもり》の翼のようにひろがった薄い鼻孔へ、自分の頬《ほお》を寄せた。馬は、張りきった鼻孔から音高く空気を吸って、また吐き出し、ぶるっと身を震わせ、とがった片耳をふせながら、主人の袖《そで》をとらえようとするかのように、しっかりした黒い上唇を、ヴロンスキーのほうへ伸ばした。が、すぐ口籠のことを思いだして、ぶるっとそれをひと振りすると、またもやそのけずったような足を、かわるがわる踏みかえるのだった。

「落ち着くんだ、おい、落ち着くんだ！」彼はもう一度尻を片手でなでて、いった。

そして、馬が申し分ない状態でいることに、すっかりうれしくなりながら、仕切りから出て行った。

馬の興奮はヴロンスキーにも感染した。彼は、全身の血が心臓へみなぎってくるような気がして、馬と同様、あばれたり、かみついたりしたくなった。それは恐ろしくもあれば、愉快でもあった。

「それじゃ、ぼくはきみをあてにしているからね」彼はイギリス人にいった。「六時半には所定の場所にいるように」

「万事、承知しました」イギリス人はいった。「ときに、どこへおこしで、My Lord (訳注 御前さま)?」彼は思いがけなく、今までほとんど使ったことのない、My Lord という称号をつかって、たずねた。

ヴロンスキーはびっくりして顔を上げると、相手の質問の大胆さに驚きながらも、そこは心得たもので、イギリス人の目でなく、その額をながめた。しかし、彼はイギリス人がこの質問をしたのは、自分を主人でなく騎手と見なしてだ、と悟って、こう答えた。

「ブリャンスキーのところへ行かなくちゃならないんだ。一時間もしたら家に帰るよ」

《きょうはこの質問をもう何度聞いたことだろう》彼はつぶやいて、顔を赤らめた。こんなことはめったにないことであった。イギリス人は注意ぶかくじっと彼を見つめた。そして、ヴロンスキーがどこへ行くか知っているように、こうつけ加えた。

「競走の前には、気分をしずめておくのが第一でございますよ」彼はいった。「お腹立ちになったり、どんなことでも、気分を乱すようなことはなさいませんように」

「All right.（訳注　わかったよ）」ヴロンスキーは微笑しながらいって、幌馬車に飛びのると、ペテルゴフへ行くように命じた。

やっと馬車が走り出すか出さないうちに、朝から雨模様の気配だった黒い雲が、空一面にかぶさって、どっとばかりに、夕立を降らしてきた。

《こりゃ、まずいな》ヴロンスキーは、幌を上げながら考えた。《そうでなくても、かなりぬかっていたのに、これじゃ、すっかり泥《どろ》になってしまう》幌で包まれ、馬車の中にひとりきりになると、彼は母の手紙と兄の走り書きを取り出して、目を通した。はたして、それはなにからなにまでまったく同じことであった。彼の母も、だれもかれもが、すべて彼の心の問題に干渉する必要を認めているのだった。こうした干渉は彼の心に敵意を呼びさました。彼はめったにそんな感情は経験したことがなかった。《あの連中になんの関係があるというんだ？　なんだってみんなは、おれのことを心配するのを、義務と心得ているんだろう？ それに、なぜみんなしておれにからむんだろう？ きっと、これはなにかしら、あの連中の理解できないことだからだろう。これがもしありふれた、月並みな社交界の情事だったら、あの連中もおれをそっとしておいてくれたにちがいない。ところが、あの連中もこれがなにかしら別のもので、おもちゃでもなく、あの女《ひと》がおれにとって命よりも尊いものだということを、感じとったのだろう。それに、これがなにか自分たちに不可解なものなので、それでみんないまいましがっているのだ。いや、たとえぼくたちの運命がどんなものであろうと、またどうなろうと、それはぼくたちが作り上げたものだから、泣き言なんかいうものか》彼はぼくたちという言葉の中に、自分とアンナとを結びつけながら、こうひとりつぶやいた。《いや、あの連中ときたら、ぼくたちにちゃんとした生き方を教えなければ気がすまないんだ。そのくせ、あの連中は幸福とはなにかということなんか、てんでわかっちゃいないのだ。あの連中には、ぼくたちはこの恋がなくちゃ、幸福もなければ、不幸もない、いや、生活そのものがないってことが、わからないんだからなあ》彼はそう考えるのだった。

彼がこうした干渉のために、すべての人びとに腹を立てたのは、彼も心の奥底では、これらすべての人びとのいうことがほんとうであると、ひそかに感じていたからであった。彼は、自分とアンナを結びつけた恋は一時的な浮気ではないことを感じていた。もしそうならば、それはすべての社交界の情事のように、あるいは楽しい、あるいは不快な思い出のほか、お互いの生活になんの痕跡《こんせき》も止《とど》めず、過ぎ去ってしまうはずであった。彼は自分と彼女の立場の苦しさを、残らず痛感していた。ふたりの関係は、ふたりの住んでいる社会全体の目にさらされていたから、その恋を隠したり、偽ったり、うそをついたりすることは、至難の業《わざ》であった。しかも、ふたりを結びつけている情熱があまりにも激しく、ふたりとも自分たちの恋のほかは、なにもかも忘れがちであったにもかかわらず、一方ではたえずその恋を隠して、策をめぐらし、他人のことを考えていなければならないのであった。

彼は自分の性格からいって相いれない虚偽や欺瞞《ぎまん》を、余儀なくしなければならぬ場合がしばしば繰り返されるのを、まざまざと思い起した。とりわけ、アンナがこのやむをえぬ虚偽と欺瞞のために、一再ならず羞恥《しゅうち》の情に苦しめられたのを、まざまざと思い起した。すると、アンナと関係をもって以来時おりおそって来るある奇妙な感じを覚えた。それは、なにものかに対する嫌悪《けんお》の情であった。それはカレーニンに対するものか、自分自身に対するものか、社交界全体に対するものか、自分でもよくわからなかった。しかし、彼はいつもこの奇妙な感じを、追いはらおうとしていた。そして今も、ぶるっと一つ身ぶるいすると、もの思いをつづけていった。《そうだ、彼女は以前は不幸だったけれど、誇りがあって、落ち着いていた。それが今は、落ち着いて、品位を保つことができなくなってしまった、そりゃ彼女としてはそうした様子を見せてはいないけれど。そうだ、こりゃ、なんとか早くけりをつけなくちゃいけないいな》彼は心のなかできめた。

と、そのときはじめて、一つの、はっきりした考えが頭にひらめいた。それは、なんとかしてこの虚偽をうちきらねばならぬ、しかもそれは早ければ早いほどいいのだ、という考えであった。《彼女もおれもいっさいをなげうって、自分たちの恋だけを守って、どこかへ身を隠してしまうことだ》彼は自分にそういいきかせた。

22

夕立はそう長くつづかなかったので、もう手綱《たづな》なしにぬかるみを走る両側の副馬《そえうま》を引っぱるようにして、全速力を出して疾駆する中馬の働きで、ヴロンスキーがはやくも目的地へ近づいたときには、太陽が再び顔をのぞかせた。そして、大通りの両側に並んだ別荘の屋根や、庭の古い菩提樹《ぼだいじゅ》は、ぬれた光で輝き、木々の枝からは楽しげにしずくが落ち、屋根からは水が流れていた。彼はもうこの夕立のために、競馬場が台なしになることなど考えず、ただこの雨のおかげで、きっと彼女が家に、しかもひとりでいるだろうと、そればかり喜んでいた。というのは、最近、温泉からもどって来たカレーニンが、まだペテルブルグからこちらへ来ていないことを、知っていたからである。

彼女がひとりでいるところへ行きあわせようと期待しながら、ヴロンスキーは、いつもよくやるように、なるべく人目につかないように、小橋を渡らずに馬車をおり、歩きだした。彼は通りから正面玄関へ行かないで、いきなり庭先のほうへはいって行った。

「だんなはお着きになったかね！」彼は庭師にたずねた。

「いいえ、まだで。奥さまはおいでになります。さあ、どうぞ玄関のほうから。あちらには人がおりますから、おあけいたしますよ」庭師は答えた。

「いや、ぼくは庭のほうから行くよ」

こうして、彼はアンナがひとりきりでいると思いこむと、不意を襲って、相手をびっくりさせようと思った。というのは、彼はきょう来ると約束しなかったし、彼女のほうもまさか競馬の前にはやって来ないだろう、と思っているにちがいないからであった。そこで彼はサーベルをおさえて、両側に花々の植わった小道の砂を、用心ぶかく踏みしめながら、庭に面したテラスのほうへ歩いて行った。ヴロンスキーはいまや、道々いろいろ考えてきた自分の立場の苦しさや困難さを、すっかり忘れてしまっていた。彼の思いはただ一つ、今すぐにも単なる空想ではなく、現実にあるがままの、生きいきしたアンナの姿をすっかり見られる、ということだけであった。彼は、音のしないように、大股《おおまた》な足どりで、もうテラスのゆるい石段をのぼりかけていたが、そのとき不意に、いつも忘れがちなことを思いだした。それは、自分と彼女との関係でもっとも耐えがたい一面を形づくっている、あの、もの問いたげな、彼の目には敵意ありげに見えるまなざしをした彼女のむすこのことであった。

この少年は、ほかのだれにもまして、ふたりの関係の障害になることが多かった。少年がその場にいると、ヴロンスキーもアンナも、他人の前ではいえないような話を、することができなかったばかりでなく、少年にはわからないようなことでも、におわすようにして話すことすら避けていた。ふたりはそうしたことを申し合せたわけではなかったが、ひとりでにそうなったのである。ふたりともこうした子供を欺《あざむ》くことは、自分自身に対する侮辱と考えたのであろう。少年のいるところでは、ふたりはただの知人のように話をした。ところが、これほど慎重にやっているにもかかわらず、ヴロンスキーは、よく自分にそそがれている少年の注意ぶかい、けげんそうなまなざしをとらえ、少年が自分に示す奇妙におどおどした、時に甘えたり、時に冷淡になったりするむらのある態度や、はにかんだりする様子に気づいていた。どうやら、少年は、自分の母親とこの男のあいだには、自分には意味のわからぬ、なにか重大な関係があるのを、かぎつけているようであった。

実際、少年は自分がこの関係を理解できないのを感じ、この相手の男に対してどんな感情をもつべきであるかを、自分ではっきりさせようと努めながらも、それができないでいるのであった。ただ感情の表現に対する少年特有の敏感さで、少年は、父親も、家庭教師も、ばあやも、だれもかれもが、単にヴロンスキーを好かぬばかりか、ひと言も口に出してはいわなかったが、嫌悪と恐怖の思いで彼をながめていることをはっきり見てとっていた。しかも、母親だけは、彼をもっとも親しい友人のように扱っているのであった。

《いったい、これはどういうことだろう？　あの人は何者だろう？　どんなふうにあの人を愛したらいいのだろう？　それがわからないなんて、ぼくがいけないのかな。それとも、ぼくはばかか、悪い子供なのかな》少年は考えた。そのために、少年はためすような、もの問いたげな、そして、いくらか反感をいだくような表情と、おどおどした、むらのある態度をとって、すっかりヴロンスキーをどぎまぎさせるのだった。この子供がそばにいると、いつもかならず、ヴロンスキーは最近しばしば経験するようになった、あの奇妙な、理由のない嫌悪の情を呼びさまされるのだった。この子供がいることによってヴロンスキーとアンナの胸に呼びさまされる感情は、羅針盤《らしんばん》をながめているときの航海者の感情に似ていた。つまり、今自分の船の走っている方角は、正しい方向とはずいぶんかけ離れていることを知りながらも、自分には船の進行を止めるだけの力がなく、したがって、一分ごとにますますその誤差は大きくなっていくが、正しい方向から遠ざかっていくのを自認するのは、とりもなおさず、自分の破滅を自認することであった。

人生に対して素朴《そぼく》な目をもったこの少年は、ほかならぬ羅針盤であって、ふたりが知っていながら、知ることを欲しない事がらから、どれほど自分たちがそれているかを示すものであった。

だが、このときは、セリョージャは家にいなかった。アンナはまったくのひとりぼっちで、テラスに腰をかけ、散歩に出かけて雨にあったむすこの帰りを待っていた。彼女はわが子を捜しに、下男と小間使をやり、自分はじっとすわって待っていた。大きな刺繍《ししゅう》のある白い服を着たアンナは、テラスのすみの花の陰にいたので、彼の足音に気づかなかった。彼女はその黒い髪のふさふさと渦巻《うずま》いた頭を傾けて、手すりにおいてある冷たい如露《じょうろ》に額をおしあて、彼のよく知りぬいている指輪をはめた美しい両手で、その如露をおさえていた。その容姿全体の美しさは、その頭も首も手も、いつ見ても、まるで思いがけないもののように、ヴロンスキーをはっとさせるのであった。彼は歓喜に燃えて彼女をながめながら、歩みを止めた。が、彼女に近寄ろうとして一歩ふみだそうとしたとき、相手ははやくもそれを察して、如露をつき放し、その上気した顔を彼のほうへ向けた。

「どうしたんです？　おかげんでも悪いんですか？」彼は近寄りながら、フランス語でいった。彼はすぐ走り寄りたかったが、ふと、だれかよその人がいるかもしれないと思いだして、バルコニーのドアを振り返った。そして、いつものことながら、びくびくとあたりを見まわさなければならぬ身の上を思って、さっと、顔を赤らめた。

「いいえ、あたし、元気ですわ」アンナは立ちあがって、さしだされた彼の手を堅く握りしめながら、いった。「ほんとに思いがけなかったわ……あなただなんて」

「ああ！　なんて冷たい手をしてるんです！」彼はいった。

「だって、あたしをびっくりさせるんですもの」アンナはいった。「たったひとりで、セリョージャを待ってたんですの。あの子は散歩に出かけたんです。あっちのほうか

てしまうのだった。

の顔は従順な、奴隷《どれい》のような心服を表わし、彼女もそれを見ると、つい、心がくじけてしまうのだった。

「ほんとに、なにか起ったようですね。あなたになにかぼくの知らない悩み事があったら、ぼくはいっときだって平気ではいられませんよ！　お願いだから、話してください！」彼は祈るように繰り返した。

《いいえ、もしこの人があのことの意味を、ちゃんとわかってくれなかったら、とてもこの人を許すことはできないわ。やっぱり、いわないほうがいいわ、なにもためしてみる必要なんてないんですもの》彼女は相変らずじっと相手の顔を見ながら、そう考えていたが、木の葉を握りしめている自分の手がしだいに激しく震えていくのを感じていた。

「ね、お願いだから！」彼はアンナの手をとって、繰り返した。

「お話ししましょうか？」

「ええ、ええ、ええ……」

「あたくし、妊娠しましたの」アンナは静かに、ゆっくりとつぶやいた。

彼女の手の中の木の葉は、さらに激しく震えだした。しかし、アンナは、彼がこの知らせをどう受け取るか見きわめようと、相手の顔から目を放さなかった。と、彼は、さっと青ざめて、なにかいおうとしたが、それをやめて、彼女の手を放し、自分の頭《こうべ》をたれた。《ああ、この人はこのことの意味を、すっかりわかってくれたんだわ》彼女は考え、感謝の気持をこめて、彼の手を握りしめた。

しかし、アンナはここで考え違いをしたのだった。彼はこの知らせの意味を、アンナが女として解釈したようには理解しなかったからである。この知らせを聞くと、最近よく彼が発作的におそわれるあのなにものかに対する奇妙な嫌悪の念が、いつもの十倍もの力で彼をおそって来た。しかし、それと同時に、彼は、自分が予期していた危機が、今こそ到来したのであり、もうこれ以上夫に隠すことはできないから、方法はとにかく、一刻も早くこの不自然な状態を打破しなければならぬと感じた。ところが、それとは別に、彼女の興奮は生理的に彼にも感染した。彼はうっとりとした従順な目つきでアンナをながめ、その手に接吻《せっぷん》すると、そっと立ちあがって、無言のまま、テラスをひとまわりした。

「ええ」彼は決然とした足どりで彼女のそばへよって、話しかけた。「ぼくにしても、あなたにしても、ふたりの関係を一時の遊びだなんて考えたことはありませんが、しかし今こそぼくたちの運命はきまったのです。なんとしても、清算しなくちゃいけませんね」彼はあたりを見まわしながらいった。「ぼくたちが暮しているこの虚偽を」

「清算するですって？　どうやって清算するの、アレクセイ？」アンナは静かにいった。彼女はもう気分がしずまったので、その顔は優しい微笑に輝いていた。

「ご主人を捨てて、ぼくたちふたりの生活を結びつけるんです」

「今だってふたりは結びつけられてるじゃありませんの」

アンナはやっと聞えるぐらいの声で答えた。

「ええ、でも、もっと完全に、しっかりと」

「でも、どんなふうに、アレクセイ、考えてちょうだい、どんなふうに？」アンナは出口のない自分の立場に悲しいあざけりの響きをこめて、いった。「ほんとに、こんな状態から抜け出す方法があって？　だって、あたしはあの夫の妻じゃなくって？」

「どんな状態からだって、抜け出す道はありますよ。とにかく、決心をしなければ」彼はいった。「それがどんなものだって、今きみが暮している状態よりはましですよ。ぼくにはちゃんとわかっているんですよ、きみがどんなにいろんなものに苦しめられてるかってことは――社交界にも、むすこにも、夫にも」

「ええ、でも夫だけは違うわ」アンナは薄笑いを浮べていった。「自分でもわからないけど、あの人のことは考えませんわ。あの人なんかいないみたいなもんですもの」

「きみはごまかしていってるんだ。ぼくにはきみという人がわかっているんだから。

いや、あの人のことでも苦しんでいますよ」

「でも、あの人はなにも知らないんですのよ」アンナはいったが、とつぜん、燃えるような紅《くれない》がその顔にひろがった。と、その頰《ほお》から額、首筋までがまっ赤になって、羞恥《しゅうち》の涙が両の目にあふれでた。「ねえ、あの人のことはいわないようにしましょうね」

23

ヴロンスキーは、今ほどはっきりした調子ではなかったが、これまでにも幾度かふたりの立場をもっとよく考えるようにと、アンナに話をもちかけた。しかし、いつの場合も、彼女はなにかその場かぎりの、軽はずみな受け答えしかしなかった。今も彼女はそれと同じ調子で、彼の申し出《いで》に答えたわけである。そこにはなにかしら、彼女が自分にもはっきりさせることのできない、いや、させたくないようなものがあるらしかった。彼女がその話をはじめるたびに、ほんとうのアンナはどこか、彼女自身の内部へ隠れてしまって、だれか別の、奇妙な、彼にとってまったくなじみのない、彼のきらいな、彼の恐れている女の人が姿を現わして、彼に食ってかかるのであった。しかし、彼はきょうこそなにもかもすっかり話してしまおうと決心した。

「あの人が知っていても、知らなくても」ヴロンスキーは持ち前のしっかりした、落ち着いた調子でいった。「あの人が知っていても、知らなくても、そんなことはぼくたちに、なんの関係もありませんよ。ぼくたちはどうしても……あなただってこのままではいられないじゃありませんか、とくに今となっては」

「じゃ、どうしろとおっしゃるんですの、あなたのご意見は？」彼女は相変らず軽くあざけるような調子でたずねた。先ほどまでは相手が自分の妊娠を軽く受け取りはしないかと恐れていた彼女も、いまや彼がそのためになにかしなければならぬという結論を引き出したことに、腹が立ってきたのであった。

「なにもかもあの人に打ち明けて、あの人を捨てるんですよ」

「そりゃ、とてもけっこうなことですわ。まあ、かりにあたしがそうするとして」アンナはいった。「その結果がどんなものかおわかりになって？　あたし、これからなにもかもお話ししますわ」ついいましがたまで優しかった彼女のひとみの中に、毒々しい光が燃えはじめた。「『では、おまえはほかの男を愛して、その男と罪ぶかい関係になったというわけだね？』」（アンナは夫の口ぶりをまねながら、カレーニンがいつもするように、罪ぶかいという言葉に力を入れた）「『私はそうしたことが宗教や、社会や、家庭生活の面において、どんな結果が生れるかを、あらかじめ警告しておいたはずだ。ところが、おまえは私のいうことを聞かなかった。いまさら、私は自分の名に、泥《どろ》をぬるわけにはいかんね……』」彼女は『自分のむすこにも』といいたかったが、むすこをこうした冗談事にひきだすわけにいかなかった。「『自分の名に泥をぬるわけにはいかん……』まあ、ざっとこんなふうのことを、まだなにかいうでしょうよ」彼女はつけたした。「まあ、だいたいのところ、あの人は例の政治家ぶった態度で、はっきりと正確に、あたしを手放すわけにはいかないが、なんとかできるだけの手をつくして、スキャンダルを避けたい、というでしょう。そして、自分のいったことは、落ち着いて、きちょうめんに実行するでしょう。結果はそういうことですわ。おだって、あれは人間じゃなくて機械なんですから。それも、恐ろしい機械ですわ。おこったときには」彼女はそうつけ加えた。そのときふと、カレーニンの姿や話しぶりや性格を、細かいところまで一つ残らず思いだし、その中に見いだしうるかぎりの欠点をすべて彼の罪にして、彼女自身が夫に対して犯した恐るべき罪のために、かえってなにひとつ夫を許そうとしないのであった。

「でも、アンナ」ヴロンスキーは、相手の気持をしずめようと努めながら、説きふせるような、しかももの柔らかな声でいった。「なんとしても、あの人にはいわなくちゃいけないね。そのうえではじめて、あの人のとる方法に対して善処しなければ」

「じゃ、駆落ちするの？」

「駆落ちして悪いことはないさ。ぼくはこのままつづくとは思わないね……それも、自分ひとりのためじゃない――きみが苦しんでいるのが、わかってるから」

「じゃ、駆落ちして、あたし、あなたの情婦になるのね？」彼女は意地悪そうにいった。

「アンナ！」彼は優しくとがめるような調子でいった。

「ええ、そうよ」彼女はつづけた。「あなたの情婦になって、なにもかも破滅させてしまうんだわ……」

アンナはまた、むすこまでも、といいたかったが、その一語は口にすることができなかった。

ヴロンスキーには、あの性格のしっかりした、潔癖なアンナが、なぜこうした偽りの状態に耐えながら、そこから抜け出ようとしないのか、理解できなかった。しかも、彼はそのおもな原因が、彼女の口に出すことのできない**むすこ**という一語にあることを、推察することができなかった。アンナはむすこのことを思い、父親を捨てた母親に対して将来むすこがどんな態度をとるかと考えると、自分のしたことがそら恐ろしくなった。そして、もう冷静に判断する力を失い、ただもうひとりの女として、すべてのものをそのままにして、むすこの運命がどうなるかという恐ろしい問題を忘れたい一心で、偽りの理屈や言葉で自分を安心させようとするのであった。

「ね、お願いするわ、どうしてもお願いしたいわ」不意に、アンナは彼の手を取って、今までとは別人のような、誠意のこもった、優しい声でいった。「こんな話はもう二度となさらないでね！」

「だって、アンナ……」

「いいえ、もうけっして なさらないで。あたしにまかせておいて。自分の立場が、どんなに恐ろしく卑《いや》しいみじめなものだってことは、あたしにはよくわかってるんですけど、それはあなたが考えてるほど、簡単にきめられるものじゃありませんわ。ですから、あたしにまかせて、あたしのいうことも聞いてちょうだい。もうこのお話はあたしにけっして二度となさらないでね。あたしに約束してくださる？……いいえ、だめ、約束してくださらなくちゃ！」

「そりゃ、ぼくはなんでも約束するけれど、どうしても落ち着いていられないんですよ、ことにきみが今いったことを聞いたあとでは。きみが落ち着いていられないときは、ぼくだって落ち着いちゃいられませんよ……」

「あたくしが？」アンナは繰り返していった。「そりゃ、あたしもときには苦しみますわ。でも、あなたがもう二度とけっしてこの話をあたしとなさらなければ、こんなこともなんとかなっていきますわよ。あなたがそんなことをおっしゃれば、ただあたしを苦しめるばかりですわ」

「わからないいな」彼はいった。

「あたしにはわかってますわ」アンナはさえぎった。「あなたのような潔癖な気性の方は、うそをつくのがさぞ苦しいでしょうね。あなたがお気の毒だわ。あたし、よく思うんですけど、あなたはあたしのために、ご自分の一生を台なしになすったのねえ」

「ぼくも今ちょうどそれと同じことを考えてたんです」彼はいった。「きみだってぼくのために、なにもかも犠牲にしてくれたじゃありませんか？　きみを不幸にしたと思うと、ぼくはどうしても自分が許せないんです」

「あたしが不幸ですって？」アンナは彼のそばへ近づき、愛の喜びに燃えた微笑で相手の顔に見入りながら、いった。「あたしはね、飢えた人がお腹《なか》いっぱい食べさせてもらったみたいなものね。そりゃ、その人は寒いかもしれませんよ。服もぼろぼろに破れているかもしれませんし、恥ずかしいかもわかりません。でも、その人は不幸じゃありませんわ。あたしが不幸ですって？　いいえ、ねえ、これこそあたしの幸福ですわ……」

アンナは帰って来たむすこの声を聞きつけ、素早くテラスを一瞥《いちべつ》して、ぱっと立ちあがった。彼女のまなざしには、彼の見なれている火が燃えだした。彼女はすばしこい動作で、いくつも指輪をはめた美しい両手を上げ、彼の頭をはさんで、長いことじいっと見つめていたが、やがて笑みを含んだ唇《くちびる》を開いたまま、自分の顔を近づけ、素早く彼の口と両の目に接吻して、つき放した。彼女は行こうとしたが、彼がそれを引き止めた。

「いつ？」彼は有頂天になって相手をながめながら、ささやくようにきいた。

「今夜、一時に」彼女はささやいた。そして、大きく溜息《ためいき》をつくと、例の軽く速い足どりで、わが子を迎えに行った。

セリョージャは公園で雨にあい、ばあやといっしょに四阿《あずまや》で雨やどりしていたのだった。

「じゃ、のちほどまた」アンナはヴロンスキーにいった。「もうすぐ競馬場へ行かなくちゃなりませんわ。ベッチイがあたしを迎えに寄る約束なの」

ヴロンスキーは、ちらと時計を見て、急いで出かけて行った。

24

ヴロンスキーはカレーニン家のバルコニーで時計を見たとき、ひどくそわそわして、自分の考え事に気をとられていたので、文字盤の針をながめながらも、いったい何時なのかわからなかった。彼は大通りへ出て、ぬかるみの中を用心ぶかく歩きながら、自分の馬車のほうへ歩いて行った。彼の心は、アンナに対する愛情でいっぱいだったので、今何時なのか、ブリャンスキーのところへ寄る暇があるのかどうかも、考えなかった。これはよくあることだが、今の彼にはなんのあとにはなにをするのだという、外的な記憶力しか残っていなかった。彼は、もう影が斜めになっている菩提樹《ぼだいじゅ》の茂みのそばの、御者台の上に居眠りをしていた自分の御者に近づき、汗ばんだ馬の上でぶんぶんと蚊柱をたてている蚊や蚋《ぶよ》にしばらく見とれてから、御者をゆり起し、馬車に飛びのって、ブリャンスキーのところへやれと命じた。七キロばかり行ったとき、彼はやっといくらかわれに返って、時計を見ると、もう五時半だったので、これは遅れたぞ、と思った。

この日はいくつかの競馬があった——護衛兵の競馬に始まり、将校の二キロ競馬、四キロ競馬、最後が彼の参加している例の障害物であった。自分の競馬には間にあうだろうが、今ブリャンスキーのところへ寄ったら、陛下が宮廷の顕官を従えて臨席されたあとにやっと着くようになるだろう。それはまずかった。しかし、ブリャンスキーには立ち寄るとちゃんと約束したので、彼はそのまま先へ行くことにし、御者に三頭立《トロイカ》てでも馬を容赦しないようにいいつけた。

彼はブリャンスキーのところへ着くと、五分ほどいて、すぐ今来た道を引き返した。この疾駆は彼の気持をしずめた。アンナとの関係で生じた重苦しいいっさいのものも、ふたりの話のあとに残ったあいまいなものも、すべて彼の頭から吹っとんでしまった。彼は浮きうきした興奮にかられながら、競馬のことや、とにかく、間にあうだろうということを考えた。そして、時たま、今夜のあいびきについての幸福な期待が、あざやかな光となって、空想の中にぱっと燃えあがるのだった。

彼の馬車が、別荘帰りの馬車や、ペテルブルグから競馬に行く馬車を追いこしながら、次第に競馬の雰囲気《ふんいき》にはいりこんでいくにつれて、目前に迫った競馬への感激がますます彼の心をとらえていった。

彼の宿舎には、もうだれも残っていなかった。みんなが競馬へ出かけてしまったので、召使は門のそばで彼を待ちうけていた。彼が着替えているあいだも、召使はもう二番めの競馬が始まろうとしていることや、大勢のだんな方が彼のことをたずねに来たことや、厩《うまや》から二度も少年が駆けつけたことなどを報告した。

たいして急ぐ様子もなく、着替えをすると（彼はけっして急いだり、自制心を失ったりすることはなかった）、ヴロンスキーはバラックへ馬車をやるように命じた。バラックからは、もう競馬場をとりかこんでいる馬車や徒歩の人や兵隊たちの海が見え、群衆でわきたっている桟敷《さじき》が見わたされた。どうやら、第二番めが始まっているらしかった。というのは、彼がバラックにはいろうとしたとき、鐘の音が聞えたからである。厩の近くで、彼はマホーチンの持ち馬で、足の白い栗毛《くりげ》のグラジアートルに出会った。馬は青い縁飾りのために耳が大きく見える、オレンジ色に青い縞《しま》のある馬衣を着せられて、競馬場へ引かれて行くところだった。

「コードはどこにいる？」彼は馬丁にたずねた。

「厩の中にいます。今馬に鞍《くら》をつけてるところです」

あけはなされた仕切りの中で、フル・フルはもう鞍をつけていた。これから引き出すところだった。

「遅れなかったかね？」

「All right! All right!（訳注　けっこうです、けっこうです）みんなちゃんとしてあります、なにもかもちゃんと」イギリス人は答えた。「ただ興奮なさいませんように」

ヴロンスキーはもう一度、全身を震わしている愛馬の優雅な美しい姿をながめまわしてから、やっとの思いで、このすばらしいながめから目を放して、バラックを出た。彼は人の目につかないように、ちょうどいいころあいを見計らって、桟敷へ乗りつけた。ちょうどそのとき、二キロ競馬が終ったところで、すべての視線は、最後の力をふりしぼって馬を追いながら決勝点へ近づいていた先頭の近衛《このえ》騎兵と、それにつづく軽騎兵にそそがれていた。馬場の中からも外からも、人びとは決勝点へひしめきあっていた。近衛騎兵の一団は兵卒も将校も、自分たちの上官であり同僚である人の優勝を目前にしながら、喊声《かんせい》をあげて、喜びを表現していた。競馬の終了を告げる鐘が鳴るのとほとんど同時に、ヴロンスキーは群衆の中へそっと気づかれぬようにはいった。そのとき、泥のはねだらけの、背の高い、一着になった近衛騎兵は、鞍の上につっ伏し、苦しそうに息をしている、汗で黒ずんだ、灰色の雄馬の手綱《たづな》をゆるめはじめた。雄馬は、懸命に足をつっぱりながら、その大きな図体《ずうたい》の速度を落とした。と、近衛騎兵は重苦しい夢からさめた人のように、あたりをちらっと見まわし、かすかに微笑をもらした。同じ隊や他の隊の人びとが、いっせいに彼をとりまいた。

ヴロンスキーは、桟敷の前で、つつましく、しかも、おおらかな態度で歩きまわったり、おしゃべりをしたりしている、えりぬきの上流の人びとを、わざと避けるようにしていた。彼はそこにアンナも、ベッチイも、兄の妻もいることを知っていたが、ほかのことに気を散らさないために、わざとそのほうへは行かなかった。しかし、ひっきりなしに出会う知人たちは、彼を引き止め、いままですんだ競馬の詳細を物語ったり、なぜきみは遅れたのかとたずねたりした。

騎手たちが賞品をもらいに桟敷へ呼ばれて、一同の視線がそのほうへそそがれたとき、ヴロンスキーの兄のアレクサンドルが近づいて来た。参謀の金モールをつけた大佐の兄は、あまり背が高くなく、アレクセイ同様がっしりした体格だったが、彼よりもさらに美男で、酔ってばら色の顔に赤い鼻をしていたが、その表情はあけっぱなしだった。

「わしの手紙は受け取ったかね?」彼はいった。「いつ行ってみても、おまえはつかまらんねえ」

兄のアレクサンドルは、放縦な、とくに酒びたりの生活で有名であったが、それにもかかわらず、しんから宮廷風な人間であった。

彼は今も弟に、きわめて不愉快な話をしようとしながらも、大勢の人びとの目が自分たちに注がれるおそれがあるのを知っていたので、なにかつまらないことで弟と冗談をいっているように、わざと笑顔をつくっていた。

「受け取りましたよ。でも、正直のところ、なにをあなたがそんなに気をもんでるのか、理解に苦しみますよ」ヴロンスキーはいった。

「いや、わしが気をもんでいるのは、さきほどもおまえがここにいなかったことと、月曜日にもペテルゴフでおまえに会った人があるという、そのことなんだよ」

「でも、この世の中には、その当事者だけが頭を悩ますべき事がらがありますからね。あなたがそんなに気をもんでいられることは、そういった……」

「うん、しかし、そうなら勧めなんかやめて……」

「どうか、ぼくのことに干渉しないでください、お願いはそれだけです」

ヴロンスキーの眉《まゆ》をひそめた顔は、さっと青ざめ、その瞬間、突き出た下顎《したあご》が震えた。こんなことは、彼としてまったく珍しいことであった。彼は、きわめて善良な心をもった人のつねとして、めったにおこったりしなかったが、しかし、いったん、おこりだして、下顎が震えだすと、危険な人物になることを、兄のアレクサンドルは知っていた。そこで、アレクサンドルは、愉快そうに微笑した。

「なに、わしはただ、お母さんの手紙を渡そうと思っただけさ。返事は書いてくれよ。さ、競馬の前にそう気を乱しちゃいかんよ。Bonne chance（訳注 幸運を祈るよ）」彼はそう笑顔でつけ加えると、弟のそばを離れて行った。

　ところが、兄が去るとすぐ、またしても親しげなあいさつの声が、ヴロンスキーを引き止めた。

「やあ、きみは友人を無視する気なのかい！　ごきげんよう、Mon cher!（訳注　おい、きみ）」オブロンスキーが声をかけた。彼はこのえりぬきのペテルブルグ上流社交人の中でも、モスクワにいるときに劣らず、そのばら色の顔と、きれいになでつけられた頬ひげを輝かしていた。「きのうやって来たんだ、きみの勝利を見ることができて、とてもうれしいよ。いつ会えるかね？」

「あした集会所へ来てくれたまえ」ヴロンスキーはいい、失礼を謝しながら、相手の外套《がいとう》の袖《そで》を握って、競馬場のまん中へ歩いて行った。そこではもう大障害物競走の馬が、引き出されていた。

　競走をすまして、汗だらけの、へとへとに疲れきった馬は、馬丁に引かれて厩のほうへ連れ去られ、次の競走に出る新しい生気溌剌《はつらつ》たる馬が、次から次へと姿を現わした。その多くはイギリス種の馬で、頭被をかぶり、腹のぐっとひきしまっているところは、巨大な怪鳥《けちょう》の姿を思わせた。胴のひきしまった美女フル・フルは、弾力性のあるかなり長い足首を、ばね仕掛けのように踏みしめながら、右手へ引かれて行った。

そこから遠くないところでは、耳のたれたグラジアートルが、馬衣を脱がせてもらっていた。その見事な尻《しり》と、ひづめのすぐ上についているような感じの、並みはずれて短い足首を持ったこの雄馬の、完全に均斉《きんせい》のとれた、大がらな美しい姿は、思わずヴロンスキーの注意をひきつけた。彼は自分の馬のほうへ近づこうとしたが、またもや知人に引き止められた。

「ほら、あすこにカレーニンがいるよ」その知人は、話の途中でいった。「細君を捜してるんだが、細君のほうは桟敷のまん中にいるのさ。きみはその女《ひと》に会ったかい？」

「いや、会わなかった」ヴロンスキーは答え、知人が指さしたアンナのいる桟敷のほうは振り向きもせずに、自分の馬に近づいて行った。

ヴロンスキーが自分でさしずしておこうと思っていた鞍を見る暇もないうちに、騎手たちは枠《わく》順の抽せんと、スタートの準備をするために、桟敷の前へ呼び出された。多くはまっ青な顔をした、真剣な、きびしい表情をたたえた、十七人の将校は、桟敷に集まって、番号のくじをひいた。ヴロンスキーは七番に当った。

「乗馬！」という声が聞えた。

ヴロンスキーは自分がほかの騎手たちとともに、衆人環視の的となっているのを感じながら、緊張した気持で、自分の馬に近づいて行った。彼は緊張すると、いつも動作がゆったりして、落ち着くのだった。調教師のコードは晴れの競馬だというので、礼服を着ていた。それは、きっちりボタンをかけた黒のフロックコートに、両の頰をおしあげている糊《のり》のきいたカラー、黒の山高帽に、騎兵靴《ぐつ》といういでたちであった。彼は例によって落ち着きはらって、もったいぶった様子で、馬の前に立ち、手ずから両方の手綱をおさえていた。フル・フルは、まるで熱病にでもかかったように、なおも震えつづけていた。その火のように燃える目は、近づいてくるヴロンスキーのほうを、横目でにらんでいた。ヴロンスキーは、腹帯の下へ指を一本さしこんでみた。馬はますます横目をつかって、歯をむきだし、片方の耳をたらした。イギリス人は唇をゆがめたが、それは自分がつけた鞍を検査されたことに対して、冷笑を示そうとしたのであった。

「さあ、お乗りください、そのほうが興奮なさいませんから」

ヴロンスキーは、最後に、自分の競争相手たちを見まわした。駆けだしてしまえば、もう見られないことを知っていたからである。ふたりの騎手はもう出発点のほうへ馬を進めていた。手ごわい競争相手のひとりであり、ヴロンスキーの友人であるガリツィンは、自分を乗せようとしない栗毛の雄馬のまわりを、うろうろしていた。細い乗馬ズボンをはいた小がらな軽騎兵は、イギリス人のまねをして、猫《ねこ》のように馬の背に身をかがめながら、駆歩で進んでいた。クゾヴリョフ公爵《こうしゃく》はまっ青な顔をして、グラーボフ牧場生れのサラブレッド牝馬《ひんば》にまたがり、イギリス人に轡《くつわ》を取らしていた。ヴロンスキーもその同僚たちも、クゾヴリョフの人がらを、とくに《弱々しい》神経をもっているくせに、恐ろしく自尊心が強いことを承知していた。みんなは、彼がどんなことでも恐れていることを、軍馬に乗ることすら恐れていることを知っていた。ところが、いまや彼はその軍馬で競走することに決心したのである。そう決心したのは、それが恐ろしいことであり、人がよく首の骨を折ったりするので、障害物の一つ一つに軍医がついたり、赤い十字を縫いつけた救急車や、看護婦が控えたりしているためにほかならなかった。ふたりは目を見合せた。ヴロンスキーは優しく、励ますように彼に目くばせして見せた。ただひとり、いちばんの競争相手である、グラジアートルに乗ったマホーチンの姿だけは、そこに見あたらなかった。

「お急ぎになってはいけません」コードはヴロンスキーにいった。「それから、一つだけ申しあげておきますが、障害物の手前では手綱をしめても、ゆるめてもいけませんよ。馬の好きなようにさせておいてください」

「ああ、いいとも」ヴロンスキーは手綱を取りながら、いった。

「できれば、先頭にお立ちになることですが、たとえあとになっても、最後の瞬間まで、あきらめてはいけません」

馬が動く間のないうちに、ヴロンスキーはしなやかな力強い動作で、刻み目のついた鋼鉄の鐙《あぶみ》に片足をかけ、そのひきしまったからだを、ぎいぎい音のする鞍の上に、軽々と、しかも、しっかりとのせた。彼は右足を鐙にかけ、二重になった手綱を、慣れた手つきで指のあいだでさばいた。そこで、コードは手を放した。フル・フルはどちらの足から先に踏みだしたらいいかわからないように、長い首で手綱をひっぱり、しなやかな背の上で、乗り手を軽くゆすりながら、ばね仕掛けのように、歩きだした。コードは足を速めながら、あとからついて来た。気のたった馬は、乗り手をだまそうとして、左右かわるがわるに手綱を引っぱった。が、ヴロンスキーはそれをなだめようとして、声をかけたり、手でなでたりして、むなしい努力をつづけた。

彼らはもう、出発点になっている場所をめざして、せき止めてある川のそばまで近づいていた。騎手たちは前のほうにも、うしろのほうにも、大勢いたが、とつぜん、ヴロンスキーは自分のうしろから、ぬかるみの道を駆歩で走って来る馬蹄《ばてい》の音を聞きつけた。と、足が白くて、耳の大きなグラジアートルにのったマホーチンが、彼を追い越して行った。マホーチンは大きな歯を見せながら、にっこり笑った。しかし、ヴロンスキーはおこったように相手をじろっと見たきりだった。だいたい、ヴロンスキーはマホーチンを好かなかったが、今は彼をもっとも手ごわい競争相手と見なしていたので、その彼がそばを駆けぬけて、自分の馬をいらだたせたのがしゃくにさわったのである。フル・フルは、左足をさっと上げて駆歩に移ると、二つばかり飛んだ。そして、手綱がしまっているのに腹を立てて、跑《だく》に移り、乗り手をさかんにゆすり上げはじめた。コードも眉をひそめて、ほとんど走るようにして、ヴロンスキーのあとを追った。

25

競走に参加した将校は、全部で十七人であった。競馬は、栈敷の前にひろがる周囲四キロもある、大きな楕円形《だえんけい》の馬場で行われることになっていた。この馬場の中に、九つの障害物が設けてあった。すなわち、小川、栈敷のすぐ前にある高さ一メートル半ほどの大竹柵《だいちくさく》、空堀《からぼり》、水溝《すいこう》、坂、アイルランド式の踏堤《バンケット》(いちばんむずかしい障害物の一つ)と呼ばれる枯れ枝を一面にさした土坡《どは》、その陰には、馬の目に見えないように、もう一つ溝《みぞ》があるので、馬は一気に二つの障害物を飛び越すか、命を落すかしなければならなかった。そのほかになお二つの水溝と空堀が一つあり、決勝点は桟敷の向う正面になっていた。しかし、競馬の出発点は馬場の中ではなくて、そこより二百メートルばかり離れたわきのほうになっていた。しかも、この距離のあいだに、もう第一の障害物があった——それは、幅二メートルばかりの水をせきとめた川で、それは飛び越そうと歩いて渡ろうと、騎手たちの勝手であった。

三度ばかり騎手たちは、一列に並んだが、そのたびにだれかの馬が前に飛びだすので、また初めからやらなければならなかった。出発係の名手セストリン大佐も、そろそろかんしゃくを起しかけていたが、やっと四度めに『スタート！』と号令をかけることができた。と、騎手たちはいっせいにぱっと飛び出した。

だれの目も、どの双眼鏡も、騎手たちが出発点に並びはじめたときから、その色とりどりの騎手の一団に引きつけられていた。

「そら出た！　さあ、走りだしたぞ！」息をのむような沈黙のあとで、あちらこちらから、こうした声が聞えた。

一団になっているのや、めいめい別になっている立見席の連中は、すこしでもよく見えるようにと、小走りに、あちこち場所を変えはじめた。騎手の一団は、もう最初の瞬間から遅れをとるものがでて、あるいは二人ずつ、あるいは三人ずつ、次々に川へ近づいて行くのが見えた。観衆には、全部がいっせいに駆けだしたように見えたが、騎手たちにとっては重大な意味をもつ一、二秒の差があったのである。

気がたっているうえに、あまりに神経質すぎるフル・フルは、最初の一瞬を逸して、数頭の馬に先を越されたが、まだ川まで走り着かないうちに、ヴロンスキーは、むやみに手綱をひく馬を、一生懸命おさえながら、楽々と三頭を追い越してしまった。もう彼の前には、そのすぐ鼻先で軽々と尻で拍子をとっている、マホーチンの栗毛《くりげ》のグラジアートルと、もう生きた心地《ここち》もないクゾヴリョフを乗せて、トップを切っている美しいディアナの二頭だけになってしまった。

はじめの数分間は、ヴロンスキーもまだ自分をおさえることも、馬を御することもできなかった。彼は第一障害の川に着くまでは、馬の動きを制御することができなかった。

グラジアートルとディアナは、いっしょに川へ近づき、ほとんど同時に、さっと、川の上へ飛びあがり、向う岸へ飛び越した。それにつづいて、フル・フルはあっという間にさながら空飛ぶ鳥のように、高く舞いあがった。しかし、ヴロンスキーは、からだが宙へ舞いあがったなと感じた瞬間、愛馬の足のほとんど真下にあたる、川の向う岸で、クゾヴリョフがディアナといっしょに、ばたばたもがいているのを、ちらっと見た。（クゾヴリョフは飛んだあと、手綱をゆるめたので、馬は彼を乗せたまま、もんどりうって倒れたのである）。ヴロンスキーがこうしたいきさつを知ったのはあとのことで、そのときはただ、フル・フルが足をおろすべき場所が、ディアナの足か頭にあたりはしないかと、ちらっと思っただけであった。しかし、フル・フルは、さながら落下する猫のように、飛びあがっているうちに前足と背に力を入れて、馬をよけて飛びおり、そのまま前へ突進した。

《おお、でかしたぞ……》ヴロンスキーは心の中で叫んだ。

川を越してしまうと、ヴロンスキーはもう完全に馬を御するようになった。そして、大きな柵はマホーチンのあとから越して、その先の障害物のない四白メートルばかりのところで、彼を追いぬこうともくろみながら、馬をひきしめにかかった。

大障害の柵は貴賓席の真正面にあった。彼らが悪魔（この大竹柵は、そうあだ名されていた）のそばへ近づいたとき、皇帝も、宮廷の顕官たちも、群衆も——すべての人びとは彼らふたりを、ヴロンスキーと、一馬身だけ先に立っているマホーチンとを見つめていた。ヴロンスキーは、八方から注がれているこれらの視線をわが身に感じながらも、なにひとつ目にはいらなかった。彼が見ていたのは、ただ自分の馬の耳と首と、彼を目がけて飛んで来る地面と、彼の前で目まぐるしく拍子をとりながら、いつも同じ距離を保っているグラジアートルの尻と、白い足ばかりであった。グラジアートルはぱっと飛びあがったかと思うと、どこにもぶつかった様子はなく、短い尾をひと振りして、ヴロンスキーの視界から消えてしまった。

「ブラヴォー！」だれかが叫んだ。

その瞬間、ヴロンスキーの目の前、というよりも目の下に、大竹柵の板がちらっと見えた。馬はその動作にいささかの変化も見せないで、その上に舞いあがった。と、板は隠れた。ただうしろで、なにか音がしただけであった。先頭をゆくグラジアートルのためにいきりたったフル・フルは、柵の手前で、あまりに早く飛びあがったので、後足のひづめが板にぶつかったのである。が、速度は変らなかった。ヴロンスキーは、泥《どろ》のかたまりを顔にうけながら、またグラジアートルと同じ距離になったのを知った。彼はまたしても自分の目の前に、グラジアートルの尻と、短いしっぽと、相変らず遠ざかりもせずに迅速に動く白い足を見た。

ヴロンスキーが、今こそマホーチンを追い越さなければいけないと思った瞬間、フル・フルも素早く主人の気持を察して、まだなんのさしずも受けないのに、ぐんと速度をまし、いちばん有利な側面である縄《なわ》を張ってあるほうから、マホーチンに接近して行った。しかし、マホーチンは縄のほうへ近づけないようにした。ヴロンスキーが外側からでも抜けると考えたとたん、フル・フルはもう足を変えて、そのとおりに追い越しはじめた。汗のためにもう黒ずみかけたフル・フルの肩は、グラジアートルの尻と並んでいた。しばらくのあいだふたりは並んで走った。しかし、まもなく近づいてきた障害物の手前で、ヴロンスキーは大きく外まわりをしないように、手綱《たづな》をさばきながら、坂ですばやくマホーチンを追い越した。その瞬間、彼は、泥のはねでよごれた相手の顔を、ちらっと見た。相手がにやっと笑ったようにさえ思われた。ヴロンスキーは、マホーチンを抜いたものの、自分のすぐうしろに相手の存在を感じ、背中のすぐうしろに拍子正しいひづめの音と、きれぎれではあるがまだ生きいきとしたグラジアートルの鼻息をたえず耳にしていた。

つづく二つの障害物、水溝と竹柵は、楽々と越せた。ところが、ヴロンスキーには、グラジアートルの鼻息とひづめの音が、前よりいっそう近くに聞えて来た。彼は馬に拍車をかけた。馬がやすやすと速力を加えたのを感じて、彼はすっかりうれしくなった。グラジアートルのひづめの音は、再び前と同じ距離で聞えはじめた。

ヴロンスキーは先頭にたった。それは自分でも望んでいたことだし、コードも勧めてくれたことだったので、いまや彼は自分の勝利を信じて疑わなかった。彼の興奮と歓喜とフル・フルによせる優しい愛情は、ますます強くなっていった。彼はうしろを振り返って見たくてたまらなかったが、思いきってそうすることはできなかった。そして、グラジアートルに残っていると感じられるだけの馬力を、自分の馬にもたくわえておこうと、努めて自分の気持を落ち着かせながら、馬にも拍車をかけないようにしていた。行く手にはただ一つ、もっともむずかしい障害物が残っていた。彼がそれさえまっ先に飛び越えたら、第一着は疑いないところであろう。彼はそのアイルランド式踏探《バンケット》を目ざして突進した。彼はフル・フルといっしょに、まだ遠くのほうからこの踏探《バンケット》を見た。その瞬間、彼らは両方とも、人も馬も、疑いの念におそわれた。彼は馬の耳に躊躇《ちゅうちょ》の気配を認めて、鞭《むち》を振り上げた。が、すぐまた、その懸念《けねん》は根拠のないものだと感じた。馬はなすべきことを心得ていた。フル・フルはぐっと身を乗りだすと、彼の予想どおり、正確に、ひと飛びして、大地をけったまま、惰力に身をまかせ、その力に乗って、溝の向う側まで飛んで行った。それからも、フル・フルは同じ調子で、なんの苦もなく、同じ足どりで疾走をつづけた。「ブラヴォー！　ヴロンスキー！」障害物のそばに立っていた一団の人びとの叫ぶ声が、彼の耳にも聞えた。彼はそれが同じ連隊の仲間だということを知った。彼は、ヤーシュヴィンの声をいやでも聞き分けたが、その姿は見えなかった。

《ああ、なんてすばらしいやつだろう！》彼はうしろの気配に耳を澄ましながら、フル・フルのことを考えた。

《越えたな！》うしろにグラジアートルの跳躍の音を聞きつけて、彼はそう思った。あと残っているのは幅四メートルあまりの、水をたたえた最後の溝が一つあるきりだった。もうヴロンスキーにはそんなものなど眼中になかった。彼はただ大きく差をつけて、一着になりたいと思い、疾走の勢いにうまく拍子をあわせ、馬の頭を上下させながら、円を描くように手綱をさばきはじめた。彼は、馬が最後の力をふりしぼって、走っているのを感じた。馬はその肩や首をびっしょりぬらしているばかりでなく、たてがみの下や頭やとがった耳にも、玉の汗がにじみでていた。馬ははあはあと息をきらしていた。しかし、彼はこの余力だけでも、残りの四百メートルには十分なのを、承知していた。ヴロンスキーは、自分のからだが前よりいっそう地面に近づいたように感じたのと、馬が一種独特の柔らかい身のこなしでうんと速力をましたのを知った。小溝などは、まるで気づかぬように、飛び越えた。馬はさながら小鳥のように飛び越えた。

しかし、ちょうどその瞬間、ヴロンスキーは自分が馬の動きに従わないで、自分でもどういうことかわけがわからなかったが、とにかく鞍《くら》の上に尻《しり》を落し、騎手として許すべからざる、醜い動作をして、われながらはっとした。と、急に彼の姿勢がくずれた。彼は、なにか恐ろしいことが起ったのを感じた。彼がまだなにごとが起ったのか、はっきり自覚するまもなく、もう栗毛の雄馬の白い足が彼のすぐそばにひらめいたかと思うと、マホーチンが全速力でわきを駆けぬけていった。ヴロンスキーの片足は地面にふれ、彼の馬はその足の上に倒れかかった。彼がやっと足を抜いたとたん、馬は横だおしに倒れて、苦しそうにあえぎながら、起きあがろうとして、その細い汗だらけの首をむなしくさしのべていた。それはさながら、弾丸《たま》を受けた小鳥のように、彼の足もとで身をもがいていた。ヴロンスキーはへまな動作で、馬の背骨を折ったのである。しかし、彼がそれを悟ったのは、ずっとあとになってからであった。その瞬間、彼が知ったことは、マホーチンが見るみるうちに遠ざかって行くのに、自分はじっと動かぬきたない地面に、よろめきながら立っていることと、フル・フルが苦しそうに息をつきながら、目の前に身を横たえ、彼のほうへ頭を向けながら、その美しい目でじっと自分を見つめていることだけであった。それでもまだ、ヴロンスキーはなにごとが起ったのか、はっきりのみこめないで、馬の手綱をぐいと引っぱった。馬はまた小魚のように、全身を震わせ、鞍の両翼をはためかせながら、前足を立てようとしたが、尻を持ちあげるだけの力がなく、たちまち、よろめいて、その場にまた横だおしに倒れてしまった。ヴロンスキーは、興奮のあまり醜くなった顔をまっ青にして、下顎《したあご》をがくがく震わせながら、靴《くつ》の踵《かかと》で馬の腹をけり、再び手綱を引っぱりはじめた。しかし、馬は身じろぎもせず、鼻面《はなづら》を泥の中へおしつけて、例のものいうような目つきで、ただじっと主人の顔を仰ぎみるのであった。

「ああ！」ヴロンスキーは頭をかかえながら、うめき声をたてた。「ああ！　おれはなんということをしたんだ！」彼は叫んだ。「競馬にも負けてしまった。しかも、それはこのおれの、恥ずべき、許すべからざる罪なのだ！　しかも、あんなかわいい馬を台なしにしてしまった！　ああ！　おれはなんということをしたんだ！」

大勢の人や、医者や、衛生兵や、同じ連隊の将校たちが、彼を目がけて走って来た。運悪く、彼は自分が無事で、少しも負傷していないことを感じた。馬は背骨を折っていたので、射殺されることにきまった。ヴロンスキーは、人びとの質問に答えることもできなければ、だれとも口をきくこともできなかった。彼は身をひるがえすと、頭から落ちた軍帽を拾おうともしないで、自分でもどこへ行くというあてもなく、競馬場から出て行った。彼は自分を不幸に感じた。彼は生れてはじめてもっともみじめな不幸を、自分が因《もと》となった、取り返しのつかない不幸を、体験したのであった。

ヤーシュヴィンは軍帽を持って彼に追い着き、家まで送って行った。三十分後に、ヴロンスキーはわれに返った。しかし、この競馬の思い出は、彼の生涯《しょうがい》においてもっともみじめな、痛ましい思い出として、長く彼の心に刻みつけられた。

26

妻に対するカレーニンの態度は、表面上、以前と少しも変っていなかった。たった一つ変ってきたのは、彼が以前よりもっと多忙になったことである。例年どおり、彼は春になると、冬のあいだ酷使してそこなわれた健康を回復するために、外国の温泉に出かけた。そして、いつものとおり、七月にもどって来ると、ただちに、前にも増した精力をもって、相も変らぬ自分の仕事にとりかかった。妻も、例によって、別荘へ移り住み、彼はペテルブルグにとどまった。

トゥヴェルスコイ公爵《こうしゃく》夫人邸の夜会のあとで、あのような話をして以来、彼はもう二度とアンナに自分の疑いや、嫉妬《しっと》については話さなかった。そして、例の、だれかの役を演じているような、彼のいつもの調子は、妻に対する現在のような関係にとっては、このうえなく便利なものであった。彼は、妻に対して前よりいくらか冷淡になった。彼はあの晩、はじめてゆっくり話し合おうとしたのに、妻がそれを避けたことに対して、少し不満をいだいているようであった。妻に対する彼の態度には、いまいましさの感じがあったが、それ以上のものではなかった。《おまえは、わしとうちとけて話し合おうとしなかったね》彼は心の中で妻に向って、こういっているようだった。《でも、そうするのは、おまえの損なんだよ。もう今となっちゃ、おまえのほうから頼んでも、わしは話し合いなんかしないからね。ますます、おまえの損になるばかりさ》彼は心の中でつぶやいた。それはまるで、火事を消そうとしてむなしい努力をしたあげく、自分のむなしい努力に腹を立てて、《えい、これはおまえが悪いんだ！もう勝手に燃えちまえ！》そうどなってる人に似ていた。

彼のような勤務にかけては聡明《そうめい》で、細かい神経をもった人物でも、妻に対するそうした態度がまったく愚かしいものであることは、理解できなかった。彼がそれを理解しなかったのは、自分のほんとうの立場を理解するのが、あまりに恐ろしかったからである。だから彼は、自分の家族、つまり、妻とむすこに対する自分の感情をおさめた胸の小箱の蓋《ふた》をしめ、鍵《かぎ》をかけ、さらに封印までしてしまったのである。それまでかなり注意ぶかい父親であった彼も、この冬の終りごろから、むすこに対してひどく冷淡になり、わが子に対しても、妻に対するときと同じような、小ばかにしたような態度をとるようになった。「やあ！　お若いの！」彼はこんな調子でむすこに話しかけるのであった。

カレーニンは、今年ほど役所の仕事が忙しいことはないと、考えもし、人にも語っていた。しかし、彼は今年はわざと自分で仕事を考えだしたのであり、それは妻子に対する感情と考えのはいっている例の小箱を、あけない方便の一つであるとは意識していなかった。しかも、そうした感情や考えはその小箱に長くはいっていればいるほど、ますます恐ろしいものになるのであった。もしだれかがカレーニンに、あなたは奥さんの行状をどう考えているのかと、きく権利をもっているとしたら、柔和で温厚なカレーニンは、なんにも返事をしないで、そんなことをきいた男にひどく腹を立てたにちがいない。いや、こうしたことのために、妻の健康をきかれたときのカレーニンの表情は、なにかしら傲慢《ごうまん》でいかめしくなるのであった。カレーニンは妻の行状や感情については、なにも考えたくなかったし、実際、そうしたことについては、なにひとつ考えなかった。

カレーニンがいつも行く別荘はペテルゴフにあって、毎年夏になると、リジヤ伯爵夫人が隣家に来て、アンナと親しいつきあいをすることになっていた。ところが、今年は伯爵夫人はペテルゴフで暮すのを断わり、一度もアンナを訪ねず、カレーニンに向って、アンナがベッチイやヴロンスキーと親しくするのはおもしろくない、とほのめかす始末であった。カレーニンはきびしく相手をおしとめて、妻はそんな疑いを超

越していると いいきったが、それ以来リジヤ伯爵夫人を避けるようになった。彼は、社交界で多くの人びとが、妻を横目でにらんでいるのを、見ないようにしたし、また見もしなかった。また、妻が、ヴロンスキーの連隊の野営地に近い、ベッチイの住んでいるツァールスコエへ移ろうと、とくにいいはったわけを、理解しようともしなかったし、事実、理解しなかったのである。彼はそんなことを考えるのを、いさぎよしとしなかったし、そう考えもしなかった。しかし、それと同時に、彼はけっして自分で自分にそんなことをいいもせず、またそれに対する証拠はおろか、疑いさえ持たなかったにもかかわらず、心の奥底では、自分が欺《あざむ》かれた夫であることをちゃんと承知していて、そのために心から不幸であった。

過去八年間の妻との幸福な結婚生活のあいだに、カレーニンは世間の不貞な妻や欺かれた夫を見て、幾度こうつぶやいたことだろう。《なぜあんなになるまで、ほっといたんだろう? なぜあんなみっともない状態を解消しないんだろう?》ところがいまや、その不幸が自分の頭上に落ちて来たとき、彼はその状態を解消しようと考えなかったばかりか、その状態を認めようともしなかった。彼がその事実を認めようとしなかったのは、それがあまりにも恐ろしくあまりにも不自然だったからである。

外国から帰って以来、カレーニンは二度別荘へ行った。一度は食事をし、もう一度は客と夕べを過したが、今までの習慣に反して、一度も泊らなかった。

競馬の当日は、カレーニンにとってひじょうに忙しい日であった。しかし、朝から もう一日の予定をきめて、夕食を早めにすませ、すぐ妻のいる別荘へ行き、そこから 陛下が顕官を従えて臨御されるはずの競馬場へ顔を出さなければならないと決心して いた。妻のところへは、世間体のために週に一度行くことにきめていたからである。 そのほか、この日には十五日というきめに従って、生活費を渡さなければならなかっ たからである。

彼は自分の思いを支配する習慣から、妻についてこれだけのことを考えると、もう それ以上は妻に関したことを考えないようにした。

その日、カレーニンは午前中とても忙しかった。前の日に、リジヤ伯爵夫人は、目 下ペテルブルグ滞在中の有名な中国旅行家のパンフレットを送って来て、当の旅行家 に会ってもらいたい、それはいろいろな点から考えて、なかなか興味のある、有用な 人物だから、と、走り書きの手紙をよこした。カレーニンは昨晩、そのパンフレット を読み終ることができなかったので、けさになってその残りを読んだ。それから、請 願人がやって来て、報告、面接、任命、免職、賞与や年金や俸給《ほうきゅう》の割振り、往復書簡 など――カレーニンのいわゆるふだんの仕事がはじまって、それがひじょうに手間どった。そのあとは私用で、医者が来たり、執事がやって来たりした。執事はあまり手間をとらせなかった。彼はただカレーニンに必要な金を渡して、あまりかんばしくない財政状態を簡単に報告しただけであった。というのは、今年は社交界の出入りが多くて、支出がかさみ、赤字になったからである。一方、カレーニンと友だちづきあいしているペテルブルグの有名な医者は、ひどく時間をとった。カレーニンはきょうこの医者が来るとは思っていなかったので、その来訪にはびっくりした。しかも、相手がひどくていねいに、彼の健康状態をくわしくたずね、胸部を聴診したり打診したり、肝臓をおさえてみたりしたので、なおさらびっくりしてしまった。じつは、彼の親友であるリジヤ伯爵夫人が、今年はカレーニンの健康が思わしくないと見て、病人を診察して来てほしいと、この医者に依頼したのであった。『どうか、あたしのために、そうしてくださいまし』リジヤ伯爵夫人は医者にいった。

「私はロシアのためにいたしますよ、伯爵夫人」医者は答えたものである。

「ほんとに、かけがえのない方ですもの！」リジヤ伯爵夫人はいった。

医者は、カレーニンの健康状態にひどく不満であった。診察の結果、肝臓はいちじるしく肥大していたし、栄養状態も悪く、温泉の効果も少しも認められなかった。医者は、なるべく肉体運動をして、精神的緊張を減らし、なによりも絶対に心配事をしてはいけないと命じた。しかし、ほかならぬそのことは、カレーニンにとっては、息をしないでいろというのと同様、まったく不可能なことであった。こうして、その医者はカレーニンの心に、自分の内部にはなにかよくないものがあるが、それをなおすことは不可能だという、不愉快な意識を残して、帰って行った。

カレーニンのもとを辞してから、医者は、玄関の階段のところで、カレーニンの事務主任で、かねてから懇意にしていたスリュージンに、ぱったり出会った。ふたりは大学時代の友だちで、めったに会うことはなかったが、互いに尊敬しており、ひじょうに親しい間がらであった。したがって、医者としては病人について忌憚《きたん》のない意見を述べるのに、スリュージンほど適当な人物はなかった。

「きみが彼をみに来てくれて、ほんとによかった」スリュージンはいった。「どうも、先生、ぐあいがよくないらしい。ぼくの見るところじゃ……でも、どうなの？」

「いや、じつはね」医者はスリュージンの頭越しに、自分の御者に手を振って、馬車をまわすように合図しながら、いった。「じつはね」医者はその白い手にキッド皮の手袋の指を一本つまみ、それをぴんと引っぱってみせながら、いった。「絃《いと》を強く張らないでおいて、それを切ろうとしても、なかなかむずかしいが、もうこれ以上だめというところまで張っておいて、その張りつめた絃を一本の指でおさえてみたまえ、すぐぷつんと切れてしまうよ。ところが、あの人は辛抱強くて、仕事に対して良心的だから、もうこれ以上だめというところまで張りつめているわけだね。しかも、そこへ、わきのほうから圧迫が加えられている、それもかなり重いやつがね」医者は意味ありげに眉《まゆ》を上げて、こう結んだ。「で、きみは競馬へ行くの？」彼はまわされた馬車のほうへおりて行きながら、つけ加えた。「ええ、そりゃ、もちろん、たいへんな暇つぶしだよ」医者はスリュージンのいった言葉がよく聞えないままに、なにかこんなことを答えた。

ひどく時間のかかった医者につづいて、有名な旅行家が姿を現わした。カレーニンは今読んだばかりのパンフレットと、この方面に関する前からの知識を活用して、自分の造詣《ぞうけい》の深さと文化的視野の広さで、旅行家を驚かした。

この旅行者と同時に、ペテルブルグへ出て来たある県の貴族団長の来訪が取次がれたが、この人とも用事があったのである。この人が帰ってから、今度は事務主任といっしょにふだんの仕事を片づけ、それからさらにある重大な用件で、さる名士を訪問しなければならなかった。カレーニンはようやく、いつもの五時の食事までに帰ることができた。そして、事務主任と食事をすると、彼を誘って、別荘と競馬に同行させることにした。

カレーニンは、自分でもそれを意識しないまま、最近妻と会うときには、なるべく、第三者にいてもらうようにしていたのである。

27

アンナは二階の鏡の前に立って、アンヌシカに手伝ってもらいながら、最後のリボンを服につけようとしていたが、ふと、車寄せのあたりで砂利をかむ車輪の音を聞きつけた。

《ベッチイにしてはまだ早すぎるわ!》彼女は思った。そして、窓の外をのぞくと、一台の箱馬車が目にはいり、その中から突き出ている黒い帽子と、あのおなじみのカレーニンの耳が見えた。《まあ、間が悪いこと。泊るんじゃないでしょうね?》彼女は考えた。しかし、それから生れる結果を思うと、恐ろしくてたまらなかったので、一刻もそんなことは考えずに、楽しそうに顔を輝かせながら、夫を出迎えに行った。そして、すぐ彼女は、かねてから覚えのある虚偽と欺瞞《ぎまん》の悪魔が自分の中にひそんでいるのを感じながら、さっさと、その悪魔に身をゆだね、自分でもなにをいいだすかもわからぬままに、しゃべりだした。「まあ、うれしいこと!」アンナは夫に手をさしのべ、スリュージンには内輪の人として微笑であいさつしながら、いった。「ねえ、今晩はお泊りしてくださるでしょう?」これが欺瞞の悪魔がささやいた最初の言葉であった。「さ、今からごいっしょにまいりましょう。ただ残念なのは、あたし、ベッチイと約束しましたの。あの人、迎えに来てくれることになってますの」

カレーニンは、ベッチイの名を聞くと、顔をしかめた。

「いや、私は離れがたい仲をひきさこうなんてことはせんよ」彼は例の冗談口調でいった。「私はスリュージン君といっしょに行くから。それに、医者どもが歩けといっているから、途中まで少し歩くさ。まあ、温泉場にでもいると思えばいいさ」

「なにもそうお急ぎになることありませんわ」アンナはいった。「お茶はいかが?」

アンナはベルを鳴らした。

「お茶を持って来てちょうだい。それから、セリョージャに、パパがいらっしゃったといってね。それで、おからだのほうはどうなんですの? スリュージンさん、あなた、ここにおいでになったことはございませんわね。よくごらんになってくださいな、このバルコニーはとても気持がいいでしょう」アンナはふたりにかわるがわる話しかけていった。

アンナはきわめて率直に、自然にしゃべっていた。しかし、言葉があまりに多すぎ、しゃべり方もあまりに早口だった。彼女は自分でもそれを感じた。ことに、自分を見つめるスリュージンの好奇心に満ちたまなざしから、彼女は相手が自分を観察しているらしいのに気づいたので、なおさらそう感じるのだった。

スリュージンはすぐテラスへ出て行った。

アンナは夫のそばへ腰をおろした。

「あまりお元気そうじゃありませんわね」彼女はいった。

「ああ」彼はいった。「きょう医者がやって来て、一時間も暇をつぶされたよ。どうやら、友だちのだれかが、私のところへさしむけたらしい。私の健康がとても貴重だといってね……」

「まあ、それで、お医者さまはなんとおっしゃいまして？」

アンナは夫の健康や仕事のことを、いろいろとたずねた末、休暇をとって自分のところへ移るように勧めた。

彼女はこうしたことを、さも楽しそうに、早口に、そのひとみに一種特別の光をたたえながら、いった。しかし、今はもうカレーニンもアンナのそうした調子には、なんの意味も認めなかった。ただ彼女の言葉を聞いて、その言葉のもっている直接の意味だけを認めるのだった。だから、彼もふざけた調子ではあったが、率直に答えていた。こうした会話そのものには、なにひとつ特別なものはなかった。しかし、アンナはその後いつになっても、羞恥《しゅうち》の悩ましい痛みを感じずには、この短い一場面を思いだすことができなかった。

セリョージャが、家庭教師に連れられて、はいって来た。もしカレーニンがよく観察したのなら、セリョージャがおどおどした、途方にくれたような日つきで、まず父を、つづいて母を見上げたのに、気づいたであろう。しかし、彼はなにも見たくなかったので、なにひとつ見なかった。

「やあ、お若いの！　大きくなったな。まったく、一人前の男になったな。ごきげんよう、お若いの」

そういって、彼はおびえているセリョージャに手をさしのべた。

セリョージャは、以前から、父親に対してはおどおどしていたが、父が自分を「お若いの」と呼びはじめてから、またヴロンスキーが敵か味方かという疑いが、頭に浮ぶようになってから、前よりいっそう父をよそよそしく感じるようになった。彼は助けを求めるように、母親のほうを振り返った。ただ母といっしょのときだけは楽しかった。そのあいだも、カレーニンは家庭教師と話をしながら、むすこの肩に手をのせていたが、セリョージャはすごく居心地《いごこち》が悪いらしく、今にも泣きだしそうなのを、アンナは見てとった。

むすこがはいって来た瞬間、さっと顔を赤らめたアンナは、セリョージャのばつの悪そうな様子を見ると、急いで立ちあがって、むすこの肩にかかっていた夫の手をはずした。そしてわが子に接吻《せっぷん》して、テラスへ連れ出したかと思うと、すぐ引き返して来た。

「でも、もう時間ですわ」アンナはちらっと時計を見て、いった。「なぜベッチイは来ないのかしら……」

「ああ」カレーニンはいって、いすから立ちあがると、手を組み合せて、ぽきぽきと指を鳴らした。「私はおまえにお金を渡そうとも思って、寄ったんだよ。うぐいすだって、おとぎ話だけじゃ飼えんからね」彼はいった。「おまえもいるだろうと思ってね」

「いえ、いりませんわ……そう、いりますわね」アンナは夫の顔を見ずに、髪の付け根まで赤くして、いった。「じゃ、あなたも競馬のあとで、ここへいらっしゃいますわね」

「ああ、来るとも！」カレーニンは答えた。「ほら、ペテルゴフの花形、トヴェルスコイ公爵《こうしゃく》夫人のお越しだよ」彼は、ばねの上に小さな車体を恐ろしく上につけ、首輪を用いず皮紐《かわひも》だけで馬をつないだイギリス風の幌馬車《ほろばしゃ》が近づくのを、窓越しに見て、つけ加えた。「まったく、しゃれた車だね！　すてきだ！　さて、われわれも行くとするか」

トヴェルスコイ公爵夫人は、馬車からおりて来なかった。ただゲートルつきの靴《くつ》に、肩あてをつけ、黒い帽子をかぶった召使が、車寄せのところで飛びおりたきりだった。

「じゃ、あたし、まいりますわ、ではのちほど！」アンナはいって、わが子に接吻すると、カレーニンに近づいて、手をさしのべた。「ほんとに、よくいらしてくださいましたわねえ」

カレーニンは妻の手に接吻した。

「それじゃ、のちほどまた！　お茶を飲みにお寄りになりますわね。けっこうですわ！」アンナはいって、楽しそうに顔を輝かせながら、出て行った。しかし、彼女は夫の姿が見えなくなるやいなや、自分の手に夫の唇《くちびる》がふれた個所を意識して、ぶるっと嫌悪《けんお》の情に身を震わせた。

28

カレーニンが競馬場に姿を現わしたとき、アンナはもうベッチイと並んで、上流社会の人びとがみんな集まっている桟敷《さじき》にすわっていた。アンナはまだ遠くのほうから、夫の姿に気づいた。ふたりの男――夫と恋人は、アンナにとって、生活の二つの中心だったので、外的な感覚の助けをかりなくとも、つねに彼らの接近を感知することができた。アンナはまだ遠くのほうから、夫の接近を感じたので、群衆の波をかきわけて来る彼の姿を、思わず、じっと見つめていた。アンナは彼が、ごきげんをとるような会釈《えしゃく》に対して、わざとていねいにこたえたり、同僚にはあるいは親しげな、あるいは放心したようなあいさつをかわしたり、この世の権力者には、努めてその視線を待ちうけるようにして、耳の端をおさえつけている大きな丸い帽子を取ったりしながら、桟敷のほうへ近づいて来るのを見ていた。彼女は夫のこうした態度をよく知りぬいていたが、それはなにからなにまでいやらしかった。《ただ名誉欲だけ、ただ成功したいという気持だけなのよ――あの人の心にあるのは。ただそれだけなんだわ》アンナは考えた。《高遠な思想も、文化に対する愛も、宗教も、なにもかもみんな、成功す

るための武器にすぎないんだわ》

　婦人席へ注がれた彼の目つきによって（彼はまっすぐ妻のほうを見ながらも、紗《しゃ》の衣装や、リボンや、羽毛や、パラソルや、花飾りなどの海の中では、妻の姿を見分けることができなかった）、夫が自分を捜しているのを悟った。しかし、彼女はわざと夫に気づかないふりをしていた。

「カレーニンさま！」ベッチイ公爵夫人は叫んだ。「あなたは、きっと、奥さまがお目にとまらないんでしょう。ここにいらっしゃいますわよ！」

　彼は例の冷やかな微笑を浮べて、ほほえんだ。

「ここはあんまり華やかなので、目移りがしてしまいますよ」彼はいいながら、桟敷にはいって来た。彼は妻に笑顔を見せたが、それはたった今別れたばかりの妻を見た夫が、当然見せるような笑顔であった。それから、公爵夫人や、その他の知人たちにあいさつをかわしながら、そのひとりひとりにしかるべき応対をした。つまり、婦人たちには軽い冗談をいい、男たちとはあいさつの言葉をかわした。下のほうの桟敷のそばには、カレーニンの尊敬している、知性と教養で名高い侍従武官長が立っていたので、カレーニンは彼を相手に話しはじめた。

　それはおりよく競馬の合間だったので、だれもふたりの話のじゃまをしなかった。

侍従武官長は競馬を非難した。カレーニンはそれに反駁《はんばく》して、競馬を弁護した。アンナは夫の細い一本調子の声を、一語ものがさず聞いていたが、そのひと言ひと言に誠実味がないような気がして、耳を刺されるような思いだった。

四キロの障害物競走がはじまったとき、アンナは身を乗りだして、ヴロンスキーが自分の馬に近寄り、やがてその背にまたがるのを、わき目もふらず、ながめていた。が、それと同時に、たえず夫の口をついて出る不愉快な声を聞いていた。アンナは、ヴロンスキーの身を気づかう不安に悩まされていたが、それよりもさらに、例の聞きなれたアクセントをつけてしゃべる夫の、かぼそい、やみ間のないように思われる声の響きに悩まされた。

《あたしはいけない女だわ、身を滅ぼした女だわ》彼女は考えた。《でも、あたしはうそをつくのはきらいだわ、うそには我慢できないわ、それなのに、あの人(夫)の口にするものといったら、うそばかりだわ。あの人はなにもかも知っているのに、なにもかも見ているのに、しかも、あんなに落ち着いて話ができるなんて、いったい、あの人は、どんなふうに感じているのかしら？　もしあの人があたしを殺したら、ヴロンスキーを殺したら、あたしは、きっと、あの人を尊敬するわ。でも、だめだわ。あの人に必要なのは、ただうそと世間体だけなんですもの》アンナは自分は夫になにを望んでいるのだろう、夫がどういうふうであってほしいのだろう、と考えながら、そっと、自分につぶやいた。ところが、アンナはこれほど自分をいらだたせたきょうの夫の饒舌《じょうぜつ》は、単に彼の内心の混乱と不安の表現にすぎないことを、少しも悟っていなかった。けがをした子供が、痛みをまぎらわすために、足をばたばたやって、筋肉を運動させるのと同様、カレーニンにとっては、今妻とヴロンスキーを目の前に見、ヴロンスキーの名がたえず繰り返されるので、いやでも考えざるをえない妻についての思いをまぎらわすために、知的な運動が必要だったのである。子供なら、足をばたばたやるのが自然なように、彼の場合は、じょうずに気のきいた話をするのが自然だったのである。彼はこんなことをしゃべっていた。

「軍人の、つまり、騎兵の競馬に危険が伴うことは、競馬にとっては必須《ひっす》の条件ですよ。もし英国が戦史において、騎兵の輝かしい業績を誇ることができるとしたら、それはただ英国が、こうした馬と人間との力を歴史的に発達させていったおかげですね。スポーツというものは、私の考えでは、大きな意義をもっているものですが、われわれは例によって、そのもっとも皮相な面ばかりを見ているのです」

「皮相だけじゃございませんわ」トヴェルスコイ公爵夫人はいった。「ある将校さんなんか、肋骨《ろっこつ》を二本も折ったという話ですもの」

カレーニンは例の微笑をもらしたが、それはただ歯を見せただけで、なんの意味もなかった。

「じゃ、奥さん、それは皮相なものでなくて、内面的なものだとしましょう」彼はいった。「ところが、問題はそんなところにあるんじゃないのですよ」彼は先ほどからまじめに話をしていた将官のほうへ、再び話しかけた。「どうか、競走に参加しているのは、みずからそれを選んだ軍人たちであることを、お忘れにならないように。ところで、どんな職業にも優勝楯《たて》の裏の面をもっておるということには、ご異議ないでしょうな。これは直接、軍人の義務に属するものですよ。拳闘《けんとう》とか、スペインの闘牛とかいう醜いスポーツは、野蛮のしるしですが、しかし専門化されたスポーツは、文明の進歩の象徴ですよ」

「いいえ、あたしはもう二度とまいりませんわ。あんまりはらはらさせられるんですもの」ベッチイ公爵夫人はいった。「そうじゃなくって、アンナ？」

「はらはらさせられても、そうかといって、目をそらすわけにもいきませんわ」もうひとりの貴婦人がいった。「あたしが古代ローマの女でしたら、どんな闘技場だって欠かしはしなかったでしょうよ」

アンナはひと言もいわないで、双眼鏡を目から放さずに、じっと、一つところを見つめていた。

そのとき、桟敷の中を、ひとりの背の高い将軍が通りぬけた。カレーニンは急に話をやめ、急いで、しかし威厳を失わぬように立ちあがると、そばを通りすぎる将軍に、うやうやしく会釈した。

「あなたは競走に参加されないんですか？」将軍は冗談をいった。

「人生の競走だけでも、もっと骨が折れまして」カレーニンは慇懃《いんぎん》に答えた。

この答えには、べつになんの意味もあるわけではなかったが、将軍は聡明《そうめい》な人から聡明な言葉を聞き、その la pointe de la sauce（訳注　苦味のきいたところ）を十分味わったような顔つきをした。

「これには二つの面があるのです」カレーニンは言葉をつづけた。「競技者と観覧者です。こうした見せものを喜ぶということは、観覧者の文化的発育が遅れているなによりの証拠ですな。私もそれには異存ありませんが、しかし……」

「公爵夫人、賭《か》けをしましょう！」ベッチイに話しかけるオブロンスキーの声が、下のほうから聞えた。「あなたはだれにお賭けになります？」

「あたしとアンナは、クゾヴリョフ公爵にしますわ」ベッチイは答えた。

「私はヴロンスキーです。手袋を一組」

「けっこうですわ！」

「いや、まったく美しいですな！　え、このながめは！」

カレーニンは、自分のまわりで話し声のしているあいだは口をつぐんでいたが、すぐにまた話しだした。

「私も同感ですよ、しかし、男性的な競技というものは……」彼は話をつづけようとした。

が、そのとたん、騎手たちがスタートを切ったので、いっさいの会話は、ぴたっと、やんでしまった。カレーニンもまた口をつぐんだ。みんなは総立ちになって、川のほうへ向いた。カレーニンは競馬に興味がなかったので、走って行く騎手たちを見ないで、疲れたような目つきで、観衆をぼんやり見まわしはじめた。彼の視線はアンナの上にとまった。

アンナの顔は青ざめて、きびしかった。彼女は明らかに、ただひとりのほかは、だれひとり、なにひとつ見ていないらしかった。扇を握りしめた手はかすかに震えていた。彼女は息を殺していた。彼はその様子をちらと見ると、あわてて顔をそむけ、ほかの人たちの顔を見まわした。

《いや、あの婦人も、ほかの婦人たちも、ひどくはらはらしているようだが、それもむりない話だ》カレーニンは心の中でつぶやいた。彼は妻のほうを見たくなかったけれど、その視線はひとりでに、そちらへひきつけられてしまうのだった。彼は、妻の顔にはっきりと書かれていることを読まないように努めながら、再びその顔にじっと見入ってしまった。と、彼はそこに自分が知りたくなかったことを読みとって、思わずぞっとした。

川のふちでクゾヴリョフが最初に落馬したとき、すべての観客が騒いだが、しかしカレーニンはアンナの青ざめた顔に、勝ち誇ったような色が浮ぶのを見て、彼女の見ている人は落馬しなかったということをはっきり悟った。マホーチンとヴロンスキーが、大きな柵《さく》を飛び越したあと、それにつづいた将校がその場でまっさかさまに落ちて、瀕死《ひんし》の重傷を負い、恐怖のざわめきが観衆全体にひろがったときも、アンナはそれさえ気づかず、まわりの人びとがなんの話をはじめたか、ほとんどわからないでいるらしいのを、カレーニンは見てとった。しかも、彼は前よりもっとひんぱんに、もっと執拗《しつよう》に妻の顔にながめいった。疾駆するヴロンスキーの勇姿に、心をうばわれていたアンナも、わきのほうから自分にそそがれている夫の冷たい視線を感じていた。

アンナは一瞬振り返って、もの問いたげに夫の顔を見やったが、かすかに眉《まゆ》をひそめて、すぐまた顔をそむけてしまった。

その様子は《ああ、あたしはどうだってかまわないわ》と、夫にいってるようにも見えたが、彼女はもうそれっきり一度も、夫のほうは見なかった。

それは不幸な競馬だった。十七人のうち半数以上が、落馬して、負傷した。競走が終り近くなったころには、みんなが興奮していた。その興奮は、陛下が不満の色を見せられたので、さらに大きくなっていった。

29

すべての人びとが声高《こわだか》に非難の気持を表明し、だれかの口からもれた『これじゃ、獅子《しし》のいる闘技場と少しも変らないじゃないか』という一句を、口々に繰り返すのだった。すべての人びとが恐怖を感じていたので、ヴロンスキーが落馬して、アンナが思わず大きな声で、あっと叫んだときも、べつに並みはずれたこととは感じられなかった。しかし、それにつづいてアンナの顔に起った変化は、まったくはしたないものであった。アンナはすっかり取りみだしてしまった。まるで捕えられた小鳥のように身をもがきながら、立ちあがってどこかへ行こうとしたり、ベッチイに向ってこんなことを口走ったりする始末だった。

「行きましょうよ、ね、行きましょうよ」

しかし、ベッチイにはその声が耳にはいらなかった。彼女は下のほうへかがみこんで、そばへ寄って来た将軍と話していたからである。

カレーニンはアンナに近づいて、いんぎんに手をさしのべた。

「よかったら行きましょうか」彼はフランス語でいった。しかし、アンナは将軍のいっていることに耳を澄ましていたので、夫に気がつかなかった。

「やっぱり、足を折ったといってますよ」将軍はいった。「いやはや、まったくお話になりませんな」

アンナは夫に答えないで、双眼鏡を取りあげ、ヴロンスキーが落馬した場所を見やった。しかし、かなり遠く離れていたうえに、人びとが大勢群がっていたので、なにひとつ見分けることができなかった。彼女は双眼鏡をおろして、出て行こうとした。が、そのとき、ひとりの将校が駆けつけて来て、なにごとか陛下に奏上した。アンナはぐっと身を乗りだして、耳を澄ました。

「スチーヴァ！　スチーヴァ！」彼女は兄を呼んだ。

しかし、兄は彼女の声を耳にしなかった。アンナはまたもや出て行こうとした。

「もしお出になりたいなら、私はもう一度手をかしてあげましょう」カレーニンは妻の手に触れながらいった。

アンナは嫌悪の情を示して、夫から身を避け、その顔も見ないで、答えた。

「いえ、いえ、放っといてちょうだい。あたし、残ってますわ」

そのとき、アンナは、ヴロンスキーの落馬した地点から、ひとりの将校が馬場を横ぎって、桟敷のほうへ走って来るのを認めた。ベッチイはその将校にハンカチを振った。

将校は、騎手にはなんのけがもなかったが、馬は背骨を折った、というニュースをもたらした。

それを聞くと、アンナはいきなり腰をおろして、扇で顔をおおった。カレーニンは妻が泣いているのを、それも涙ばかりか、今にも激しく胸をふるわせてわっと泣きだしそうなのを見てとった。カレーニンは自分のからだで妻をかばいながら、妻が気をしずめるのを待った。

「さあ、もう一度、三度めに手をかしてあげましょう」彼はしばらくたってから妻に話しかけた。アンナは夫の顔を見上げたが、なんと答えていいか、わからなかった。

ベッチイ公爵《こうしゃく》夫人が、助け舟を出した。

「いいえ、カレーニンさま。あたくしが奥さんをお連れしたんですし、お送りするのもお約束したんですの」ベッチイが口をはさんだ。

「いや、奥さん」彼は慇懃に笑顔を見せながらも、きっと相手の目を見つめながら、いった。「どうやら、アンナはあまりからだのぐあいがよくなさそうですから、私といっしょに家へ帰らせたいと思います」

アンナはおびえたように夫を振り返ると、おとなしく立ちあがって、夫の腕に手をかけた。

「あたし、あの方のとこへ使いをやって、様子を聞いたうえで、お知らせいたしますわ」ベッチイはアンナの耳にささやいた。

桟敷の出口で、カレーニンは、例によって、行き会う人たちと言葉をかわした。アンナも、いつものとおり、返事をしたり、話をしなければならなかった。しかし、彼女は夢でも見ているような心地《ここち》で、夫と腕を組んで歩いて行った。

《けがをしたのじゃないかしら？　無事だというのはほんとかしら？　あの人、来てくれるかしら？　今晩、会えるかしら？》アンナは心の中で考えた。

アンナは黙って、夫の馬車に乗りこみ、無言のまま、馬車のひしめきあっている中を出た。カレーニンは、今あれほどのことを目撃したにもかかわらず、やはり妻の真実の状態を考えようとはしなかった。ひょっとすると、彼は妻の外面的な徴候を見たにすぎなかったかもしれない。ただ妻のはしたない行いを目撃したので、当然の義務としてそのことを妻に注意しようとした。しかし、彼としては、単にそれだけのことをいって、それ以上のことをいわないというのは、ひじょうにつらいことであった。彼は、おまえはずいぶんはしたないまねをしたね、といおうと思って、口を開いたが、思わず、まったく別のことをいってしまった。

「いや、それにしても、なぜ私たちはあんな残酷なものを見たがるんだろうね」彼はいった。「私は気がついたんだが……」

「え、なんのこと？　あたし、さっぱり、わかりませんわ」アンナはさげすむようにいった。

彼はむっとなって、いきなり、いおうと思っていたことをいいだした。

「私としてはあなたにいっとかねばならんことがある……」彼はそう切りだした。

《さあ、はじまった、いよいよ話し合いだわ》アンナはちらと考えて、恐ろしくなった。

「私としていっとかなければならんのは、きょうのあなたのふるまいは、まったくはしたないものだということだ」彼は妻にフランス語でいった。

「どんなところが、はしたなかったんですの？」アンナはくるりと夫のほうへ顔を向けて、まともにその目を見つめながら、大きな声でいった。しかし、その様子はもう前のように、なにか隠している浮きうきしたものではなく、もう覚悟をきめたようなきっぱりした面持《おもも》ちだった。もっとも、彼女はそうした仮面の下に今自分の感じている恐怖を、かろうじて隠していたのであった。

「しめ忘れないように」御者台に向いた窓があいているのを指さしながら、彼は妻に注意した。

彼は立ちあがって、ガラス窓をしめた。

「あたしのどこがはしたないふるまいでしたの？」アンナは繰り返した。

「騎手のひとりが落馬したとき、あなたが包み隠せなかったあの取りみだしたふるまいですよ」

彼は妻の反駁《はんばく》を待った。ところが、アンナは前のほうを見つめたきり、ずっと黙っていた。

「私はもう前にも、いったん、社交界へ出たら、口の悪い連中にもなにひとつうしろ指をさされぬようにふるまってほしいと頼んでおいたはずです。そりゃ、私ももっと内面的な関係について、とやかくいったときもあったけれど、今はそんなことをいってるのじゃありません。今はただ外面的な関係だけについていっているのですから。

たしかに、きょうのふるまいは、はしたないものでしたから、もうそうしたことが二度と繰り返されないようにしてほしいのです」

アンナは夫の言葉を半分も聞いていなかった。ただ夫に対する恐怖だけを感じながら、ヴロンスキーが死ななかったというのは、ほんとうだろうか、とばかり考えていた。騎手は無事で、馬だけが背骨を折ったというのは、彼のことをいってたのだろうか？　夫が話しおえたとき、アンナはただわざとらしく、冷やかな笑いを浮べたきりで、なにひとつ返事をしなかった。というのは、夫の話を聞いていなかったからである。カレーニンは思いきって話しはじめたが、自分の話していることをはっきり理解したとき、アンナの感じていた恐怖が彼にも感染した。彼は妻の冷やかな笑いを見ると、ふしぎな錯覚におそわれた。《あれはわしの疑いを笑っているのだ。そうだ、今にもあのときと同じことをいいだすだろう。そんな疑いはなんの根拠もないことで、ただこっけいなだけだ、なんて》

なにもかもいっさいが暴露されようとしている今、彼にとっては妻が今度も以前と同じように、そんな邪推はこっけいですわ、なんの根拠もありませんもの、とあざけるように答えてくれるのをなによりも望んでいた。彼は、自分の知ったことが、あまりに恐ろしかったので、今はどんなことでも、信じようという気になっていた。しかし、妻のおびえたような暗い表情は、もはや、そうした偽りの希望さえ持たせなかった。

「ひょっとすると、私の考え違いかもしれない」彼はいった。「そうだったら、おわびするよ」

「いいえ、お考え違いじゃございません」アンナは夫の冷やかな顔を、絶望的なまなざしで見つめながら、ゆっくりといった。「お考え違いじゃございません。あたしは絶望していましたし、今も絶望しないではおられません。あたしは、あなたのお話を聞きながらも、あの方のことを考えているのですから。あたしはあの方を愛しています。あたしはあの方の情婦です、あたしにはもう我慢ができません、あたしにはあなたが恐ろしいのです、あたしはあなたを憎んでいるのです……さあ、あなたのお気のすむように、あたしをどうなりとなさってください」

そういうなり、アンナは馬車の片すみに身を投げ、顔を両手でおおいながら、激しく泣きくずれた。カレーニンは身じろぎもせず、まともに見すえた視線を変えようともしなかった。しかし、その顔全体は、不意に、死者のような荘厳《そうごん》な不動の表情を浮べた。そして、この表情は別荘へ着くまで、途中もずっと変らなかった。わが家のそばへ近づくと、彼は前と同じ表情のまま、妻のほうへ顔を向けた。

「そうか！　だが、ある時期までは、外面的だけにしろなんとしても体面を保ってもらいたい」彼の声は震えだした。「つまり、私が、自分の名誉を守る方法を講ずるまでは。その点については、いずれ、あなたに知らせよう」

彼は先におりて、妻を助けおろした。召使たちの見ている前で、彼は黙って妻に握手すると、また馬車に乗って、ペテルブルグへ帰って行った。

彼と入れちがいに、ベッチイ公爵夫人の使いが来て、アンナに走り書きの手紙を持って来た。

『あたしはヴロンスキーのところへ使いをやって、からだのぐあいをたずねましたところ、あの人は無事でどこも悪くないが、ただ絶望していると返事をよこしました』

《それなら、あの人はやって来る》アンナは考えた。《夫になにもかもいってしまって、ほんとうによかった》

アンナはちらと時計を見た。まだ三時間も間があった。最後に会ったときのこまごました思い出が、彼女の血を燃えたたせた。

《まあ、なんて明るいんだろう！（訳注　白夜のために夜が明るいことをいっている）恐ろしいわ。でも、あたしはあの人の顔を見るのが好きだわ、この幻想的な明りが好きだわ……夫ですって？　ああ、そうだわ……ええほんとに助かったわ、あのほうがすっかり片がついて》

30

人の集まる場所というものはどこでもそうだが、シチェルバツキー一家の到着したドイツの小さな温泉場でも、それぞれの人にあるきまった場所を割り当てる、相も変らぬ一種の社会的結晶とでもいうべきものができあがっていた。水の微分子が冷気にあたると、いつもかならずきまって雪の結晶になるように、この温泉場に来た新しい人びとは、さっそく、自分に適した場所に身を落ち着けるのであった。

フュルスト・シチェルバツキー・ザムト・ゲマリン・ウント・トフテル（訳注 シチェルバツキー公爵夫妻および令嬢）は、その借りた住居と、名声と、そこで見いだした知己とによって、さっそく、前から予定されていた一定の場所に結晶した。

今年この温泉場には、ほんもののドイツの大公妃が来ていたので、そのために例の結晶作用はいっそうさかんであった。公爵夫人はぜひとも、娘を大公妃に紹介したいという気を起して、一日めにははやくもその儀式をすました。キチイはパリから取り寄せた、いわゆる『ごく簡素な』、その実、ひじょうに豪華な夏服を着て、うやうやしく、しかも優美に会釈《えしゃく》した。大公妃は、「そのかわいらしいお顔に、はやくばら色がもどって来るように」といわれた。こうして、シチェルバツキー一家には、もうそこから抜け出すことのできない一定の生活環境が、たちまち、できあがってしまったのである。シチェルバツキー一家は、英国の貴婦人の家族とも、最近の戦争で負傷したむすこを連れたドイツの伯爵夫人とも、スウェーデンの学者とも、M. Canut とその妹とも知合いになった。しかし、シチェルバツキー家のおもな交際は、ひとりでに、モスクワの貴婦人マリヤ・ルチーシチェヴァとその令嬢（その令嬢は、キチイと同じく失恋のため病気になっていたので、キチイには不愉快であった）、および、モスクワから来ていた大佐ということになった。この大佐はキチイも子供の時分から知っていて、その肩章をつけた軍服姿に見覚えがあったが、小さな目をして、むきだしの首筋に派手なネクタイを締めているので、ここでは並みはずれてこっけいだった。しかも、一度会ったが最後、しつこくつきまとうので、うんざりさせられる人物であった。こうした状態が、はっきりきまってしまうと、キチイはすっかり退屈してしまった。ましてて、父公爵がカルルスバードへ発《た》ってしまって、母親とふたりでとり残されてからは、なおさらであった。キチイは、前から知っている人びとには、もう興味をもたなかった。そうした人びとからはなにひとつ、新しいことは期待できない、と感じていたからである。今度この温泉場へ来てからも、彼女は主として自分の知らない人びとについて観察したり想像したりすることに心底から興味を感じていた。キチイは生れながらの性質として、いつも他人の中に、とくに、自分の知らない人びとの中に、ありとあらゆる美しいものを想像する傾きがあった。今度の場合も彼女は、あれはだれかしら、あの人たちの間がらはどんなものかしら、あれはどんな人たちかしら、といった推察をしながら、きわめて美しい驚くべき性格を想像し、またその確証を見いだしているのであった。

そうした人びとの中で、ひとりのロシア娘がとくにキチイの興味をひいた。その娘はマダム・シュタールと呼ばれていた病身のロシアの貴婦人といっしょにこの温泉場へ来ていた。マダム・シュタールは、上流社会の人であったが、歩くこともできぬほど病身だったので、ただたまに天気のいいときだけ、車のついた肘掛《ひじか》けいすに乗って、浴場へ姿を見せるのであった。ところが、公爵夫人の解釈によると、マダム・シュタールはただ病気のせいばかりでなく、少しお高くとまっているために、ロシア人のだれとも近づきになろうとはしないのであった。そのロシア娘は、マダム・シュタールの看護をしていたが、そのほか、キチイの見たところでは、この温泉場に大勢いる重病人のみんなと親しくして、ごく自然にそうした病人たちの面倒をみてやっているようだった。ロシア娘は、キチイの観察によると、マダム・シュタールの身内ではないが、さりとて、単に雇われた付添い婦でもなさそうだった。マダム・シュタールが、彼女のことをワーレンカと呼んでいたので、ほかの人たちも『マドモアゼル・ワーレンカ』と、呼んでいた。この娘とシュタール夫人、およびその他の未知の人びととの関係を観察することに、キチイが興味をそそられたのは、もういうまでもないことであるが、これもよくあることながら、キチイはこのマドモアゼル・ワーレンカに対して得体の知れない好意をいだくとともに、時おり出会う相手の目つきから、相手も自分が気に入っていることを感じていた。

マドモアゼル・ワーレンカは、もうあまり若くはないというよりも、まるで若さをもたぬ人のようであった。十九ぐらいにも見えれば、三十ぐらいにも思われた。その顔だちをよく見てみれば、顔色こそあまりすぐれなかったが、不器量というよりも、むしろ美人のほうであった。もしそのからだがこれほどやせぎすでなく、不釣合《ふつりあ》いに頭が大きくなかったら、中背でスタイルもよかったにちがいない。しかし、彼女はどうみても男好きのするほうではなかった。彼女は、花弁こそそろっているが、もう盛りをすぎて、かおりのなくなってしまった、美しい花に似ていた。そのほか、彼女が男好きのしないもう一つの点は、キチイにはありあまるほどある、あの抑制された生命の炎と、自分の魅力に対する自信が、まったく欠けていたことであった。

このロシア娘はいつも、疑いなどさしはさむ余地のないような仕事に追われていて、そのために、ほかのことにはなにひとつ、興味をもつ暇がないように見えた。キチイは、こうした自分とまるで正反対な点に、とくにひきつけられた。キチイはこの娘の中に、この娘の生活様式の中に、今自分が苦しいほど捜し求めている生活の興味とか、生活の意義などのお手本が見つかるにちがいない、と感じていた。それらはキチイが嫌悪《けんお》を感じている現在の社交界の男女関係のほかになければならなかった。そこではまるで年ごろの娘たちが男性の買い手を待ちながら、恥さらしにも顔を並べているように思われた。キチイはこの未知の友を観察すればするほど、この娘こそ、自分の想像に描いていたもっとも完成された人物である、という確信をもつにいたり、ますますこの娘と近づきになりたくなった。

ふたりの娘は、一日に何度も顔を合せたが、そのたびにキチイの目は、《あなたはどなた？　どういう方なの？　ねえ、ほんとに、あなたは、あたしの想像に描いているような、すばらしい方でしょう？　でも、お願いですから》彼女のまなざしはつけ加えるのだった。《あたしがあつかましくお近づきになりたがっているなんて、お思いにならないでくださいね。あたしはただあなたに見とれているんです。あなたが大好きなので》《あたしもあなたが大好きなのよ。ほんとに、ほんとにかわいい方ねえ。

もし暇があったら、もっともっと好きになれるんですけれどね》未知のその娘のまなざしは答えた。いや、事実、キチイの目には、彼女はいつも忙しそうであった。彼女はあるロシア人の家族の子供たちを、浴場から連れて帰ったり、病身の婦人のために膝掛《ひざか》けを持って行って、そのからだをくるんでやったり、いらいらした病人を一生懸命なだめたり、だれかに、コーヒーを飲むときつまむビスケットを選んで買ってやったりしているのだった。

シチェルバツキー家の人びとが到着してからまもなく、朝の浴場に、またふたりの人物が姿を現わして、一同から冷たいまなざしで迎えられた。そのひとりはすごく丈《たけ》の高い、猫背《ねこぜ》の、大きな手をした男で、背丈にあわぬ、つんつるてんの古外套《ふるがいとう》を着て、純朴《じゅんぼく》そうな、しかも、恐ろしい黒い目をしていた。もうひとりは、ひどく粗末で野暮なりをした、あばたながらかわいいげな顔だちの女であった。キチイはこのふたりがロシア人だと見てとるや、はやくもふたりについて美しい、感動的なロマンスを、頭の中で組みたてはじめた。ところが、公爵《こうしゃく》夫人はKurliste（訳注　旅客名簿）で、それがニコライ・リョーヴィンとマーシャであることを知ると、このリョーヴィンがどんなに悪い人物であるかということを、キチイに説明して聞かせたので、このふたりについての空想は、たちまち、消えてしまった。もっとも、母親からそういう話を聞かされたためというよりも、むしろ彼がコンスタンチン・リョーヴィンの兄であるということによって、キチイにはこのふたりが、急に、このうえもなく不愉快なものに思われた。いまや、このリョーヴィンは例の首を振る癖で、どうしようもない嫌悪の情を、キチイの心に呼びおこすのであった。

キチイには、自分をじっと見つめる彼の大きな恐ろしい目の中に、憎悪とあざけりの色が表われているように思われ、努めて彼に出会うのを避けるようにしていた。

31

その日は天気が悪く、午前中はずっと雨が降っていた。病人たちは傘《かさ》を手にして、回廊に群がっていた。

キチイは母親とモスクワの大佐といっしょに、散歩していた。大佐は、フランクフルトで買った既製品の、ヨーロッパ風のフロックコートを着て、大いに愉快そうであった。三人は、向う側を歩いているリョーヴィンを避けるようにして、回廊のこちら側を散歩していた。ワーレンカは例によって地味な衣服に、ふちの下へ曲った黒い帽子をかぶって、盲目のフランス婦人の手をひきながら、回廊を端から端へと歩いていた。そして、キチイと出会うたびに、ふたりはさも親しそうなまなざしを投げかわしていた。

「ママ、あの方に話しかけてもよくって？」キチイは未知の友を目で追いながら、いった。ワーレンカが噴水のそばへ近づいて行ったので、あそこでいっしょになれると考えたのである。

「そうね、そんなにおまえがいうのなら、ママが先にあの人のことを調べてみて、あたしが自分で話しかけてみましょう」母は答えた。「ねえ、あの人に、どんな特別なところがあるっていうの？　きっと、お話し相手なんでしょ。なんなら、あたしマダム・シュタールとお近づきになってもいいよ。あの方の belle-sœur（訳注 義妹）なら知ってるから」公爵夫人は、傲然《ごうぜん》と頭《こうべ》をそらせながら、いった。

キチイは、母がシュタール夫人に対して、相手が自分との交際を避けているらしいと思って、腹を立てていることを知っていた。だから、ぜひにとはいわなかった。

「まあ、ほんとに優しい方ねえ？」キチイはワーレンカがフランス婦人にコップを手渡すのを見て、いった。「ねえ、ちょっとごらんになってよ。あの方のすることはなにもかも、ほんとに飾りけがなくて、お優しいわ」

「おまえの engouements（訳注 心酔ぶり）ったら、おかしいくらいね」公爵夫人はいった。

「さあ、もう引っ返しましょうよ」向うからやって来たニコライ・リョーヴィンと連れの女をみとめて、夫人はそうつけ足した。リョーヴィンは、やはり連れのドイツ人の医者に、なにか大声で腹立たしげにしゃべっていた。

キチイたちが家へ帰ろうとして踵《くびす》をめぐらしたとき、急に、声高な話し声、というよりも叫び声が聞えた。リョーヴィンが立ち止って、どなっているのであった。医者もすっかり興奮していた。そのまわりには人だかりができた。公爵夫人はキチイを連れて急いで立ち去ったが、大佐は事件の内容を知ろうと、人垣《ひとがき》の中に加わった。

まもなく、大佐はふたりに追い着いた。

「あそこではいったいなにがありましたの？」公爵夫人がきいた。

「いや、まったく恥さらしな話ですよ！」大佐は答えた。「私どもがいちばん閉口するのは、外国でロシア人に出会うことですよ。いや、あののっぽさんときたら、医者の治療のしかたがまちがってるといって、けんかをふっかけ、いろいろ毒づいたあげく、杖《つえ》まで振りまわすんですからねえ。まったく恥さらしですよ！」

「まあ、いやですわねえ！」公爵夫人はいった。「それで、どんなふうにおさまりましたの？」

「ありがたいことに、そのときあの……例の茸《きのこ》のような帽子をかぶった娘が仲にはいりましてね。どうやら、ロシア人らしいですね」大佐はいった。

「マドモアゼル・ワーレンカでしょ？」キチイはうれしそうにきいた。

「ええ、そうです。あの娘がだれよりも落ち着いてましてね、すぐにあの男の腕をとって、連れてってしまったんですよ」

「ほら、ねえ、ママ」キチイは母にいった。「でも、あたしがあの方のことをほめると、お母さまったら、あきれてらっしゃるのね」

その翌日から、キチイがこの未知の友を観察していると、マドモアゼル・ワーレンカがリョーヴィンと連れの女に対して、はやくもほかのprotégés（訳注 被保護者）と同じような態度をとっているのに気づいた。ワーレンカはふたりに近づいて、いろいろと話をしたり、外国語の一つもわからない連れの女のために、通訳の労をとってやったりするのであった。

キチイは前よりも熱心にワーレンカとの交際を許してくれと母親にねだりはじめた。一方、公爵夫人にとっては、なにやらお高くとまっているシュタール夫人に、こちらから近づきを求めようと、その足がかりをつくるように思われるのがしゃくだった。しかし、ワーレンカについていろいろ問い合せをし、詳しい事情がわかってみると、この交際にはそういいこともないかわりに、べつに悪いこともなさそうだということになり、夫人自身がまずワーレンカに近づいて、知合いになった。

公爵夫人は娘が噴水のそばへ行き、ワーレンカがパン屋の前に立ち止ったときを選んで、ワーレンカのそばへ近づいて行った。

「どうぞ、お近づきにさせてくださいね」公爵夫人は、持ち前の上品な微笑を浮べながら話しかけた。「宅の娘が、もうあなたに夢中でございましてね。あなたは、ひょっとすると、ご存じないかもしれませんが、あたくしは……」

「まあ、なにをおっしゃいますの、公爵夫人」ワーレンカは急いで答えた。

「きのうはあのかわいそうな故国《くに》の人に、ほんとにいいことをしてくださいましたわね」公爵夫人はいった。

　ワーレンカはさっと顔を赤らめた。

「もう覚えておりませんわ、あたくし、なんにもしなかったようですけど」彼女はいった。

「まあ、なにをおっしゃるの、あのリョーヴィンさんを、いやな場面から救っておあげになったじゃありませんか」

「ああ、あれは sa compagne（訳注 お連れの方）が、あたしをお呼びになりましたので、あの方のお気をしずめるように、努めただけですの。あの方はとてもひどいご病気で、お医者さまにご不満があるんですのね。ああいうご病人のお世話をするのが、あたくしの癖でございまして」

「そうですか。あなたはメントナでおばさまの、たしかシュタール夫人とごいっしょに、暮していらっしゃるとかうかがいましたけど。あたし、あの方のbelle-sœur（訳注 義妹）を存じあげておりますのよ」

「いいえ、あの方はあたくしの伯母ではございません。あたくし、あの方をmaman（訳注 ママ）と呼んではおりますけど、身内ではございませんの。あたくしは養女ですの」

また頬《ほお》をそめながら、ワーレンカは答えた。

そのいい方がいかにも飾りけがなく、正直であけっぱなしなその表情は、まったくかわいかったので、なぜキチイがこのワーレンカを好きになったのか、公爵夫人にも納得がいった。

「それで、あのリョーヴィンさんはどんなふうですの？」公爵夫人はきいた。

「もうお発ちになるそうでございますわ」ワーレンカは答えた。

そのとき、キチイは、母親が未知の友と近づきになったという喜びに顔を輝かせながら、噴水のほうから帰って来た。

「さあ、キチイや、これでやっと、おまえがあれほどお近づきになりたがっていたマドモアゼル……」

「ワーレンカですわ」ワーレンカはにこにこしながら、すぐ言葉をついだ。「みなさまがそう呼んでくださいますの」

キチイはうれしさのあまり頬をそめて、黙ったまま、新しい友の手を長いこと握りしめた。が、その手はキチイの握手にこたえないで、彼女の手の中でじっとしていた。しかし、手こそ握手にこたえなかったけれど、マドモアゼル・ワーレンカの顔は、やや憂《うれ》いをおびた、静かな喜ばしい微笑をたたえて、大きな、しかも美しい歯を見せていた。

「あたくしのほうも前々から、そう願っておりましたのよ」彼女はいった。

「でも、あなたはとても忙しくしていらっしゃいますから……」

「いいえ、その反対ですわ、なんにも仕事なんかないんですのよ」ワーレンカは答えた。しかし、そういうそばから、彼女は近づきになったばかりの知人をおいて、立って行かなければならなかった。というのは、父親が病気の、小さなふたりのロシア娘が彼女のほうへ走って来たからである。

「ワーレンカ、ママが呼んでるわ！」娘たちは叫んだ。

そこで、ワーレンカはふたりのあとについて行った。

32

公爵夫人が、ワーレンカの生いたちや、マダム・シュタールとの関係や、さらに当のマダム・シュタール自身について知った詳しいことは、次のようなものであった。マダム・シュタールは、一部では夫を悩ました女《ひと》といわれていたが、また別の方面では、夫の放縦に苦しめられた女ともいわれていた。が、とにかく、いつも病身で、すぐ感激する性質《たち》の婦人であった。夫人がはじめて子供を生んだのは、もう夫と別れた後だったが、その赤ん坊はすぐに死んでしまった。シュタール夫人の身内の人びとは、夫人の感じやすい性質を知っていたので、この知らせが夫人の生命にかかわると思って、その同じ晩に同じ建物の中で生れた、宮廷のコックの娘をもらって来て、死んだ子のかわりにした。それがワーレンカだったのである。その後マダム・シュタールは、ワーレンカが実の娘でないことを知ったが、ひきつづき彼女を養育した。とりわけ、これはその後まもなく、ワーレンカに身内というものがひとりもなくなったので、なおさらのことであった。

マダム・シュタールは、もう十年このかた家に閉じこもったきり、一度も床を離れることなく、南欧で外国生活を送っていた。一部ではマダム・シュタールのことを、徳の高い宗教的な婦人として、たくみにその社会的地位をつくり上げた女《ひと》だといっていたし、また他方では、彼女は単に外見上だけでなく、事実、ただ隣人のためにのみ生きている高徳な婦人であるといっていた。夫人がいかなる宗教を信じているのか——カトリックか、プロテスタントか、それとも、ロシア正教か、だれも知る人はなかった。しかし、ただ一つ、夫人があらゆる教会、あらゆる信仰の最高代表者と、きわめて親密な関係にあることだけは疑いをいれなかった。ワーレンカは夫人とともに、たえず外国で暮していた。そして、マダム・シュタールを知っているほどの人はだれでも、みんながそう呼んでいた「ワーレンカ」のことをよく知り、かつ愛していた。

公爵夫人はこうした詳しいことをすっかり知ると、娘がワーレンカと交際しても、べつにとやかくいうことはないと判断した。まして、ワーレンカは礼儀作法も正しく、すぐれた教育を受けており、フランス語と英語を流暢《りゅうちょう》に話した。が、公爵夫人がこの交際を許したなによりの原因は、マダム・シュタールが、病気のために公爵夫人と近づきになれずたいへん残念だと、ワーレンカを通して伝えたことである。

キチイはワーレンカと近づきになってから、ますますこの親友に魅せられてしまい、毎日のように、相手の中に新しい美点を発見するのであった。

公爵夫人は、ワーレンカが歌がじょうずだと聞いて、今晩うちへ来て歌ってほしいと頼んだ。

「キチイがひきますわ。それにいいものじゃありませんけど、宅にはピアノもございますし。そうしていただけたら、ほんとに、どんなにうれしいかしれませんわ」公爵夫人はいつものわざとらしい微笑を浮べていった。キチイは、ワーレンカがあまり歌いたくないらしいのに気がついたので、母親のそうした微笑にことさら不快の念を覚えた。ところが、それにもかかわらず、ワーレンカはその晩、楽譜を持ってやって来た。公爵夫人はルチーシチェヴァ母娘《おやこ》と、大佐を招待した。

ワーレンカは、面識のない人たちが同席していてもいっこうに平気らしく、さっそくピアノのそばへ行った。彼女はみずから伴奏することはできなかったが、譜を見ながら見事に歌った。ピアノのじょうずなキチイが伴奏をつとめた。

「すばらしい才能をもっていらっしゃいますのね」公爵夫人はワーレンカが第一曲を歌い終ったとき、いった。

ルチーシチェヴァ母娘《おやこ》も、礼をいって、その歌をほめそやした。

「ほら、ごらんなさい」大佐は窓の外を見ながらいった。「あなたの歌を聞きに、あんなに人が集まってますよ」実際、窓の下にかなり大勢の人が集まっていた。

「みなさまに喜んでいただいて、あたしもほんとにうれしゅうございますわ」ワーレンカは率直に答えた。

キチイは誇らしげに自分の親友をながめていた。キチイはその技巧にも、その声にも、その顔にも夢中になっていたが、なによりも感動したのは、明らかに、ワーレンカが自分の歌のことなど少しも考えず、人びとの讃辞《さんじ》にまったく無関心なことであった。彼女はただ、もっと歌いましょうか、それとも、もうけっこうですか？　とたずねているような様子であった。

《もしこれがあたしだったら》キチイは心の中で考えた。《どんなに自慢したかしれやしないわ！　あの窓の下の人だかりを見て、どんなにうれしがったかわからないわ。それなのに、この人ったら、いつもとまるっきり変りないんですもの。この人はただママの頼みを断わらないで、喜んでもらおうという気持ばかりでやってるんだわ。いったい、この人の中にはなにがあるのかしら？　いったい、なにがこの人にいっさいを無視して、なにものにも左右されない、落ち着きを与えているのかしら？　ああ、なんとかその秘密を知って、この人からそれを習いたいものだわ！》キチイは友の落ち着いた顔をながめながら、そう考えた。公爵夫人はワーレンカに、もう一曲歌ってくれと頼んだ。ワーレンカはピアノのそばにまっすぐ立って、そのやせた浅黒い手で、軽くピアノをたたいて拍子をとりながら、相変らずなだらかに、はっきりと、見事に二曲めを歌い終った。

楽譜にのっているその次の曲は、イタリアの歌曲であった。キチイは前奏をひいて、ワーレンカを振り返った。

「これは抜かしましょう」ワーレンカは顔を赤らめていった。

キチイはびっくりして、その理由をききたそうに、じっと、ワーレンカの顔をのぞきこんだ。

「じゃ、ほかのを」キチイは、この曲にはなにかわけがあるのだな、とすぐに察して、楽譜をめくりながら、急いでそういった。

「いいえ」ワーレンカは片手を楽譜の上にのせて、微笑を浮べながら答えた。「いいえ、やっぱり、これを歌いましょう」そして、彼女はこの曲も、相変らず、落ち着いてさりげなく、しかも見事に、歌い終った。

彼女の歌がすむと、一同は再び礼をいって、お茶を飲みに立った。キチイはワーレンカといっしょに、家の前にある小さな庭へ出て行った。

「ねえ、あの歌にはきっと、なにか思い出があるんでしょう？」キチイはいった。

「いえ、お話しくださらなくてもいいんですの」彼女は急いでつけ足した。「ただそれが当ってるかどうか、教えてくださいません？」

「ええ、けっこうですわ。お話ししますわ！」ワーレンカは率直にいって、返事も待たずに、話をつづけた。「ええ、思い出があるんですの。それも、一時はとても苦しい思い出でしたわ。あたしはある男の方を愛して、その方にあの曲を歌って聞かせたんですの」

キチイは大きく目を見ひらいて、無言のまま、感動したように、ワーレンカを見つめていた。

「あたしはその方を愛していましたが、その方もあたしを愛してくださいました。でも、その方のお母さまが不賛成で、その方はほかの女の人と結婚してしまいましたの。その方は今、ここからあまり遠くないところに住んでいらっしゃるので、ときどきお見かけすることもありますわ。あなたはきっと、あたしにはロマンスなんかないとお思いでしたでしょう？」彼女はいった。そして、その美しい顔には、かつてこの人の全身を輝かしたにちがいない、とキチイに思われた輝きが、かすかにひらめいた。

「なぜそんなふうにおっしゃいますの？　それどころか、あたしが男の人だったら、あなたを知ったあとでは、もうだれもほかの女の人を愛することなんか、できないと思いますわ。ただあたしにはわかりませんわ、なぜその方はお母さまの気に入るために、あなたのことを忘れて、あなたを不幸にすることができたのかしら――その方には暖かい心がなかったんですのね」

「いいえ、その方はとてもいい人でしたのよ。それに、あたしも不幸じゃありませんわ。それどころか、とてもしあわせですわ。それはそうと、今晩はもう歌はこれだけにしておきましょうか?」ワーレンカは家のほうへ足を向けながら、つけ加えた。

「ほんとに、あなたはいい方ですのね、とってもいい方ですわ!」キチイは叫んだ。そして、彼女をひき止めて、接吻《せっぷん》した。「たとえほんの少しでも、あなたに似たいものですわ!」

「なんのためにほかの人に似なくちゃいけませんの? あなたは今のままで、とてもいい方ですのに」ワーレンカは持ち前のつつましい、疲れたような微笑を浮べながら、いった。

「いいえ、あたしはちっともいい人間じゃないんですの。ねえ、おたずねしますけど……まあ、ちょっとお待ちになって、少し休みましょうよ」キチイはまた友をそばのベンチに並んですわらせながら、いった。「ねえ、教えてくださいません、男の方があなたの愛をないがしろにして、結婚しようとしなかったことを思いだしても、もうお腹立ちになりませんの？……」

「だって、その方はあたしをないがしろにしたんじゃありませんわ。今もあたしはあの方が愛してくださったと信じてますわ、ただ、その方はおとなしいむすこさんでしたの……」

「そうですわね。でも、その方がもしお母さまの意志に従ったんでなくて、ただ自分勝手だったら？……」キチイはそういいかけたが、そのとたん、もう自分が自分の秘密を明かしてしまったことを、羞恥《しゅうち》の紅に燃える自分の顔が、なによりもそれを証明していることを感じた。

「その方は悪いことをしたのですから、あたしなら、そんな人にはもう未練なんてありませんわ」ワーレンカは、これはもう自分のことではなく、明らかにキチイの話だと悟って、そう答えた。

「でも、侮辱はどうなりますの？」キチイはいった。「侮辱は忘れることができませんわ。いいえ、けっして忘れられませんわ」キチイは、あの最後の舞踏会で音楽がやんだとき、自分が彼に注いだまなざしを思いだして、いった。

「いったい、その侮辱ってなんのことですの？　だって、あなたはべつに悪いことをなすったんじゃないでしょう？」

「悪いなんてことより、もっとひどいことですわ——思いだすのも恥ずかしいことなんですの」

ワーレンカは首を振って、自分の手をキチイの手の上にかさねた。

「でも、なにがそんなに恥ずかしいんですの？」彼女はいった。「だって、あなたはまさかご自分に冷淡な男の方に、好きだなんておっしゃったわけじゃないでしょう？」

「ええ、もちろん、そんなことありませんでしたわ。あたし一度だって、ひと言だって、口には出しませんでしたわ。でも、その方は知ってましたの。いいえ、だめですわ。だって、目つきだって、そぶりだってありますもの。あたし、百年も長生きしたって、けっして忘れることはできませんわ」

「それは、なぜですの？　あたしにはわかりませんわ。だって、問題は、あなたが今でもその方を愛してらっしゃるか、どうかにかかってるんですもの」ワーレンカはなにもかもはっきり言葉に出して、いった。

「あたしはその方を憎んでいますわ。もう自分で自分を許すことができないんですの」

「それは、なぜですの？」

「羞恥ですもの、侮辱ですもの」

「まあ、もしみんながだれもかも、あなたのように感受性が強かったら」ワーレンカはいった。「それと同じことを経験しない娘さんは、この世にはひとりもいないでしょうよ。それに、そんなことはちっとも重大なことじゃありませんわ」

「じゃ、重大なことってなんですの？」キチイは好奇心のまじった驚きの目で、友の顔を見つめながら、たずねた。

「そりゃ、重大なことはたくさんありますわよ」ワーレンカは微笑を浮べながら、答えた。

「でも、どんなことですの？」

「そりゃ、もっと重大なことはたくさんありますわよ」ワーレンカはなんと答えていいかわからないで、そういった。しかし、そのとき窓の中から、公爵《こうしゃく》夫人の声が聞えた。

「キチイ、冷えてきましたよ！　ショールをするか、でなければ、お家《うち》の中へおはいり」

「ほんとに、もう時間ですわ！」ワーレンカは立ちあがりながら、いった。「あたくし、まだこれからマダム・ベルトのところへお寄りしなくちゃなりませんの、お頼まれしたことがありまして」

キチイは友の手を握ったまま、情熱的な好奇心と願いをこめながら、そのまなざしで問いかけた。《ねえ、それはなんですの、そんな落ち着きを与えているいちばん重大なものって、いったい、なんですの？　あなたはご存じなんですから、どうぞ、あたしに教えてくださいな！》ところが、ワーレンカは、キチイのまなざしがなにをたずねているのか、それすらも理解しなかった。彼女が覚えていたのは、ただ今晩これからマダム・ベルトのところへ寄ってから、お茶に間にあうように、十二時までにママの待っているわが家へ帰らなければならない、ということだった。彼女は部屋の中へはいると、楽譜をまとめ、みんなに別れを告げて、帰りじたくを整えた。

「失礼ですが、お送りしましょう」と大佐がいった。

「そうですとも。こんな夜中にとてもおひとりでは帰れませんわ！」公爵夫人が言葉をあわせた。「せめてパラーシャにでもお送りさせますわ」

ワーレンカは、みんなが自分を送らなければならないというのを聞いて、やっとのことで苦笑をこらえていた。キチイはそれを見てとった。

「いいえ、あたしはいつもひとりで歩いてますけど、けっしてなにもあったためしはございませんわ」彼女は帽子を手にして、いった。それから、もう一度キチイに接吻すると、なにが重大なことであるかは話さないで、楽譜を小わきにかかえ、元気な足どりで、夏の夜の薄闇《うすやみ》の中へ姿を消してしまった。そして、重大なことはなんなのか、なにがあのうらやむべき落ち着きと威厳を彼女に与えているのか、という秘密も身につけたまま、姿を消してしまった。

33

キチイはシュタール夫人とも知合いになった。そして、この交際は、ワーレンカに対する友情とともに、単にキチイに強い影響を与えたばかりでなく、その悲しみをも慰めてくれた。キチイがそこに見いだした慰めというのは、この交際のおかげで、過去とはまったくなんの関係もない、完全に新しい世界が開けたことであった。それは高遠な美しい世界であって、その高みからは、自分の過去を落ち着いてながめることができた。キチイは今まで自分が没頭していた本能的な生活のほかに、精神的な生活もあるのだ、ということに気づいたのである。この生活は、宗教によって開かれたのであったが、それはキチイが子供のころから知っていた宗教とは、なんの共通点ももっていなかった。それは知人のだれかに会える教会のミサとも、『寡婦《かふ》の家』での終夜祈《き》禱《とう》という形式をとる宗教とも、神父といっしょにスラヴ語の聖書を暗記すること によって表現されるものとも違っていた。それは一連の美しい思想や感情と結びあわ された崇高で神秘的な宗教であって、そう命じられたから信じられるばかりでなく、 みずからすすんで愛することすらできる宗教であった。

キチイがこうしたいっさいのことを知ったのは、言葉によってではなかった。マダム・シュタールがキチイに話しかけるときは、自分の青春を思いだして、思わず見とれずにはいられないかわいい幼児《おさなご》に対するような態度で接していた。たった一度だけ、夫人は人間のあらゆる悲しみを慰めるものは、ただ愛と信仰ばかりであり、わたしたち人間に対するキリストの憐憫《れんびん》にとっては、そんな取るに足らぬ悲しみなどというものは存在しないのだ、といっただけで、すぐ話題を転じてしまった。しかし、キチイは夫人の一挙一動に、その一言一句に、またキチイが名づけた、この世のものとは思われぬまなざしに、とりわけワーレンカから聞いた夫人の身の上話に、いや、そうしたいっさいのものの中に、キチイの今まで知らなかった、《なにが重大であるか》ということを、悟ったのであった。

ところが、マダム・シュタールの性格がいかに崇高であり、その生涯《しょうがい》がいかに感動的なものであり、その言葉がいかに高尚《こうしょう》で優しいものであっても、キチイは心ならずも夫人の中に、なにかとまどいさせられるような点を認めないわけにいかなかった。キチイは、身内の人たちのことをいろいろたずねられていたとき、マダム・シュタールが見せたキリスト教徒の善良さとは相いれない軽蔑《けいべつ》的な笑いに気づいた。それからまた、キチイはいつか、カトリック神父が来ているところに行きあわせたが、マダム・シュタールは、なるべく顔をランプの笠《かさ》に隠すようにしながら、なにか独特な笑いをもらしていたのにも気づいた。この二つの発見は、きわめて些細《ささい》な取るに足らぬものではあったが、それは彼女をとまどいさせ、彼女はマダム・シュタールにある疑いをいだくようになった。ところが、そのかわり、ただひとりの身寄りもなければ友もなく、わびしい失意をいだきながら、なにひとつ望むでもなく、なにひとつ惜しむでもない、まったく孤独なワーレンカの姿は、キチイがひそかに空想していた、あの完成された人格そのものであった。キチイは、ただ自分のことを忘れて、他人を愛しさえすれば、人は自然に落ち着きができ、しあわせになり、美しくなっていくということを、ワーレンカの例によって悟った。そして、キチイは自分もああいうふうになりたいと思った。なにがもっとも重大なものであるかをはっきり悟ったキチイは、この発見に有頂天になるだけでは満足せず、自分の前に開かれた新しい生活に、たちまち全身全霊をささげてしまった。キチイは、ワーレンカが話してくれたマダム・シュタールをはじめ、彼女が名前をあげたその他の人びとの行いの数々を総合して、はやくも、自分の未来の生活設計を試みた。キチイも、ワーレンカからたくさん話を聞かされたシュタール夫人の姪《めい》アリーヌのように、将来どんなところに住もうとも、いつも不幸な人びとを見いだしては、できるだけ援助の手をさしのべ、福音書をわかちあたえ、病人や犯罪人や瀕死《ひんし》の人びとに、福音書を読んで聞かせるであろう。アリーヌがしたように、犯罪者に福音書を読んで聞かせるという考えは、とりわけキチイの気に入った。もっとも、こうしたことはすべてキチイの秘密の空想であって、母親はむろん、ワーレンカにも打ち明けていなかった。

そうはいうものの、この計画を大規模に実行する時期のくるまで、キチイは今すぐにでも大勢の病人や不幸な人びとがいるこの温泉場で、ワーレンカにならって、自分の新しい生活方針をつらぬく機会を容易に見いだすことができた。

はじめのうちは公爵夫人も、キチイがシュタール夫人、ことにワーレンカに対するいわゆる engouement（訳注　心酔）に影響されていることだけに気づいていた。母親は、娘のキチイが単に行動の上で、ワーレンカをまねているばかりでなく、知らずしらずのうちに、その歩き方や話し方やまばたきの仕方まで、まねているのを見てとった。ところが、それからしばらくたって公爵夫人は、娘の内部でそうしたあこがれとは関係なく、なにかしらもっとまじめな精神的な転換が完成されていくのに気づいた。

公爵夫人が見ていると、キチイはシュタール夫人からもらったフランス語の聖書を毎晩のように読んでいたが、これは以前にはなかったことであった。また、社交界の知人を避けて、ワーレンカの保護のもとにある病める人びと、ことに病める画家ペトロフの貧しい一家と親しくなった。キチイは、この家族のために看護婦の役割を果しているのを、どうやら、誇りに思っているらしかった。こうしたことはなにもかもけっこうなことだったので、公爵夫人もそれに対してなにも反対はしなかった。まして、ペトロフの妻はどこから見ても、れっきとした婦人であり、大公妃もキチイの活動に目をとめて、彼女を『慰めの天使』といって賞讃《しょうさん》されたので、なおさらであった。もしそこに、あまりの行きすぎさえなかったら、そうしたことはなにもかもけっこうなことだったにちがいないが、公爵夫人は娘が極端におちいっているのを見て、こう娘に注意した。

「Il ne faut jamais rien outrer.（訳注　どんなことでも極端になってはいけませんよ）」夫人はいった。

ところが、娘は母親になんとも答えず、ただ心の中で、キリスト教の仕事には行きすぎなんてことはありえないと、考えていた。もし片方の頰《ほお》を打たれたら、もう一方もさしだせとか、外套《がいとう》を取られたら、肌着《はだぎ》まで与えよとか、命じている教えに従うのに、行きすぎだなんていっていられるものだろうか？　しかし、公爵夫人にはその行きすぎが気に入らなかった。しかも、それよりもっと気に入らなかったのは、キチイが心の秘密をすっかり母親に打ち明けようとしないのを感じたことである。事実、キチイは自分の新しいものの見方や感情を母親に隠していた。キチイがそれを打ち明けなかったのは、母親を尊敬していなかったからでも、愛していなかったからでもなく、ただそれが自分の母親だったからにすぎない。キチイは母親に打ち明けるくらいなら、相手かまわずみんなの人に打ち明けたにちがいない。

「なぜか、アンナ・パーヴロヴナは、もう長いこと、家へお見えにならないね」公爵夫人はある日、ペトロフの妻のことをうわさした。「お呼びしたんだけど、あの人はなにかおもしろくないことがあるようだね」

「いいえ、あたし、気がつきませんでしたわ」キチイはぱっと頬をそめて、いった。

「おまえももう長いこと、あそこへは行ってないんでしょう？」

「あすは、ごいっしょに、お山へ遠足に行くことになっていますわ」キチイは答えた。

「そりゃ、いいわね。行ってらっしゃいよ」公爵夫人は娘の困ったような顔をながめて、その当惑の原因を知ろうと努めながら、答えた。

ちょうどその日、ワーレンカが食事にやって来て、アンナ・パーヴロヴナがあすのハイキングを中止した旨《むね》を知らせた。そこで公爵夫人は、キチイがまた顔を赤らめたのに、気づいた。

「キチイ、おまえ、ペトロフさんご夫妻と、なにか気まずいことでもあったんじゃないの？」公爵夫人は娘とふたりきりになったとき、そうきいた。「なぜアンナ・パーヴロヴナは、子供たちもよこさなければ、ご自分でも家へ来なくなったの？」

キチイはそれに対して、自分たちのあいだにはなにも変ったことはなかった、ただアンナ・パーヴロヴナは、あたしになにか不満をいだいているようだけれど、それがなぜかさっぱりわからない、と答えた。キチイは、まったくほんとうのことを答えたのであった。もっとも、彼女は、アンナ・パーヴロヴナの自分に対する態度が変った原因を、はっきり知らなかったとはいうものの、だいたいのところは察していた。その推察というのは、母親に話すことはもちろん、自分自身にさえいいかねるようなことであった。それは自分にわかっていても、自分自身にさえいうことをはばかるような性質をもった推察の一つであった。万が一、まちがったときには、とても恐ろしくて、恥じ入らなければならないことであった。

キチイは何度も何度も記憶を呼びさまして、この家族と自分との関係を、一つ残らずたしかめてみた。彼女はいつも会うたびに、アンナ・パーヴロヴナの人の良さそうな丸顔に表われる、素朴《そぼく》な喜びの色を思い浮べた。また、病気の画家についてのふたりの内証話や、禁じられている仕事から画家の気持をそらそうとして、散歩に連れだそうとした相談や、『ぼくのキチイ』といって、キチイがそばにいないと寝つかない末の男の子の甘ったれぶりなどを、思い起した。こうしたことはなにもかもとてもよくいっていた！　それからキチイは、茶色の上着を着た、首の長いペトロフのひどくやせた姿や、まばらな縮れ毛や、はじめのうちは恐ろしく思われた彼のさぐるような青い目や、彼女の前では努めて元気よく、快活に見せかけようとする病的な努力などを、思いだした。初めのうちは、キチイも、すべての肺病患者に対してと同様、彼に対して感じた嫌悪《けんお》を克服しようと努めたことや、どんな話をしようかと話題を考えるのに苦心したことなども思い起した。キチイはまた、自分を見るときのペトロフのおずおずした、感動的なまなざしや、そうしたときに自分の味わった同情の念や、ばつの悪さや、さらには自分の善行意識といりまじった奇妙な感情なども、思い起した。こうしたことは、なにもかもとてもよかった！　ところが、そうしたことはみな、初めのうちだけであった。今では、四、五日前から急に、なにもかもすっかりだめになってしまった。アンナ・パーヴロヴナは、わざとらしいお愛想《あいそ》でキチイを迎え、たえず彼女と夫を観察するのであった。

キチイがそばへ寄るたびに彼の表わすあの感動的な喜びが、はたしてアンナ・パーヴロヴナが冷淡になった原因なのだろうか？

《そうだわ》彼女は思いだした。《おとといアンナ・パーヴロヴナが、いまいましそうな口調で、「もうこのとおり、ずっとあなたを待ちこがれていて、あなたがいらっしゃらなければ、コーヒーひとつ飲もうとしないんですのよ、こんなにひどく弱っているのに」といったとき、そこにはなにか、あの人の善良な人がらにまったく不似合いな、不自然なものがあったわ》

《ええ、ひょっとしたら、あたしがあの人に膝掛《ひざか》けを渡したのが、アンナ・パーヴロヴナの気にさわったかもしれないわ。あんなことは別段なんでもないことなのに、あの人がひどく無器用に受け取って、あんなにくどくどとお礼をいうものだから、あたしまでばつが悪くなってしまったわ。それから、あの人がとても見事に描いてくださったあたしの肖像。それになによりも問題なのは、あのはにかんだような、優しい目つき！……ええ、そうだわ、きっと、そうにちがいないわ！》キチイはぞっとしながら、そうひとりで繰り返した。《いいえ、そんなことってないわ、そんなことがあってはいけないわ！　あの人はあまりみじめすぎるわ！》彼女はそのあとからすぐこうつぶやいた。

この疑いが、キチイの新生活の魅力をすっかり台なしにしてしまった。

34

もうやがて湯治の日程も終るころになって、当人の言いぐさによると、ロシア気分を満喫するために、カルルスバードから、バーデン、キッシンゲンとロシア人の知人をたずね歩いていたシチェルバツキー公爵《こうしゃく》が、家族のもとへ帰って来た。

公爵夫妻の外国生活に対する見解は、まったく相反していた。公爵夫人のほうはなにもかもすばらしいといって、自分がロシアの社会でれっきとした地位を占めているにもかかわらず、外国にいるあいだはヨーロッパ式な貴婦人になろうと努めていた。しかし、夫人はもともとロシアの貴婦人であって、ヨーロッパの貴婦人ではなかったから、いくらかばつが悪いようなふりをしていた。一方、公爵はその反対で、外国のものはなにもかもいやなものにきめてしまい、ヨーロッパ式の生活に苦痛を感じ、自分のロシア式の習慣を固持して、外国ではことさら実際以上に、ヨーロッパ人らしく見せまいと努めていた。

公爵はすこしやせて、頬に袋のような皮膚をたるませて帰って来たが、しかしきわめて上きげんであった。彼の浮きうきした気分は、キチイがすっかりよくなっているのを見て、いっそうたかまった。もっとも、キチイがシュタール夫人やワーレンカと親しくしているという知らせや、キチイの身にある変化が生れたという公爵夫人の話は、公爵を当惑させた。彼は自分の知らぬ間に娘が心をひかれるすべてのものに対して、彼のいつも感じる例の嫉妬《しっと》と、娘が自分の影響力を脱して、どこか手のとどかないところへ行ってしまうのではないか、という恐れにかられた。しかし、こうしたおもしろくない知らせも、彼がいつも持ち合せており、とくにカルルスバードの温泉でさらにたかまってきた、あの人の良い楽しい雰囲気《ふんいき》の中に没してしまった。

帰って来た翌日、公爵はいつもの長い外套を着て、ロシア人らしいしわのよったただぶだぶの頰を、糊《のり》のきいたカラーで突きあげながら、まったく上きげんで、娘を連れて浴場へ出かけた。

それはすばらしい朝であった。小さな庭に囲まれた、こぎれいな楽しそうな家々、ビールのために顔も手もまっ赤にして、愉快そうに働いているドイツ人の女中たちの姿、明るい太陽などは、人の心を浮きうきさせた。しかし、浴場へ近づくにつれて、行き会う病人の数が多くなっていった。よく整ったドイツ人の普通の生活環境の中で、これら病人の姿はひとしおみじめに見えた。キチイはもうこの矛盾にも心を打たれなくなっていた。明るい太陽も、楽しい緑の輝きも、音楽の響きも、彼女にとってはすべての知人たちをつつむ自然の額縁であり、病人たちがよくなったり、悪くなったりする変化の背景であった。キチイはそうした変化にたえず注意をはらっていた。しかし、公爵にとっては、この六月の朝の輝きと光や、流行の楽しげなワルツを奏する音楽の響きや、ことに健康そうな女中たちの姿は、ヨーロッパのすみずみから集まって、わびしげにうごめいている半死の病人たちと一つになって、なにかしら、ぶしつけな醜いものに思われるのだった。

公爵は今愛娘《まなむすめ》と腕を組んで歩きながら、一種の誇りと、なにか青春がよみがえってきたような気分になっていたにもかかわらず、自分の元気な歩きぶりや、まるまると太った大がらな図体《ずうたい》が、なんとなくばつの悪く、気のとがめるような思いであった。彼は、人前で裸になっている人とほとんど同じ気持を経験していた。

「さあ、紹介しておくれ。おまえの新しい友だちにわしを紹介しておくれ」彼は肘《ひじ》で娘の腕を締めつけながら、いった。「わしはね、こんなソーデン水は大きらいだが、おまえをこんなに快《よ》くしてくれたので、好きになったよ。ただどうも陰気くさいね、陰気くさくていけないね。あれはだれだね？」

キチイは、向うからやって来る知人やら、他人やらの名前を父に教えた。公園の入口のそばで、ふたりは付添いの女につれられた盲目のマダム・ベルトに出会った。キチイの声を聞きつけると、この年とったフランス婦人が、感動の表情を浮べたのを見て、公爵はうれしくなった。マダムはさっそく、フランス人特有のお世辞を振りまきながら、公爵に話しかけて、こんなお美しいお嬢さまをおもちでおしあわせですこと、とほめあげ、キチイのことを面と向って、宝物だ、真珠だ、慰めの天使だと呼んで、天にまで持ちあげかねないありさまであった。

「はあ、なるほど。じゃ、この子は第二の天使というわけですな」公爵は微笑しながらいった。「この子はワーレンカを天使第一号と呼んでますから」

「まあ！　マドモアゼル・ワーレンカ――あれはほんとうの天使でございますよ、allez（訳注　ほんとに）」マダム・ベルトは口をあわせた。

回廊で、ふたりは当のワーレンカに行き会った。彼女は赤い優雅なハンドバッグを手にして、向うからいそいそと歩いて来た。

「ほら、やっと、父が帰ってまいりましたの」キチイは彼女にいった。

ワーレンカは、なにごともそうだが、飾りけのない、自然な態度で、頭を下げるとも、腰をかがめるともつかぬ、その中間の動作をして、すぐ公爵に話しかけたが、それはあらゆる人と話すのと同様、飾りけのない、自然な調子であった。

「もちろん、あなたのことは知っておりますよ。よく知っておりますとも」公爵は微笑を浮べながらいったが、キチイはその微笑によって、親友が父の気に入ったことを悟った。「いったい、そんなに急いでどこへいらっしゃるんです？」

「母がこちらへ来てますの」彼女はキチイのほうへ向いていった。「昨晩ずっと眠れなかったものですから、お医者さまが外出するようにとおっしゃいましたので。今、母のところへ手仕事を持って行くところなんですの」

「なるほど。あれが天使第一号というわけだね」公爵はワーレンカが立ち去ると、いった。

キチイは、父公爵がワーレンカを冷やかしてやろうと思いながら、すっかり気に入ってしまったので、とうとうそれができなかったのを見てとった。

「さて、これから、おまえの友だちを、すっかり見ることができるね」彼はつけ加えた。「マダム・シュタールも、首尾よくわしを思いだしてくれたらな」

「まあ、パパったら、あの方をご存じでいらっしゃいましたの？」キチイはマダム・シュタールの名を口にしたとき、父の目に輝いた嘲笑《ちょうしょう》を見てとって、ぎょっとしながらたずねた。

「ご亭主は知っておったよ。それに、あの人が敬虔主義者《ピエチスト》になる前には、あの人のことも少しは」

「パパ、そのピエチストってなんですの」キチイは自分がシュタール夫人の中に認めて、あれほど高く評価していたものが、一定の名称をもっていることに、はやくもびっくりしながら、こうたずねた。

「わしも自分でよくわからんのだよ。ただ知ってるのは、あの人がなんでもかんでも、どんなふしあわせなことに対しても、神さまに感謝するってことだね。……いや、ご亭主が死んでも、神さまに感謝するってわけさ。でも、おかしなことになってしまうのさ、なにしろ、夫婦の仲がよくなかったからな」

「あれはだれだね？　ひどくみじめな顔をしてるな！」彼はベンチに腰かけている、あまり背の高くない病人に気づいて、そうきいた。その病人は茶色の外套を着て、白いズボンをはいていたが、それは肉のこけた足の骨の上に、奇妙なひだをつくっていた。

その人は、まばらな縮れ毛の上にかぶっていた、麦藁《むぎわら》帽子をちょっと持ちあげて、帽子のあとが病的に赤く残っているひいでた額を現わした。

「あれは画家のペトロフさんですわ」キチイは赤くなって答えた。「そして、あれが奥さん」彼女は、アンナ・パーヴロヴナを指さしながら、つけ足した。そのときちょうど、ペトロフの妻はわざとらしく、小道づたいに駆けだした子供のあとを追って行った。

「まったくみじめな感じだが、じつに人の良さそうな顔をしとるな！」公爵はいった。

「なんだっておまえはそばへ行ってあげなかったんだ？　なにかおまえにいいたそうにしていたじゃないか」

「それじゃ、まいりましょう！」キチイはきっぱりと、踵《くびす》を返しながら、いった。

「きょうはおからだのぐあいいかがですの？」彼女はペトロフにたずねた。

ペトロフは杖《つえ》にもたれて立ちあがると、おずおずと公爵をながめた。

「これはわしの娘ですよ」公爵はいった。「お近づきを願います」

画家は会釈《えしゃく》して、輝くばかりの白い歯を見せて、にっこりほほえんだ。

「お嬢さん、私たちはきのうあなたをお待ちしていたんですよ」彼はキチイにいった。

彼はそういいながら、ちょっとよろけた。すると、もう一度その動作を繰り返して、わざとしたのだというふりを見せようとした。

「おたずねしようと思ったんですけど、でも、ワーレンカが、アンナ・パーヴロヴナからお使いがあって、あなた方はいらっしゃらないっていうお話でしたから」

「なに、私たちが行かないんですって！」ペトロフはまっ赤になって、すぐ咳《せ》きこむと、妻を目で捜しながら、いった。「アネッタ、アネッタ！」彼は大声で呼んだ。すると、その細い白い首筋には、太い血管が縄《なわ》のようにふくれあがった。

アンナ・パーヴロヴナがそばへやって来た。

「なんだっておまえは、お嬢さんのところへ、私たちは行かないなんて使いを出したんだね？」彼はもう大きな声が出なくなって、いらだたしそうにささやき声でいった。

「まあ、こんにちは、お嬢さま」アンナ・パーヴロヴナは、わざとらしい微笑を浮べていったが、それは今までの態度とは、似ても似つかないものであった。「お近づきになれて、とてもうれしゅうございます」彼女は公爵のほうへ向いた。「もう長いことお待ち申しあげておりました。公爵さま」

「なんだっておまえはお嬢さんのところへ、私たちは行かないなんて使いを出したんだね？」画家はもう一度しゃがれた声でいったが、それは前よりもっと腹立たしげであった。どうやら、もう声がよく出ないらしく、自分の言葉に思いどおりの表情をつくることができないので、ますますいらだってくるらしかった。

「まあ、どうしましょう！　私たちは行かないものと思ってたものですから」妻はいまいましそうに答えた。

「だって、あのとき……」彼はまた咳きこんで、あきらめたように片手を振った。

公爵はちょっと帽子に手をかけて、娘を連れてそばを離れた。

「いやはや！」彼は重々しく溜息《ためいき》をついた。「まったく、ふしあわせな人たちだね！」

「そうなんですのよ。パパ」キチイは答えた。「それに、ご存じないでしょうけど、お子さんが三人もあって、女中もいなければ、財産もほとんどないんですのよ。美術院《アカデミア》から少しばかりもらってらっしゃるだけで」キチイは自分に対するアンナ・パーヴロヴナの態度のふしぎな変化のために生じた興奮をしずめようとしながら、勢いこんで話しだした。

「あら、向うからマダム・シュタールもお見えになりましたわ」キチイは車のついた肘掛けいすを指さしながら、いった。その中には、クッションにささえられて、なにやらねずみ色と空色のものにつつまれて、日傘《ひがさ》の下に横たわっていた。

それがシュタール夫人であった。そのうしろには、車を押す役の、体格のがっしりした、陰気くさい顔のドイツの人夫が立っていた。そばには、キチイが名前だけ知っていた、ブロンドの髪をしたスウェーデンの伯爵がいた。幾人かの病人が、この貴婦人を、なにか珍しいものでも見物するように、肘掛けいすのあたりをうろうろしていた。

公爵はそばへ近づいた。と、たちまち、キチイは父の目の中に、いつも自分を当惑させるあの冷笑の火花がひらめいたのを、認めた。父はマダム・シュタールに近づいて、見事なフランス語で話しかけたが、それはもう今では話す人がきわめて少なくなった、じつに慇懃《いんぎん》で優しいフランス語であった。

「私を思いだしてくださるかどうか存じませんが、私は娘がご親切にしていただいたお礼を申しあげたいと存じますので、なんとか思いだしていただきとう存じます」彼は帽子をとって、手にしたまま、そういった。

「アレクサンドル・シチェルバツキー公爵でいらっしゃいますね」マダム・シュタールは、例のこの世のものとは思われぬようなまなざしを向けて答えたが、キチイはその中に不満の色を読みとった。「ほんとうにうれしゅうございますわ。お宅のお嬢さまがすっかり好きになってしまいましてね」

「おからだのほうはやはりお悪いんですか？」

「ええ、でも、もう慣れてしまいました」マダム・シュタールはいって、スウェーデンの伯爵を公爵にひき合わせた。

「でも、あなたはあまりお変りになりませんな」公爵は大人にいった。「たしか、もう十年か、十一年もお目にかかっておりませんでしたが」

「ええ、神さまは十字架もおさずけになりますが、それを背負って行く力もお与えくださいますからね。いったい、なんのためにこんな生活がつづいていくのかと、よくふしぎに思うこともございますよ……いえ、そっち側ですよ！」夫人はいまいましそうに、ワーレンカにいった。膝掛けで足をくるむのがまずかったのである。

「きっと、それは善行をするためでしょうな」公爵は目で笑いながらいった。

「そんなことはあたくしどもの考えるべきことではございませんよ」シュタール夫人は公爵の顔に浮んだ微妙な表情に気づいて、いった。「では、そのご本を、あたくしに届けてくださいますね、伯爵？　ほんとに、ありがとうございました」夫人は若いスウェーデン人にいった。

「やあ！」公爵はそばに立っていたモスクワの大佐を認めると、思わず叫び声をあげた。そして、シュタール夫人に会釈してから、父娘《おやこ》は連れになったモスクワの大佐といっしょに、そばを離れて行った。

「あれがわれらの貴族ですよ！」モスクワの大佐は冷笑的な響きをこめて、いった。大佐はシュタール夫人が自分と知合いでなかったので、少々腹を立てていたのであった。

「あの女は相変らずだな」公爵は答えた。

「じゃ、公爵はあの人を病気の前からご存じだったんですか、つまり、あの人が床につく前から？」

「ええ、あの女は私の知ってたころに、床についたんですよ」公爵はいった。

「十年間も起きたことがないそうですな……」

「起きないわけは、足が短いからですよ。なにしろ、あの女はひどく不格好な女でね……」

「パパ、そんなことありませんわ！」キチイが叫んだ。

「いや、口の悪い連中がそういってるのさ。それにしても、おまえのワーレンカはさぞいじめられてることだろうよ」彼はつけ加えた。「まったく、ああいう病気の奥さん連はかなわんからね」

「いいえ、違いますわ、パパ！」キチイはかっとなって、反対した。「ワーレンカはあの方を崇拝してますわ。それに、あの方はとてもたくさんいいことをしていらっしゃいますのよ！　だれにでもおききになってごらんなさいまし！　あの方とアリーヌ・シュタールを知らない人はありませんもの」

「そうだろうね」公爵は娘の腕を肘で締めつけながらいった。「でも、それよりもっといいのは、だれにきいても、だれひとり知らないといったふうにすることだよ」

キチイは黙っていたが、それはなにもいうことがなかったからではなかった。ただ、父にも自分の秘密の考えを打ち明けたくなかったからである。ところが、ふしぎなことに、彼女は父親の見解に反駁《はんばく》し、自分の聖所に父親をも寄せつけないつもりであったにもかかわらず、まる一カ月のあいだ大切に胸の中にしまっていたシュタール夫人の神々《こうごう》しいおもかげが、あとかたもなく消え失《う》せてしまったのを感じた。それはさながら、その辺に投げだされている服を人間と勘ちがいしたものが、ふと、それはただの服がころがっているのにすぎないと、悟ったときのような気持であった。そこに残ったのは、自分の姿が不格好なために寝床から離れずにいる、足の短い女であり、膝掛けのくるみ方が悪いといって、おとなしいワーレンカを苦しめているひとりの女だった。もうどんなに想像力を働かせてみても、もう以前のマダム・シュタールを復活させることはできなかった。

35

公爵《こうしゃく》はその浮きうきした気分を、家族の者にも、知人にも、シチェルバツキー一家が借りていた家の主人であるドイツ人にまで感染させた。

キチイといっしょに浴場からもどると、公爵はわが家へ大佐と、マリヤ・ルチーシチェヴァと、ワーレンカをコーヒーに招いて、テーブルと肘掛けいすを庭の栗《くり》の木の下へ運ばせ、そこに昼食の用意を命じた。主人も下女も、彼の浮きうきした気分にかぶれて、活気づいてきた。彼らは公爵の気前のいいことを知っていた。そして、三十分もすると、二階に住んでいたハンブルク出身の病気の医者が、栗の木の下に集まった健康そうなロシア人の一座を窓越しに見て、羨望《せんぼう》の念を覚えたほどであった。輪になって震えている木の葉の茂みの陰には、白いクロスのかかったテーブルに、コーヒー沸かしや、パンや、バターや、チーズや、野禽《やきん》の冷肉など並んでおり、薄紫のリボンのついたレース帽をかぶった公爵夫人が、お茶やサンドイッチを配っていた。その反対の端に公爵が席を占めて、健啖《けんたん》ぶりを発揮しながら、大きな声で愉快そうにしゃべっていた。公爵は自分のそばにいろいろな買い物を並べたてていた。それは方々の温泉場で買って来たさまざまな小箱や、抜き取りゲームや、ありとあらゆる種類のペーパー・ナイフなどで、彼はそれをみんなに分けてやった。女中のリースヘンと主人も、その数にもれなかった。彼は主人を相手に、こっけいな、まずいドイツ語で冗談をいいながら、キチイをなおしたのは鉱泉ではなくて、あんたのつくるすばらしい料理、ことに黒すもも入りのスープだ、といってきかなかった。公爵夫人も、夫のロシア的な癖を冷やかしてはいたものの、この温泉場へ来てからついぞないほど元気づいて、浮きうきしていた。大佐は、例によって、公爵の冗談に、にやにやしていた。もっとも、彼が自分で慎重に研究していると考えていたヨーロッパのことになると、彼も公爵夫人の肩をもつのであった。人のいいマリヤは、公爵がこっけいなことをいうたびに、腹をかかえて笑っていた。ワーレンカも公爵の冗談にあてられて、今までついぞキチイが見たこともないほど、弱々しく、しかし長いこと、ほ、ほ、ほと笑いつづけていた。

こうしたことはすべて、キチイの心を楽しませた。しかし、それでもなお彼女は、ある一事に心をいためずにはいられなかった。それは父が娘の親友たちをはじめ、キチイが好きでたまらなくなった新生活を、妙におもしろおかしくながめたことによって、ひとりでにキチイの胸に生れた問題が、なんとしても彼女には解けないからであった。この問題にはさらにペトロフ一家に対する彼女の態度の変化が加わってきた。この変化は、今ではまったく不快なものとなっていた。一座の人びとはみんな楽しそうであったが、キチイはどうしても愉快になることができなかった。それがまたさらに、彼女を苦しめるのだった。彼女はまるで、子供のときに罰として自分の部屋へ閉じこめられ、姉たちの楽しそうな笑い声を聞いたときのような気持を味わっていた。

「まあ、なんだってこうむやみやたらにお買いになりましたの？」公爵夫人は微笑を浮べて、コーヒーの茶碗《ちゃわん》を夫に渡しながら、いった。

「なに、ちょっと散歩に出かけて、小店に立ち寄ると、すぐにわしを『エルラウヒト・エクスツェレンツ・ドゥルヒラウヒト（訳注　閣下、だんなさま、御前さま）』とたてまつって、どうぞお買いあげください、とくるのさ。ところがこの『ドゥルヒラウヒト（訳注　御前さま）』を聞くと、わしはもう我慢ができなくなって、気のついたときには、もう十ターレルくらいは消えてしまってるのさ」

「それはただ退屈なさってるからですよ」公爵夫人はいった。

「そりゃ、退屈のせいだとも、まったく、その退屈さといったら、おまえ、どうにも身の置き場がないほどだよ」

「まあ、公爵さま、なぜ退屈なんてあそばすんでしょう？　今のドイツには、あんなにおもしろいことがたくさんございますのに」マリヤはいった。

「いや、わしもおもしろいことはなんでも知ってますよ。黒すもも入りのスープも知ってれば、えんどう入りのソーセージも知っておりますからな」

「しかし、公爵、なんといわれても、あの連中の施設には興味がありますな」大佐はいった。

「じゃ、いったい、なにがおもしろいんです？　あの連中ときたら、みんな銅貨のように満足していますな、どいつもこいつも負かしたといって。じゃ、このわしは、いったい、なにに満足しろといわれるんです？　わしはだれも負かしてはおらん。ただ自分で靴《くつ》を脱いで、しかも、それを戸の外へ出しておかねばならん。朝になれば起きだして、すぐ着替えをすませ、サロンへまずいお茶を飲みに行かにゃならん始末ですからな。いや、国におればまるっきり別ですよ。朝だって悠々《ゆうゆう》と目をさまして、ちょっとなにかに腹を立てて、小言のひとつもいい、すっかり正気になってから、なにもかもとっくりと考えて、なにごとにもあわてずですよ」

「しかし、時は金なり、ですからな。あなたはそれを忘れていらっしゃる」大佐はいった。

「いや、時がなんです！　たとえ五十コペイカでも喜んでくれてやりたい時もあれば、いくら金をつまれたって、三十分もいやだって時がありますからな。そうじゃないかい、キチイ？　おまえ、そんなつまらない顔をして、どうしたんだね？」

「なんともありませんわ」

「おや、どこへ？　もっとゆっくりしておいでなさい」公爵はワーレンカのほうへ振り向いた。

「あたくし、家へ帰らなくちゃなりませんの」ワーレンカは立ちあがりながらいって、また、ほ、ほ、ほ、と笑いだした。

やっと笑いがおさまると、彼女は暇《いとま》をつげ、帽子を取りに家の中へはいった。キチイはそのあとからついて行った。今はワーレンカさえも、別人のように思われてきた。それはべつに悪くなったわけではなかったが、キチイが前に想像していたのとは違ってきたのである。

「ああ、こんなに笑ったことは、もう長いことなかったわ！」ワーレンカは傘や手さげ袋を集めながら、いった。「ほんとに、いい方ですわね、あなたのお父さまって！」

キチイは黙っていた。

「今度はいつお目にかかれまして？」ワーレンカはたずねた。

「ママは、ペトロフさんのお宅へ行きたがっておりますの。あそこにはいらっしゃいません？」

キチイは、ワーレンカをためすつもりで、こういった。

「うかがいますわ」ワーレンカは答えた。「あのお宅は、今帰りのおしたくをしていますから、荷造りのお手伝いをお約束しましたの」

「じゃ、あたしも行きますわ」

「いえ、あなたはよろしいのよ」

「なぜ？　なぜですの？　それはなぜですの？」キチイは目をいっぱいに見ひらきながら、ワーレンカを行かせまいと、そのパラソルに手をかけて、いった。「いえ、待ってちょうだい。それはなぜですの？」

「たいしたことじゃありませんわ、ただお父さまもお帰りになったことですし、それに、あなたのお手伝いじゃ、あちらも遠慮するでしょうからね」

「いいえ、おっしゃってちょうだい、なぜあたしが、ペトロフさんのところへしょっちゅう行くのはいけませんの？　だって、あなたはそれをよくないと思ってらっしゃるんでしょう？　なぜですの？」

「そんなことはいいませんでしたわ」ワーレンカは落ち着いて、いった。

「いいえ、お願いですから、教えてちょうだい！」

「じゃ、なにもかもいってしまいましょうか？」ワーレンカはきいた。

「ええ、なにもかも、すっかり！」キチイは答えた。

「いえ、べつになにも、とりたてていうほどのことではないんですのよ。ただミハイルさん（それが画家の名前であった）が、前は早く発《た》ちたいといってらしたのに、今は発つのがいやだといってるんですよ」ワーレンカはほほえみながらいった。

「それで、それから？」キチイは顔をくもらせて、ワーレンカを見つめながら、せきたてた。

「それでね、どうしたわけか、奥さんが、あの人が発ちたがらないのは、あなたがここにいらっしゃるからだって、いったんですのよ。もちろん、それは見当ちがいなことですけど、でも、そのために、つまり、あなたのことからけんかが起ったんですの。あなたもご存じのとおり、ああいう病人は、じきいらいらしてきますのでね」

　キチイは前よりいっそう顔をくもらせながら、黙りこくっていた。ワーレンカは、相手の気持を柔らげ、落ち着かせようと努めながら、ひとりでしゃべっていた。彼女はキチイが今にもわっと爆発するのではないかと気づいたからである。もっとも、それが涙になるか言葉になるか、見当はつかなかった。

「そういうわけで、あなたはいらっしゃらないほうがいいんですの……おわかりになるわね、気を悪くなさらないでね……」

「自《じ》業《ごう》自《じ》得《とく》ですわ、自業自得ですわ！」キチイはワーレンカの手からパラソルを引ったくり、相手の目をまともに見ないで、早口にしゃべりだした。

　ワーレンカは、相手の子供っぽいいきどおりを見て、微笑を浮べようとしたが、気を悪くされてはと思いとどまった。

「なにが自業自得なんですの？　あたしにはわかりませんわ」彼女はいった。

「だって、あたしのしたことなんかなにもかも偽善だったからですわ。なにもかもみんな真心から出たんじゃなくて、考えだしたことだったからですわ。あたしにはよその人なんか、なんの用もなかったんですわ！　現に、そのために、あたしは夫婦げんかのもとにまでなってしまったんですわ。それというのも、あたしがだれにも頼まれもしないことをしたからですわ。なにもかも偽善だからですわ！　偽善ですわ！　偽善ですわ！」

「でも、なんだってそんな偽善的なことをなさる必要があるんですの？」ワーレンカは静かにいった。

「まあ、なんてばかげているんでしょう、ほんとにいやらしいことですわ！　だって、なんの必要もなかったんですもの……なにもかもみんな偽善ですわ！」キチイはパラソルを開いたり、つぼめたりしながらいった。

「でも、いったいどんな目的で？」

「みんなをだまして、他人の前で、自分の前で、神さまの前で、もっと自分をよく見せようとしたんですわ。いいえ、これからはもう、そんな気は起しませんわ！　たとえ悪い人になっても、とにかく、うそつきだけにはなりませんわ！」

「まあ、だれがうそつきなんですの？」ワーレンカはなじるようにいった。「あなたのお話はまるで……」

しかし、キチイは激情の発作におそわれていた。彼女は相手にしまいまでいわせなかった。

「あたし、あなたのことをいってるんじゃありませんわ、けっしてあなたのことじゃありませんわ。あなたは完成された方ですもの。ええ、ええ、あなたは、完成された方だってことも、よく承知していますわ。でも、あたしがいけない人だからって、どうしようもありませんわ、そりゃ、あたしがいけない人でなかったら、こんなことにはならなかったでしょうよ。ですから、あたしはもう見せかけなんかよして、このままの人間でいることにしますわ。あたし、ペトロフさんの奥さんなんかに、なんにも関係ありませんわ！　あの人たちはあの人たちで、好きなように暮せばいいんですよ。あたしはあたしの好きなようにするんですから。だって、あたしはもうほかの人間にはなれませんからね……なにもかもみんな見当ちがいですわ、見当ちがいですわ！……」

「でも、なにがそんなに見当ちがいなんですの？」ワーレンカは納得のいかぬ様子できいた。

「なにもかもですわ。あたしは自分の心の命ずるままにしか、生きられないんです。

でも、あなたはちゃんと一つの主義に従って生活していらっしゃるんですわ。あたしはただ単純に、あなたが好きになってしまいましたけど、あなたのほうはきっと、ただあたしを救うために、あたしを教えるために愛してくださったんですわ！」

「それは違いますわよ」ワーレンカはいった。

「いえ、あたしは人さまのことはなんにもいっておりませんわ、ただ自分のことをいってるだけですわ」

「キチイ！」母親の声が聞えた。「こっちへ来て、パパにあの珊瑚《さんご》を見せておあげなさい」

キチイはきっとなって、親友と仲直りもしないで、テーブルの上から珊瑚の小箱をとると、母のほうへ歩いて行った。

「どうかしたの？ そんなまっ赤な顔をして？」母と父は声をそろえていった。

「なんでもありませんわ」彼女は答えた。「すぐもどってまいりますわ」そういって、もと来たほうへ駆けもどった。《あの人まだその辺にいるわ！》彼女は考えた。《ああ、あの人になんていったらいいかしら？ あたしは、なんてことをしたんだろう、なんてことをいってしまったんだろう！ なんだって、あの人を傷つけるようなことをいったのかしら？ どうしたらいいだろう？ あの人になんといったらいいかしら？》

キチイはそう考えながら、戸口のところで立ち止った。

ワーレンカは帽子をかぶり、傘《かさ》を手にして、テーブルの前にすわったまま、キチイのこわした傘のばねをいじっていた。彼女はふと顔をあげた。

「ワーレンカ、許してちょうだい、どうか、許して！」キチイはそばへ寄りながら、ささやいた。「あたし自分でもなにをいったのか、もう覚えていませんの。あたし……」

「あたくし、ほんとに、あなたにいやな思いをさせたくなかったんですのに」ワーレンカは微笑を浮べながらいった。

和解は成立した。ところが、父親の帰宅とともに、キチイにとっては、今まで自分が暮してきた世界が一変してしまった。彼女は今度あらたに認識したいっさいのものを、否定はしなかったが、自分がなりたいと望んでいたものになれると思ったのは、一種の自己欺瞞《ぎまん》であったと悟った。それはさながら、ふと目がさめたような気持であった。彼女は自分が達したいと願ったあの高みに、偽善や虚栄心のささえなしに踏みとどまることのひじょうなむずかしさを感じた。そのほか、彼女は、悲しみや、病気や、瀕死《ひんし》の人びとに満ちみちている、この自分の住んでいる世界の重苦しさをも感じた。彼女はその世界を愛そうとして、自分が必死に努力していることも、なにか耐えがたいものに思われてきて、一刻も早くさわやかな空気の中へ、ロシアへ、エルグショーヴォ村へ帰りたくなった。そこへは、もう姉のドリイが子供たちを連れて、移っているとの便りがあった。

しかし、ワーレンカに対するキチイの愛は衰えなかった。別れのとき、キチイは彼女に、ぜひロシアの自分の家をたずねてほしいと頼んだ。

「ご結婚なさるときには伺いますわ」ワーレンカは答えた。

「けっして結婚なんかしませんわ」

「まあ、それじゃ、あたくしもけっしてお伺いしませんわ」

「じゃ、あたし、ただそのためだけに結婚しますわ。よくって、この約束はけっして忘れないでくださいね！」キチイはいった。

医者の予言は適中した。キチイはすっかり元気になって、ロシアのわが家へ帰って来た。彼女は以前のようにのんきで、快活ではなくなったが、落ち着いてきた。モスクワでの悲しい出来事も、今はひとつの思い出となってしまっていた。

（中巻につづく）

トルストイ
原 卓也訳
クロイツェル・ソナタ
悪魔
性的欲望こそ人間生活のさまざまな悪や不幸の源であるとして、性に関する極めてストイックな考えと絶対的な純潔の理想を示す2編。

トルストイ
原久一郎訳
光あるうち光の中を歩め
古代キリスト教世界に生きるパンフィリウスと俗世間にどっぷり漬った豪商ユリウス。二人の人物に著者晩年の思想を吐露した名作。

トルストイ
工藤精一郎訳
戦争と平和
(一〜四)
ナポレオンのロシア侵攻を歴史背景に、十九世紀初頭の貴族社会と民衆のありさまを生き生きと写して世界文学の最高峰をなす名作。

トルストイ
原 卓也訳
人生論
人間はいかに生きるべきか? 人間を導く真理とは? トルストイの永遠の問いをみごとに結実させた、人生についての内面的考察。

トルストイ
木村 浩訳
復活
(上・下)
青年貴族ネフリュードフと薄幸の少女カチューシャの数奇な運命の中に人間精神の復活を描き出し、当時の社会を痛烈に批判した大作。

ソルジェニーツィン
木村 浩訳
イワン・デニーソヴィチの一日
スターリン暗黒時代の悲惨な強制収容所の一日を克明に描き、世界中に衝撃を与えた小説。伝統を誇るロシア文学の復活を告げる名作。

ドストエフスキー
木村浩訳
白痴（上・下）

白痴と呼ばれる純真なムイシュキン公爵を襲う悲しい破局……作者の〝無条件に美しい人間〟を創造しようとした意図が結実した傑作。

ドストエフスキー
木村浩訳
貧しき人びと

世間から侮蔑の目で見られている小心で善良な小役人マカール・ジェーヴシキンと薄幸の乙女ワーレンカの不幸な恋を描いた処女作。

ドストエフスキー
原卓也訳
カラマーゾフの兄弟（上・中・下）

カラマーゾフの三人兄弟を中心に、十九世紀のロシア社会に生きる人間の愛憎うずまく地獄絵を描き、人間と神の問題を追究した大作。

ドストエフスキー
江川卓訳
悪霊（上・下）

無神論的革命思想を悪霊に見立て、それに憑かれた人々の破滅を実在の事件をもとに描く。文豪の、文学的思想的探究の頂点に立つ大作。

ドストエフスキー
工藤精一郎訳
罪と罰（上・下）

独自の犯罪哲学によって、高利貸の老婆を殺し財産を奪った貧しい学生ラスコーリニコフ。良心の呵責に苦しむ彼の魂の遍歴を辿る名作。

ドストエフスキー
工藤精一郎訳
未成年（上・下）

ロシア社会の混乱を背景に、「父と子」の葛藤、未成年の魂の遍歴を描きながら人間の救済を追求するドストエフスキー円熟期の名作。

チェーホフ
神西清訳
桜の園・三人姉妹
急変していく現実を理解できず、華やかな昔の夢に溺れたまま没落していく貴族の哀愁を描いた「桜の園」。名作「三人姉妹」を併録。

チェーホフ
神西清訳
かもめ・ワーニャ伯父さん
恋と情事で錯綜した人間関係の織りなす日常のなかに、絶望から人を救うものは忍耐であるというテーマを展開させた「かもめ」等2編。

チェーホフ
小笠原豊樹訳
かわいい女・犬を連れた奥さん
男運に恵まれず何度も夫を変えるが、その度に夫の意見に合わせて生活してゆく女を描いた「かわいい女」など晩年の作品7編を収録。

チェーホフ
松下裕訳
チェーホフ・ユモレスカ
—傑作短編集I—
哀愁を湛えた登場人物たちを待ち受ける、あっと驚く結末。ロシア最高の短編作家の、ユーモアあふれるショートショート、新訳65編。

ツルゲーネフ
神西清訳
はつ恋
年上の令嬢ジナイーダに生れて初めての恋をした16歳のウラジミール——深い憂愁を漂わせて語られる、青春時代の甘美な恋の追憶。

ツルゲーネフ
工藤精一郎訳
父と子
古い道徳、習慣、信仰をすべて否定するニヒリストのバザーロフを主人公に、農奴解放で揺れるロシアの新旧思想の衝突を扱った名作。

ディケンズ
山西英一訳

大いなる遺産（上・下）

莫大な遺産の相続人になったことで運命が変転する少年ピップを主人公に、イギリスの庶民の喜び悲しみをユーモアいっぱいに描く。

ディケンズ
加賀山卓朗訳

二都物語

フランス革命下のパリとロンドン。燃え上がる激動の炎の中で、二つの都に繰り広げられる愛と死のロマン。新訳で贈る永遠の名作。

ディケンズ
中野好夫訳

デイヴィッド・コパフィールド（一〜四）

逆境にあっても人間への信頼を失わず、作家として大成したデイヴィッドと彼をめぐる精彩にみちた人間群像！　英文豪の自伝的長編。

ディケンズ
加賀山卓朗訳

オリヴァー・ツイスト

オリヴァー8歳。窃盗団に入りながらも純粋な心を失わず、ロンドンの街を生き抜く孤児の命運を描いた、ディケンズ初期の傑作。

ディケンズ
村岡花子訳

クリスマス・キャロル

貧しいけれど心の暖かい人々、孤独で寂しい自分の未来……亡霊たちに見せられた光景が、ケチで冷酷なスクルージの心を変えさせた。

ロレンス
伊藤整訳

完訳チャタレイ夫人の恋人

森番のメラーズによって情熱的な性を知ったクリフォド卿夫人――現代の愛の不信を描いて、「チャタレイ裁判」で話題を呼んだ作品。

ゲーテ
高橋義孝訳
若きウェルテルの悩み
ゲーテ自身の絶望的な恋の体験を作品化した書簡体小説。許婚者のいる女性ロッテを恋したウェルテルの苦悩と煩悶を描く古典的名作。

ゲーテ
高橋義孝訳
ファウスト（一・二）
悪魔メフィストーフェレスと魂を賭けた契約をして、充たされた人生を体験しつくそうとするファウスト——文豪が生涯をかけた大作。

高橋健二編訳
ゲーテ格言集
偉大な文豪であり、人間的な魅力にもあふれるゲーテ。深い知性と愛情に裏付けられた言葉の宝庫から親しみやすい警句、格言を収集。

ニーチェ
竹山道雄訳
ツァラトストラかく語りき（上・下）
ついに神は死んだ——ツァラトストラが超人へと高まりゆく内的過程を追いながら、永劫回帰の思想を語った律動感にあふれる名著。

ニーチェ
竹山道雄訳
善悪の彼岸
「世界は不条理であり、生命は自立した倫理をもつべきだ」と説く著者が既成の道徳観念と十九世紀後半の西欧精神を批判した代表作。

ニーチェ
西尾幹二訳
この人を見よ
ニーチェ発狂の前年に著わされた破天荒な自伝で、〝この人〟とは彼自身を示す。迫りくる暗い運命を予感しつつ率直に語ったその生涯。

バルザック
石井晴一訳
谷間の百合

充たされない結婚生活を送るモルソフ伯爵夫人の心に忍びこむ純真な青年フェリックスの存在。彼女は凄じい内心の葛藤に悩むが……。

バルザック
平岡篤頼訳
ゴリオ爺さん

華やかなパリ社交界に暮す二人の娘に全財産を注ぎこみ屋根裏部屋で窮死するゴリオ爺さん。娘ゆえの自己犠牲に破滅する父親の悲劇。

フローベール
芳川泰久訳
ボヴァリー夫人

恋に恋する美しい人妻エンマ。退屈な夫の目を盗み重ねた情事の行末は？ 村の不倫話を芸術に変えた仏文学の金字塔、待望の新訳！

モーパッサン
新庄嘉章訳
女の一生

修道院で教育を受けた清純な娘ジャンヌを主人公に、結婚の夢破れ、最愛の息子に裏切られていく生涯を描いた自然主義小説の代表作。

モーパッサン
青柳瑞穂訳
脂肪の塊・テリエ館

〝脂肪の塊〟と渾名される可憐な娼婦のまわりに、ブルジョワどもがめぐらす欲望と策謀の罠——鋭い観察眼で人間の本質を捉えた作品。

デュマ・フィス
新庄嘉章訳
椿姫

椿の花を愛するゆえに〝椿姫〟と呼ばれる、上品で美しい娼婦マルグリットと、純情多感な青年アルマンとのひたむきで悲しい恋の物語。

スタンダール
大岡昇平訳
パルムの僧院（上・下）
〝幸福の追求〟に生命を賭ける情熱的な青年貴族ファブリスが、愛する人の死によって僧院に入るまでの波瀾万丈の半生を描いた傑作。

スタンダール
小林正訳
赤と黒（上・下）
美貌で、強い自尊心と鋭い感受性をもつジュリヤン・ソレルが、長年の夢であった地位をその手で摑もうとした時、無惨な破局が……。

スタンダール
大岡昇平訳
恋愛論
豊富な恋愛体験をもとにすべての恋愛を「情熱恋愛」「趣味恋愛」「肉体的恋愛」「虚栄恋愛」に分類し、各国各時代の恋愛について語る。

ジッド
山内義雄訳
狭き門
地上の恋を捨て天上の愛に生きるアリサ。死後、残された日記には、従弟ジェロームへの想いと神の道への苦悩が記されていた……。

ジッド
神西清訳
田園交響楽
彼女はなぜ自殺したのか？　待ち望んでいた手術が成功して眼が見えるようになったのに。盲目の少女と牧師一家の精神の葛藤を描く。

ゾラ
川口篤
古賀照一訳
ナナ
美貌と肉体美を武器に、名士たちから巨額の金を巻きあげ破滅させる高級娼婦ナナ。第二帝政下の腐敗したフランス社会を描く傑作。

C・ドイル
延原謙訳
シャーロック・ホームズの冒険
ロンドンにまき起る奇怪な事件を追う名探偵シャーロック・ホームズの推理が冴える第一短編集。「赤髪組合」「唇の捩れた男」等、10編。

C・ドイル
延原謙訳
シャーロック・ホームズの帰還
読者の強い要望に応えて、作者の巧妙なトリックにより死の淵から生還したホームズ。帰還後初の事件「空家の冒険」など、10編収録。

C・ドイル
延原謙訳
シャーロック・ホームズの思い出
探偵を生涯の仕事と決める機縁となった「グロリア・スコット号」の事件。宿敵モリアティ教授との決死の対決「最後の事件」等、10短編。

M・ルブラン
堀口大學訳
8 1 3
―ルパン傑作集（I）―
殺人現場に残されたレッテル〝813〟とは？恐るべき冷酷さで、次々と手がかりを消していく謎の人物と、ルパンとの息づまる死闘。

M・ルブラン
堀口大學訳
奇 岩 城
―ルパン傑作集（III）―
ノルマンディに屹立する大断崖に、フランス歴代王の秘宝を求めて、怪盗ルパン、天才少年探偵、イギリスの名探偵等による死の闘争図。

M・ルブラン
堀口大學訳
ルパン対ホームズ
―ルパン傑作集（V）―
フランス最大の人気怪盗アルセーヌ・ルパンと、イギリスが誇る天才探偵シャーロック・ホームズの壮絶な一騎打。勝利はいずれに？

新潮文庫最新刊

柚木麻子著
BUTTER
男の金と命を次々に狙い、逮捕された梶井真奈子。週刊誌記者の里佳は面会の度、彼女の言動に翻弄される。各紙絶賛の社会派長編！

宿野かほる著
ルビンの壺が割れた
SNSで偶然再会した男女。ぎこちないやりとりは、徐々に変容を見せ始め……。前代未聞の読書体験を味わえる、衝撃の問題作！

西村京太郎著
広島電鉄殺人事件
速度超過で処分を受けた広電の運転士が暴漢に襲われた。東京でも殺人未遂事件が。十津川警部は七年前の殺人事件との繋がりを追う。

赤川次郎著
7番街の殺人
19歳の彩乃は、母の病と父の出奔で一家の大黒柱に。女優の付人を始めるがロケ地は祖母が殺された団地だった。傑作青春ミステリー。

島田荘司著
新しい十五匹のネズミのフライ
—ジョン・H・ワトソンの冒険—
ホームズは騙されていた！ 名推理でお馴染みの「赤毛組合」事件。その裏に潜むどんでん返しの計画と、書名に隠された謎とは。

安東能明著
消えた警官
二年前に姿を消した巡査部長。柴崎警部ら三人の警察官はこの事件を憑かれたように追いはじめる——。謎と戦慄の本格警察小説！

新潮文庫最新刊

藤井太洋著
ワン・モア・ヌーク
爆発は3月11日午前零時――オリンピックを控えた東京を核テロの恐怖が襲う。放射能汚染の差別と偽善を暴く110時間のサスペンス。

乾緑郎著
機巧のイヴ
―帝都浪漫篇―
美しき機巧人形《オートマタ》・伊武《イヴ》が、浪漫の花咲く1918年を駆け抜ける。魂と愛の根源を問う、日本SF小説史に残る傑作シリーズ、第三弾。

伊与原新著
青ノ果テ
―花巻農芸高校地学部の夏―
僕たちは本当のことなんて1ミリも知らなかった――。東京から来た謎の転校生との自転車旅。東北の風景に青春を描くロードノベル。

吉野万理子著
トリカブトの花言葉を教えて
星哉は年上の西条さんに片想い中。でも彼女は最近、誰かに殺意を抱いているようだ――。恋と復讐が渦巻くロマンチック・ミステリ。

矢野隆著
不終《おわらず》の怪談 文豪とアルケミスト ノベライズ
― case 小泉八雲―
自著『怪談』に潜書した小泉八雲は終わりの見えない怪異へと巻き込まれていく。「文豪とアルケミスト」公式ノベライズ第二弾。

池波正太郎・藤沢周平
滝口康彦・山本周五郎著
永井路子
縄田一男編
絆を紡ぐ
―人情時代小説傑作選―
何のために生きるのか。その時、女は美しく輝く――。降りかかる困難に屈せず生き抜いた女たちを描く、感奮の傑作小説5編を収録。

新潮文庫最新刊

有吉佐和子著
開幕ベルは華やかに
「二億用意しなければ女優を殺す」。大入りの帝劇に脅迫電話が。舞台裏の愛憎劇、そして事件の結末は――。絢爛豪華な傑作ミステリ。

米本浩二著
評伝 石牟礼道子
―渚に立つひと―
読売文学賞評論・伝記賞受賞
水俣病をめぐる魂の叫びを綴った『苦海浄土』。だが、石牟礼文学の魅力はそこに留まらない。神話的作家の豊饒を記した本格評伝。

関 裕二著
「大乱の都」京都争奪
―古代史謎解き紀行―
「日本と日本の王の形」を決めた平安京遷都には、ヤマト建国から続く因縁と恩讐の歴史が。古代史の常識に挑む紀行シリーズ、完結。

「週刊新潮」編集部編
黒い報告書
肉体の悪魔
男と女を狂わせるのは、肉の欲望か、心に潜む悪魔か。実在の事件を読み物化した「週刊新潮」連載からセレクトした14編を収録。

塩野七生著
皇帝フリードリッヒ二世の生涯
(上・下)
法王の権威を恐れず、聖地を手中にし、学芸を愛した――時代を二百年先取りした「はやすぎた男」の生涯を描いた傑作歴史巨編。

原田マハ著
デトロイト美術館の奇跡
ゴッホやセザンヌを誇る美術館の存続危機。大切な〈友だち〉を守ろうと、人々は立ち上がる。実話を基に描く、感動のアート小説!

Title : АННА КАРЕНИНА (vol. I)
Author : Лев Н. Толстой

アンナ・カレーニナ（上）

新潮文庫　ト－2－1

昭和四十七年二月二十日 発行
平成二十四年十月三十日 七十刷改版
令和 二 年二月二十日 七十六刷

訳者　木《き》村《むら》浩《ひろし》

発行者　佐藤隆信

発行所　株式会社 新潮社

郵便番号 一六二—八七一一
東京都新宿区矢来町七一
電話 編集部(〇三)三二六六—五四四〇
読者係(〇三)三二六六—五一一一
http://www.shinchosha.co.jp

価格はカバーに表示してあります。

乱丁・落丁本は、ご面倒ですが小社読者係宛ご送付ください。送料小社負担にてお取替えいたします。

印刷・錦明印刷株式会社　製本・加藤製本株式会社

© Hiroko Kimura 1972 Printed in Japan

ISBN978-4-10-206001-8 C0197